NÃO FALE COM ESTRANHOS

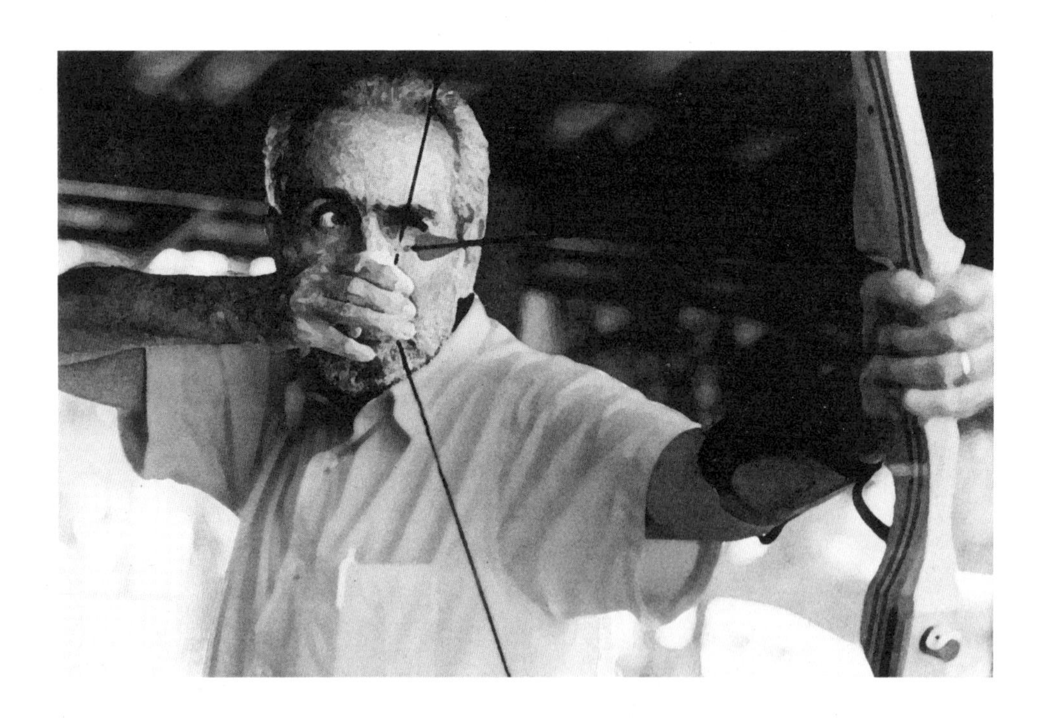

O Arqueiro

Geraldo Jordão Pereira (1938-2008) começou sua carreira aos 17 anos, quando foi trabalhar com seu pai, o célebre editor José Olympio, publicando obras marcantes como *O menino do dedo verde*, de Maurice Druon, e *Minha vida*, de Charles Chaplin.

Em 1976, fundou a Editora Salamandra com o propósito de formar uma nova geração de leitores e acabou criando um dos catálogos infantis mais premiados do Brasil. Em 1992, fugindo de sua linha editorial, lançou *Muitas vidas, muitos mestres*, de Brian Weiss, livro que deu origem à Editora Sextante.

Fã de histórias de suspense, Geraldo descobriu *O Código Da Vinci* antes mesmo de ele ser lançado nos Estados Unidos. A aposta em ficção, que não era o foco da Sextante, foi certeira: o título se transformou em um dos maiores fenômenos editoriais de todos os tempos.

Mas não foi só aos livros que se dedicou. Com seu desejo de ajudar o próximo, Geraldo desenvolveu diversos projetos sociais que se tornaram sua grande paixão.

Com a missão de publicar histórias empolgantes, tornar os livros cada vez mais acessíveis e despertar o amor pela leitura, a Editora Arqueiro é uma homenagem a esta figura extraordinária, capaz de enxergar mais além, mirar nas coisas verdadeiramente importantes e não perder o idealismo e a esperança diante dos desafios e contratempos da vida.

HARLAN COBEN

NÃO FALE COM ESTRANHOS

Título original: *The Stranger*

tradução: Marcelo Mendes

preparo de originais: Alice Dias

revisão: Rafaella Lemos e Renata Dib

diagramação: Abreu's System

capa: Raul Fernandes

imagem de capa: Yolande de Kort/ Arcangel Images

impressão e acabamento: Lis Gráfica e Editora Ltda.

CIP-BRASIL. CATALOGAÇÃO NA PUBLICAÇÃO
SINDICATO NACIONAL DOS EDITORES DE LIVROS, RJ

C586n Coben, Harlan
Não fale com estranhos/ Harlan Coben; tradução de Marcelo Mendes. São Paulo: Arqueiro, 2016.
304 p.; 16 x 23 cm.

Tradução de: The stranger
ISBN 978-85-8041-571-1

1. Ficção americana. I. Mendes, Marcelo. II. Título.

16-32156 CDD: 813
CDU: 821.111(73)-3

Editora Arqueiro Ltda.
Rua Funchal, 538 – conjuntos 52 e 54 – Vila Olímpia
04551-060 – São Paulo – SP
Tel.: (11) 3868-4492 – Fax: (11) 3862-5818
E-mail: atendimento@editoraarqueiro.com.br
www.editoraarqueiro.com.br

Em memória de meu primo
Stephen Reiter
E em celebração a seus filhos
David, Samantha e Jason

Alma minha, prepara-te para a vinda do Estranho,
Daquele que sabe fazer as perguntas certas.
Há alguém que se lembra do caminho até teu portão.
Da vida tu podes escapar. Da morte, não.

– T. S. Eliot

capítulo 1

O MUNDO DE ADAM PRICE não foi destruído imediatamente pelo que o estranho revelou.

Isso foi o que ele disse a si mesmo mais tarde. Mas era uma grande mentira. De alguma maneira, ele soube, logo após a primeira frase, que sua vida tranquila como pai de dois filhos nos subúrbios endinheirados de Nova Jersey havia acabado para sempre. Fora aparentemente uma frase banal, mas algo no tom de voz do sujeito, uma certeza misturada a uma espécie de solidariedade, bastara para convencê-lo de que nada mais seria igual dali em diante.

– Você não precisava ter ficado com ela – foi o que disse o sujeito.

Eles estavam no bar do American Legion Hall de Cedarfield, uma cidadezinha nas imediações de Jersey City, com uma ampla densidade demográfica de banqueiros, gestores de fundos e outras criaturas igualmente titânicas do mundo das finanças. Esses homens gostavam de tomar cerveja exatamente naquele bar, pois ali podiam se misturar confortavelmente aos simples mortais e fingir que faziam parte da galera. Nada mais longe da verdade.

Adam estava junto ao balcão pegajoso, próximo ao alvo de dardos. Letreiros em néon faziam propaganda da Miller Lite, mas ele segurava uma garrafa de Budweiser com a mão direita. Virou-se para trás assim que ouviu a frase do estranho e, mesmo sabendo a resposta, perguntou:

– Está falando comigo?

O sujeito era mais jovem do que a maioria dos pais que ali estavam, bem mais magro também, quase esquelético. Os olhos eram azuis, grandes e incisivos; os braços eram finos e muito brancos, uma tatuagem escapando de uma das mangas da camiseta. Na cabeça, um boné de beisebol. Não era exatamente um hipster, mas por algum motivo lembrava um desses especialistas que sabem tudo de determinado assunto e não falam de outra coisa, um técnico que dificilmente troca a companhia do computador pela luz do sol.

Ele agora plantava os olhos grandes e incisivos sobre Adam, desconcertando-o com a seriedade deles, por pouco não o obrigando a virar o rosto.

– Ela disse que estava grávida, não disse? – indagou o sujeito, e Adam apertou os dedos na garrafa de cerveja. – Foi por isso que você ficou com ela. Corinne disse que estava grávida.

Foi aí que Adam teve a impressão de que algum botão fora apertado em seu peito, fazendo disparar o contador digital de uma bomba imaginária. Agora não havia mais como interromper a contagem regressiva que ia comendo os segundos até o fatídico zero final: *tic, tic, tic...*

– Eu conheço você? – perguntou Adam.

– Ela disse que estava grávida, não disse? – insistiu o estranho. – Corinne falou que tinha engravidado e depois perdido o bebê.

Naquele dia seriam anunciadas as convocações dos alunos de 10 a 12 anos para as equipes principais de lacrosse, por isso o bar do American Legion estava apinhado de pais embrulhados em camisetas brancas de beisebol e bermudas cargo ou calças jeans murchas no traseiro. Muitos usavam também um boné de beisebol.

– Você se sentiu obrigado a ficar, não foi? – perguntou o sujeito.

– Não faço a menor ideia do que você está...

– Ela mentiu – afirmou o estranho, convicto, mas era como se seu único interesse fosse o bem de Adam. – Corinne inventou essa história toda. Ela não estava grávida.

As palavras chegavam até Adam como murros de um pugilista, atordoando-o, debilitando-o, deixando-o trêmulo e zonzo, pronto para receber do árbitro a contagem protetora dos oito segundos. Sua vontade era reagir, esmurrar o filho da puta por ter ofendido sua mulher daquela maneira, agarrá-lo pela camisa e arremessá-lo para o outro lado do salão. Mas não foi o que fez.

Por dois motivos: primeiro, como já foi dito, ele estava atordoado, debilitado, trêmulo e zonzo com o que acabara de ouvir; segundo, algo no modo como o sujeito falava, a certeza com que afirmava tudo aquilo, sugeria que talvez continuar a ouvi-lo fosse a coisa mais inteligente a fazer.

– Quem é você? – perguntou Adam.

– Isso faz alguma diferença?

– Faz.

– Sou apenas alguém que sabe algo importante. Ela mentiu pra você, Adam. Corinne nunca esteve grávida. Tudo não passou de uma armadilha pra trazer você de volta.

Adam balançou a cabeça. Procurou organizar as ideias, manter a calma e a lucidez.

– Eu vi o resultado do teste de gravidez.

– Falsificado.

– Vi a ultrassonografia.

– Falsificada.

Antes que Adam dissesse qualquer outra coisa, o desconhecido ergueu a mão para interrompê-lo.

– E a barriga também era falsa. Ou melhor, as barrigas. Depois que Corinne começou o show, você nunca mais voltou a vê-la nua, não foi? Ela fazia o quê? Ficava sempre enjoada de noite pra evitar o sexo? É isso que acontece na maioria das vezes. Então, quando aconteceu o aborto, você juntou as peças e concluiu que se tratava de uma gravidez difícil desde o início.

Do outro lado do salão, uma voz retumbante anunciou:

– Vamos lá, rapazes. Peguem uma cerveja gelada e vamos dar início aos trabalhos!

A voz pertencia a Tripp Evans, presidente da liga de lacrosse, ex-publicitário de uma mega-agência na Madison Avenue. Um grande sujeito. Os outros pais começaram a desempilhar as cadeiras de alumínio, dessas que estão sempre presentes em eventos escolares, e arrumá-las num círculo no centro do salão. Tripp Evans olhou para Adam e ficou visivelmente preocupado ao vê-lo tão pálido. Adam tranquilizou-o com um sinal qualquer, depois voltou sua atenção para o desconhecido.

– Quem é você, afinal?

– Digamos que eu seja o seu salvador. Ou um amigo que acabou de libertá-lo da prisão.

– Você não diz coisa com coisa.

A essa altura, as conversas no salão já haviam praticamente encerrado, dando lugar aos últimos cochichos e ao arrastar metálico das cadeiras no chão. Os pais já começavam a se concentrar para o "jogo" que estava prestes a começar. Adam detestava aquilo tudo. Nem deveria estar ali. Era Corinne quem sempre se ocupava dessas coisas. Ela era a tesoureira do conselho de lacrosse, mas a escola havia alterado o dia de sua apresentação no congresso de professores de Atlantic City, e, embora aquela fosse uma das datas mais importantes do calendário esportivo de Cedarfield (motivo pelo qual ela havia se envolvido tanto com a coisa toda), restara-lhe implorar para que ele fosse em seu lugar.

– Você devia me agradecer – disse o desconhecido.

– Do que você está falando?

Pela primeira vez o sujeito sorriu. Um sorriso gentil, Adam não pôde deixar de notar. O sorriso de um guru, de um homem que queria apenas fazer a coisa certa.

– Você agora é um homem livre.

– E você é um grande mentiroso.

– Você sabe muito bem que não estou mentindo.

Do outro lado do salão, Tripp Adams chamou:

– Adam!

Virando o rosto, constatou que todos já estavam sentados, menos ele e o estranho.

– Agora preciso ir – sussurrou o sujeito. – Mas se você fizer questão de uma prova, procure por um débito em nome de Novelty Funsy na fatura do seu cartão de crédito.

– Espere aí...

– Mais uma coisa. – O desconhecido se aproximou para dizer: – No seu lugar eu provavelmente faria um teste de DNA com seus dois garotos.

Tic, tic, tic... buuum!

– O quê?

– Não tenho nenhuma prova quanto a isso, mas quando uma mulher conta uma mentira dessas, bem... é provável que já tenha mentido antes.

Adam ainda não havia se recuperado desse golpe final quando o estranho cruzou a porta do salão e saiu.

capítulo 2

ASSIM QUE CONSEGUIU RECUPERAR o controle das pernas, Adam correu atrás do homem.

Tarde demais.

Ele já se acomodava no banco do passageiro de um Honda Accord cinza. O carro arrancou, e Adam tentou alcançá-lo, na esperança de ao menos conseguir ler a placa, mas só pôde ver que o veículo era de Nova Jersey. Porém notou outra coisa quando o Honda fez a curva para sair do estacionamento.

Era uma mulher quem estava ao volante.

Uma mulher jovem, com cabelos louros e compridos. Ela parecia encará-lo de longe com uma expressão de piedade no rosto.

O carro sumiu de vista. Alguém chamou por Adam. Ele deu meia-volta e entrou.

Então foram iniciadas as convocações para as equipes fixas.

Adam tentou prestar atenção, mas era como se as palavras o alcançassem depois de terem ultrapassado uma cortina de fumaça. Corinne havia facilitado bastante as coisas para ele, listando todos os garotos que haviam participado das eliminatórias da equipe do sexto ano; portanto bastava escolher entre aqueles que tivessem as melhores notas. Mas o principal – o verdadeiro motivo de sua presença ali – era garantir que Ryan, o filho deles, fosse escolhido para uma das equipes itinerantes. Thomas, o primogênito, que agora cursava o segundo ano do ensino médio, havia ficado de fora da equipe principal quando tinha a idade de Ryan porque "os pais não estavam envolvidos o bastante", como Adam e Corinne haviam pensado na época. Em sua grande maioria, aqueles pais estavam ali não porque gostavam do esporte, mas sobretudo porque precisavam defender os interesses dos filhos.

Inclusive Adam. Patético, mas... fazer o quê?

Ele tentou apagar da cabeça o que acabara de ouvir (afinal, quem era aquele sujeito?), mas foi em vão. Mal conseguia ler o que estava escrito nos "relatórios de escalação" preparados pela mulher. Corinne era extremamente organizada, de uma forma quase patológica, a ponto de listar os garotos segundo seus próprios critérios de avaliação, do melhor ao pior.

Em gestos automáticos ele ia riscando dessa lista o nome de cada garoto convocado. Ficava admirado com a caligrafia da mulher, praticamente uma reprodução exata das letras perfeitas ensinadas nos livros de alfabetização. Assim era Corinne: a garota que chegava à sala de aula dizendo que não sabia nada, depois era a primeira a entregar a prova e ainda por cima tirava a nota máxima. Inteligente, determinada, linda e...

Mentirosa?

– Agora vamos para as equipes itinerantes, pessoal – anunciou Tripp.

Cadeiras se arrastaram novamente. Ainda atordoado, Adam se juntou à roda dos quatro homens responsáveis pela escalação das equipes itinerantes A e B, as que realmente contavam. As equipes fixas permaneciam em casa, e as itinerantes, para as quais iam os melhores jogadores, defendiam Cedarfield nos diversos campeonatos estado afora.

"Novelty Funsy...", pensou Adam. "Por que será que esse nome não me é estranho?"

O técnico principal das equipes do sexto ano era um sujeito chamado Bob Baime, mas Adam sempre pensava nele como um personagem de desenho animado, mais especificamente como o Gaston de *A Bela e a Fera*. O sujeito era um armário de tão forte e tinha um sorriso tão radiante que chegava a irritar. Bob era falante, Bob era marrento, Bob era uma mula, Bob era um cara mau. Andava de lá para cá com o peito estufado e os braços balançando rente aos flancos, e era como se a trilha sonora do desenho tocasse em algum lugar sempre que ele passava: "Não há igual a Gaston nem melhor que Gaston..."

"Tire isso da cabeça", disse Adam a si mesmo. "Aquele sujeito só estava brincando com você..."

A escalação não deveria levar mais do que alguns minutos. Cada um dos garotos recebia uma nota de um a dez nas diversas categorias (velocidade, força, habilidade com o taco, precisão nos passes, etc.). Em seguida era computada a média das notas. Em tese bastava formar a equipe A com as dezoito melhores notas e a equipe B com as dezoito seguintes. Os demais estavam eliminados. Simples assim. O problema era que todos os pais ali presentes queriam ver os filhos nos times dos quais eles próprios eram técnicos assistentes.

Ok.

Começou a distribuição de notas. As coisas aconteceram rapidamente até que chegou o momento de definir a última vaga da equipe B.

– Essa vaga é do Jimmy Hoch – sentenciou Bob Baime/Gaston.

Bob não falava apenas: geralmente "sentenciava".

Um dos técnicos assistentes, um sujeito pacato de cujo nome Adam não se lembrava, interveio:

– Mas Jack e Logan tiveram notas melhores que ele.

– Eu sei – sentenciou Gaston. – Mas conheço esse garoto. Jimmy Hoch joga melhor que os outros dois. Não foi muito bem nas seletivas, só isso.

Ele tossiu na mão cerrada, depois prosseguiu:

– Além disso, ele teve um ano difícil. Os pais se divorciaram, coisa e tal. Acho que a gente devia dar uma chance pra ele. Portanto, se ninguém tiver nada contra...

Ele começou a escrever o nome de Jimmy.

Adam ouviu a si mesmo dizer:

– Eu tenho.

Todos se viraram para encará-lo.

Apontando o queixo furado na direção dele, Gaston disse:

– Como é que é?

– Não acho certo – disse Adam. – Jack e Logan tiveram notas melhores. Qual dos dois teve a maior?

– Logan – respondeu um dos assistentes.

Adam correu os olhos pela lista.

– Isso mesmo. Bem, então a vaga é dele.

Os assistentes arregalaram os olhos. Gaston não estava acostumado a ser contrariado. Inclinando-se para a frente, disse:

– Desculpe, companheiro, não quero ser grosseiro, mas você só está aqui porque sua mulher não pôde vir. – À palavra "mulher" ele discretamente acrescentou uma pitada de ironia, como se fazer algo no lugar da esposa não fosse coisa de macho. – Nem técnico assistente você é.

– Tem razão – concordou Adam. – Mas sou capaz de ler números, Bob. A nota final do Logan foi 6,7. A do Jimmy foi 6,4. Mesmo na matemática moderna, 6,7 é maior do que 6,4. Posso fazer um desenho se você não tiver entendido.

Gaston não estava gostando do sarcasmo.

– Mas como acabei de explicar – disse ele –, precisamos levar em conta as circunstâncias.

– O divórcio dos pais?

– Exatamente.

Adam virou-se para os técnicos assistentes, que no mesmo instante encontraram algo interessantíssimo para olhar no chão.

– Nesse caso... você sabe quais são as circunstâncias familiares do Jack e do Logan?

– Sei que os pais estão juntos.

– Então agora isso é um fator decisivo? – perguntou Adam. – Você tem um ótimo casamento, não tem, Gast... – Foi por pouco. – Bob?

– O quê?

– Você e a Melanie. Vocês dois são o casal mais feliz da cidade, certo?

Melanie era uma lourinha baixinha e espevitada, e piscava os olhos como se tivesse levado um tapa na cara. Gaston adorava apalpar o traseiro da mulher em público, não como uma demonstração de afeto, tampouco de desejo, mas apenas para deixar claro que ali estava uma propriedade sua. Recostando-se novamente na cadeira, ele escolheu as palavras antes de dizer:

– Temos um bom casamento, sim, mas...

– Nesse caso, o correto seria subtrair pelo menos meio ponto da nota do seu próprio filho, certo? Então, vejamos: a nota de Bob Junior cairia para... 6,3. Equipe B. Quer dizer, se vamos aumentar a nota do Jimmy porque os pais estão com problemas no casamento, deveríamos diminuir a nota do seu filho já que você e Melanie têm um casamento perfeito. Concorda comigo?

– Adam, você está bem? – perguntou um dos assistentes.

Adam virou-se na direção do homem.

– Estou ótimo – disse, ao mesmo tempo que pensava: "Corinne inventou aquela história toda. Nunca esteve grávida."

Em seguida voltou o rosto para o técnico grandalhão, e os dois se entreolharam. "E aí, vai encarar?" Adam estava pronto para a briga. Sobretudo naquela noite. Sabia que Gaston era um pit bull que ladrava muito mais do que mordia. Podia ver que Tripp Evans acompanhava a cena com uma expressão de espanto no rosto.

– Isto aqui não é um tribunal de justiça – disse Gaston entre dentes. – Você está pisando na bola.

Fazia quatro meses que Adam não punha os pés num tribunal, mas isso não o impediria de corrigir o pit bull:

– Estas avaliações estão aqui por um motivo, Bob.

– E nós também – devolveu Gaston, correndo a mão pela cabeleira negra. – Como técnicos. Como pessoas que vêm observando esses moleques durante anos. A palavra final é nossa. Ou melhor, a palavra final é do técnico principal, que por acaso sou eu. Jimmy tem uma atitude excelente, e isso também conta. Não somos computadores. Usamos todas as ferramentas a nosso dispor pra selecionar entre os garotos aqueles que merecem mais. – Ele espalmou as mãos enormes, como se quisesse trazer Adam de volta para o rebanho. – Poxa, cara, estamos falando da última vaga pra equipe B. Nem é tão importante assim.

– Aposto que para o Logan é.

– Sou o técnico principal. A decisão é minha.

O grupo de pais começou a se dispersar, alguns se preparando para sair. Adam abriu a boca para dizer mais alguma coisa, mas depois pensou: “Pra quê?” Jamais venceria aquela briga que nem ele mesmo sabia ao certo por que havia comprado. Sequer conhecia o tal Logan. Tudo aquilo não havia passado de um subterfúgio para afastar da cabeça a confusão que o desconhecido havia instalado ali. E só. Ele sabia disso. Então se levantou também.

– Aonde você está indo? – perguntou Gaston, projetando o queixo como se estivesse pedindo um murro.

– Ryan está na equipe A, não está?

– Está.

Era para isso que Adam estava ali: para interceder a favor do filho se fosse preciso. O resto era o resto.

– Boa noite pra todo mundo – disse ele, voltando para o balcão pegajoso do bar.

Naquela noite era Len Gilman quem fazia as vezes de barman. Len era o delegado da cidade, e por isso gostava dessa ocupação: só assim podia controlar o número de motoristas bêbados após a reunião. Adam meneou a cabeça para o homem, pegou com ele mais uma Budweiser e destampou a garrafa com visível furor. Não demorou para que Tripp Evans parasse a seu lado. Len passou-lhe uma Budweiser também. Após um rápido brinde, eles ficaram bebendo em silêncio enquanto o grupo se desfazia. Ouviam-se despedidas aqui e ali. De repente, Gaston se levantou de modo dramático (drama era o seu forte) e lançou um olhar fulminante na direção de Adam, que ergueu a garrafa como se lhe desejasse saúde. O técnico saiu esbravejando porta afora.

– Fazendo amizades? – perguntou Tripp.

– Sou um cara agregador – disse Adam.

– Você sabe que ele é vice-presidente do conselho, não sabe?
– Da próxima vez vou me lembrar de me ajoelhar diante dele.
– E eu sou o presidente.
– Xiii... Acho que vou ter de comprar uma joelheira.
Tripp riu, depois disse:
– Bob está passando por um momento difícil.
– Bob é um babaca.
– Também acho. Sabe por que eu continuo sendo presidente?
– Porque isso te ajuda a pegar mulher?
– Isso também. Mas se eu sair... é ele quem assume o meu lugar.
– Putz. – Adam pôs sua garrafa no balcão. – Preciso ir.
– Ele está desempregado.
– Ele quem?
– O Bob. Faz um ano que perdeu o emprego.
– Sinto muito. Mas isso não é desculpa.
– Não falei que era. Só queria que você soubesse.
– Entendi – disse Adam.
– Pois então – prosseguiu Tripp. – O Bob está com um head hunter, ajudando-o a encontrar alguma coisa. Um head hunter conhecido, um cara importante.
– E?
– E esse cara está ajudando o Bob a encontrar emprego.
– Foi o que você disse.
– O nome dele é Jim Hoch.
Adam arregalou os olhos.
– *Jim Hoch?* Tipo... pai do Jimmy Hoch?
Tripp não disse nada.
– Então é por isso que ele quer o garoto no time?
– Claro. Ou você acha que pro Bob faz alguma diferença se os pais do moleque estão se separando ou não?
Adam balançou a cabeça, depois disse:
– E você acha isso certo?
Tripp deu de ombros e respondeu:
– Ninguém aqui é santo. Um pai que se envolve na vida esportiva do filho é como uma leoa que quer proteger o filhote. Às vezes escalam um garoto só porque é seu vizinho. Ou porque tem uma mãe gostosa que aparece nos jogos com um vestidinho justo.

– Está falando por experiência própria, não está?

– *Mea culpa*. E às vezes escalam alguém só porque o pai do garoto pode descolar um emprego. Parece um motivo melhor que os outros.

– Caramba. É muito cinismo pra um publicitário só.

Tripp riu e disse:

– É, eu sei. Mas o negócio é o seguinte: até onde a gente está disposto a ir pra proteger a nossa família? Você nunca fez mal a ninguém, eu também não. Mas se alguém estiver ameaçando a nossa família, se for pra proteger os nossos filhos...

– A gente mata?

– Dê uma olhada à sua volta, companheiro – disse Tripp, abrindo os braços. – Esta cidade, essas escolas, esses garotos, essas famílias... Quando paro pra pensar, mal posso acreditar na sorte que a gente tem. Uma vida de sonho. A vida que todo mundo pediu a Deus, entende?

Adam entendia – até certo ponto. Para poder bancar aquela vida de sonho ele havia passado de defensor público mal remunerado a especialista em direito imobiliário super-remunerado, mas volta e meia se perguntava se aquilo tudo valia a pena.

– E por que o Logan tem que pagar o pato? – perguntou ele.

– Desde quando a vida é justa? – retrucou Tripp. – Olha, já tive como cliente uma grande montadora de automóveis. Sim, você sabe qual. E sim, você leu nos jornais recentemente que eles encobriram um problema com a coluna de direção de determinado modelo. Muita gente se machucou ou morreu em acidentes por causa disso. Mas os caras da montadora... eram caras legais, sabe? Pessoas normais. Então como foi que deixaram uma coisa dessas acontecer? Como foram capazes de calcular a porra de um custo-benefício qualquer e deixar que pessoas morressem por conta disso?

A essa altura Adam já sabia muito bem onde Tripp queria chegar com aquela argumentação, mas não se importava: com Tripp a viagem era sempre agradável.

– Porque são uns filhos da puta?

Tripp franziu o cenho.

– Você sabe que não é assim. É a mesma coisa com o pessoal que trabalha na indústria tabagista. Será que são todos uns filhos da puta também? E esses padres que volta e meia encobrem algum escândalo na paróquia? Ou, sei lá, esse pessoal que polui os rios? São filhos da puta também?

Esse era o Tripp: um paizão suburbano que discursava como filósofo.

– Não são? – devolveu Adam.

– Tudo é uma questão de perspectiva, meu amigo – respondeu Tripp, sorrindo. Tirou o boné e ajeitou os poucos cabelos que ainda restavam, depois recolocou-o na cabeça. – Nós, seres humanos, nunca vemos as coisas com imparcialidade. Sempre procuramos proteger os nossos próprios interesses.

– Tem uma coisa em comum em todos esses exemplos que você citou – disse Adam.

– O quê?

– Dinheiro.

– Ah, o dinheiro. O pai de todos os males.

Adam lembrou-se mais uma vez do desconhecido. Em seguida pensou nos dois filhos que naquele momento o esperavam em casa, provavelmente fazendo a lição da escola ou jogando videogame. Por fim pensou na mulher que estava num congresso de professores em Atlantic City.

– Nem todos – disse ele.

capítulo 3

O ESTACIONAMENTO ESTAVA ESCURO. O breu seria completo não fossem os rápidos lampejos que se faziam quando alguém abria a porta de um carro ou mexia no celular. Adam se acomodou ao volante de seu próprio carro e por alguns minutos não fez nada. Apenas ficou ali, imóvel, ouvindo as portas que batiam à sua volta, os motores sendo ligados.

"Você não precisava ter ficado com ela..."

Sentiu o telefone vibrar no bolso e imediatamente deduziu que seria uma mensagem de Corinne, curiosa para saber o resultado das convocações. Pescou o aparelho e conferiu o visor. Como imaginado: Corinne.

COMO FOI?

Adam estudava a mensagem, como se pudesse encontrar nela algum subtexto revelador, quando alguém o assustou ao bater na janela do passageiro. Era Gaston e sua cabeçorra do tamanho de uma abóbora. Ele abriu um sorriso e sinalizou para que Adam baixasse o vidro. Adam girou a chave na ignição e abriu a janela para o técnico.

– E aí, companheiro? – disse o homem. – Sem ressentimentos, certo? Apenas uma diferença de opiniões.

– Certo.

Gaston estendeu a mão e Adam a apertou.

– Boa sorte na temporada – disse Gaston.

– Ok. Boa sorte com o seu head hunter.

Gaston se enregelou por um instante, e os dois homens ficaram ali; Gaston ocupando todo o espaço da janela, Adam encarando-o com firmeza. Por fim, Gaston puxou de volta sua manzorra e saiu marchando estacionamento afora.

Palhaço.

O telefone vibrou outra vez. De novo, Corinne:

E AÍ?!?

Adam podia imaginá-la com os olhos pregados no celular, aflita para receber uma resposta. Não viu nenhum motivo para não responder. Joguinhos mentais nunca haviam sido seu estilo.

RYAN NA EQUIPE A.

A resposta foi imediata:

UHU! TE LIGO EM MEIA HORA.

Adam guardou o telefone no bolso, deu partida no carro e voltou para casa. A distância era exatamente de quatro quilômetros e duzentos metros: Corinne a havia medido no hodômetro do carro quando começara a correr. Após passar pela Dunkin' Donuts da South Maple Avenue, Adam dobrou a esquina do posto de gasolina e estacionou diante da garagem. Apesar da hora, todas as luzes da casa estavam acesas. Como sempre. Por mais que as escolas viessem falando sobre a importância de poupar energia, seus dois filhos ainda não haviam aprendido a apagar a luz depois de sair de um cômodo.

Jersey, a border collie da família, começou a latir do outro lado da porta; assim que viu Adam entrar, fez festa como se ele fosse um combatente que voltava para casa depois de uma longa e sofrida guerra. Adam notou que não havia água na vasilha da cadela.

– Olá!

Nenhuma resposta. Ryan já deveria estaria dormindo. Quanto a Thomas, ou estaria terminando os deveres de casa ou apenas diria que os estava terminando. Sempre que era surpreendido jogando videogame ou navegando na internet, dizia que tinha *acabado* de terminar os deveres.

Adam colocou água para a cadela.

– Olá! Cheguei!

Thomas surgiu no topo da escada.

– Oi.

– Você levou a Jersey pra passear?

– Ainda não.

Código dos adolescentes para "Não".

– Então leve agora.

– É que eu preciso terminar uma parada aí pra escola.

Código dos adolescentes para "Não".

Adam já ia mandando o habitual "A-go-ra" (sílabas tão recorrentes entre pais e filhos), mas se conteve e ficou olhando para Thomas. Sentiu as lágrimas virem à tona, mas represou-as a tempo. Ele e o garoto eram muito parecidos. Todos diziam isso. Tinham o mesmo modo de andar, a mesma risada, o mesmo segundo dedo maior que o dedão do pé.

Impossível que não fosse seu filho. Muito embora o sujeito tivesse dito que...

"Você agora vai dar ouvidos a estranhos?", pensou.

Ele se lembrou das tantas vezes que Corinne havia advertido os meninos com relação a não falar com estranhos, insistindo para que eles nunca fossem solícitos demais, que chamassem atenção de todos ao redor sempre que fossem abordados por algum adulto, que escolhessem uma palavra como código de segurança se estivessem em apuros. Thomas entendera imediatamente, mas Ryan ainda tinha a ingenuidade natural de sua pouca idade. Corinne sempre tivera um pé atrás com aqueles marmanjos que costumavam rondar os pequenos jogadores, numa necessidade obsessiva de orientá-los depois que os próprios filhos já haviam parado de jogar, ou, pior ainda, quando não tinham filho nenhum. Adam, por sua vez, era mais prático: desconfiava de todo mundo e pronto. Muito mais fácil, certo?

Thomas percebeu na mesma hora que o pai estava esquisito. Fez uma careta, depois foi descendo a escada daquele jeito atabalhoado dos adolescentes, sacolejando ombros e pernas de forma descoordenada.

– Acho melhor sair com a Jersey agora – disse ele, que passou direto pelo pai e pegou a coleira da cadela.

Jersey esperava na porta, pronta para sair. Como todos os cachorros, estava sempre pronta para sair. E para que não houvesse dúvida quanto a isso, plantava-se diante da porta de modo que ninguém conseguia abri-la. Ah, os cachorros.

– Cadê o Ryan? – perguntou Adam.

– Na cama.

Adam conferiu as horas no relógio do micro-ondas. Dez e quinze. Ryan tinha de ir pra cama às dez, mas podia permanecer acordado e ler até o apagar das luzes às dez e meia. Como a mãe, adorava regras. Nunca precisava ser lembrado de que faltavam quinze minutos para as dez, nem nada parecido. De manhã, pulava da cama assim que o despertador tocava, tomava seu banho, vestia-se, fazia seu próprio café. Thomas era diferente. Vez ou outra Adam cogitava comprar um bastão de choque elétrico para fazer o filho funcionar pela manhã.

"Novelty Funsy..."

Adam ouviu a porta de tela bater às costas de Thomas e Jersey. Em seguida subiu para os quartos e foi dar uma espiada em Ryan. O menino havia adormecido com a luz acesa e um livro de Rick Riordan aberto no peito. Pé ante pé, ele se aproximou da cama, recolheu o livro e o deixou sobre a mesinha com o marcador de páginas devidamente posicionado. Já ia desligar o abajur quando Ryan resmungou:

– Pai?

– Oi, filho.

– Eu entrei na equipe A?

– O e-mail só chega amanhã...

Uma mentirinha inofensiva. Oficialmente, Adam não sabia de nada ainda. Os técnicos não deviam contar nada aos filhos antes que os e-mails fossem enviados no dia seguinte e todos ficassem sabendo do resultado ao mesmo tempo.

– Tá bom.

Ryan fechou os olhos e apagou antes mesmo de recolocar a cabeça no travesseiro. Adam ficou onde estava, observando-o por um tempo. Fisicamente o menino também havia puxado muito mais à mãe do que ao pai. Até então isso nunca havia importado; pelo contrário, para Adam tratava-se de um ponto positivo. Porém, depois daquela noite, a dúvida o atormentava. Uma grande estupidez, mas essa era a verdade. Impossível apagar da memória o que o sujeito dissera. Aquelas palavras ecoavam sem parar em sua cabeça. Mas, por outro lado... que importância teria aquilo? Parado à beira da cama de Ryan, mais uma vez Adam se viu tomado daquele sentimento que às vezes o acometia quando olhava para os filhos: um misto de felicidade, de medo pelo que poderia acontecer de ruim a eles, de esperanças e projeções, tudo isso embalado naquilo que havia de mais puro em todo o planeta – o amor de um pai. Uma cafonice, diriam alguns, mas fazer o quê? Pureza. Era isso que o emocionava sempre que ele se via perdido na admiração da sua prole: uma pureza que só podia vir do amor mais verdadeiro e incondicional.

Adam amava o pequeno Ryan mais que tudo na vida.

Mas e se o menino não fosse seu filho? Tudo aquilo seria perdido? Esse sentimento deixaria de existir?

Ele balançou a cabeça e desviou o olhar. Já chega de filosofar sobre paternidade. Até aquele momento, nada tinha mudado. Um cara esquisitão o abordara com uma história absurda sobre uma falsa gravidez. Só isso. Ele tinha experiência suficiente para saber que nada podia ser dado como certo prematuramente. As pessoas mentiam, por isso era preciso investigar. E também porque muitas vezes as nossas próprias ideias pré-concebidas nos induziam ao erro.

A intuição de Adam dizia que as palavras do estranho soavam verdadeiras, e esse era o problema. Sempre havia o risco de que uma mera intuição resvalasse para a certeza absoluta.

Pesquisar. Investigar. Esse era o caminho.

Mas por onde começar?

Simples. Novelty Funsy. Que diabos seria isso?

A família compartilhava um computador que ficava no escritório da casa. A ideia tinha sido de Corinne. Assim não haveria nenhuma navegação secreta (leia-se: pornografia na internet) por parte dos garotos. Adam e Corinne ficariam a par de tudo, pelo menos em tese, e cumpririam seu papel de pais responsáveis e maduros. Mas Adam logo se deu conta de que esse tipo de monitoramento era inútil. Nada impedia que os garotos olhassem o que bem entendessem - inclusive pornografia - no celular. Ou no computador de um amigo. Ou num dos tablets e laptops que davam sopa pela casa.

Policiar era preguiça, ele dizia a si mesmo. O correto era que os pais ensinassem aos filhos a agir de determinada forma porque isso era o certo e ponto final, não porque papai e mamãe estavam de olho neles. Portanto, Adam havia transferido o computador da sala para o cômodo que muito generosamente eles chamavam de "escritório", um cubículo de múltiplas funções e múltiplos usuários. As provas dos alunos de Corinne esperavam para ser corrigidas num canto. A papelada dos meninos se espalhava por toda parte. Sempre havia alguma página de trabalho escolar esquecida na bandeja da impressora feito um soldado ferido abandonado no campo de batalha. Contas se empilhavam na cadeira, esperando que Adam as pagasse pela internet.

O navegador estava aberto na página de um museu. Um dos meninos decerto vinha estudando a Grécia antiga. Adam examinou o histórico de navegação, mesmo sabendo que ambos os filhos eram espertos o suficiente para não deixar rastros. Mas não custava nada. Certa vez, Thomas havia esquecido seu Facebook aberto, então Adam sentara-se diante do computador e ficara por um bom tempo resistindo bravamente ao impulso de bisbilhotar as mensagens do filho.

Batalha perdida.

Ele lera algumas mensagens e só. O bastante para saber que Thomas não estava correndo nenhum perigo. Isso era o mais importante de tudo. Mas não havia como negar que aquilo havia sido uma imperdoável invasão de privacidade. Ele ficara sabendo de coisas que não devia – nada realmente preocupante. No entanto, eram coisas que demandavam uma boa conversa entre pai e filho. E o que fazer então com as novas informações? Como interpelar Thomas sem confessar a indiscrição que havia cometido? Valeria a pena? Ele cogitara consultar Corinne, mas acabou pensando melhor e chegou a conclusão de que não havia nada de anormal na situação. Ele próprio, quando adolescente, fizera algumas bobagens escondido. Mas havia amadurecido e seguido em frente, o que talvez não tivesse acontecido se os pais o tivessem espionado e confrontado.

Então o assunto morrera ali.

Criar filhos não é para os fracos.

"Você está enrolando, Adam."

E estava mesmo. Sabia disso. Então voltou ao trabalho.

Naquela noite não havia nada de espetacular no histórico de navegação do computador familiar. Um dos meninos, provavelmente Ryan, estava estudando a Grécia antiga. Ou talvez estivesse entusiasmado com o livro que andava lendo. Havia links para Zeus, Hades, Hera e Ícaro. Ou seja, mitologia grega. No histórico da véspera havia uma consulta de informações práticas sobre o Borgata Hotel e Casino de Atlantic City. Nada mais natural: era lá que Corinne estava hospedada. Ela também havia pesquisado e consultado a programação de eventos do congresso.

Basicamente isso.

Pois bem, chega de enrolação.

Adam entrou no site do banco. Ele e Corinne tinham dois cartões Visa. Informalmente, chamavam o primeiro de "pessoal" e o segundo de "corporativo", apenas para facilitar o controle das despesas. Usavam o cartão "corporativo" para todos os gastos que tinham alguma relação com o trabalho, como por exemplo o congresso de professores em Atlantic City. Para todos os demais, usavam o "pessoal".

Adam abriu a página do primeiro cartão. O site dispunha de uma ferramenta de busca, e no campo de pesquisa ele digitou "novelty". Nenhum resultado. Ok, ótimo. Em seguida fez a mesma coisa com o segundo cartão, o "corporativo".

Bingo!

Mais ou menos dois anos antes havia um débito em nome de uma empresa chamada Novelty Funsy no valor de 387,83 dólares. Adam podia ouvir o ruído do computador.

Como? Como era possível que o estranho soubesse daquele débito?

Ele não fazia ideia.

Adam tinha a vaga impressão de que se lembrava da tal despesa. Com esforço, acabou encontrando o que procurava numa distante e empoeirada gaveta da memória. Ele estava sentado exatamente ali, conferindo os extratos dos dois cartões, quando perguntou a Corinne a respeito daquele débito. Ela havia respondido de maneira vaga, dizendo alguma coisa sobre enfeites para a sala de aula. Ele estranhara o valor, achando-o alto demais, mas ela o assegurara de que seria reembolsada pela escola.

Novelty Funsy. O nome não sugeria nada de nefasto, certo?

Adam abriu uma segunda aba no navegador e digitou o nome da empresa no Google:

Exibindo resultados para Novelty *Fancy*

Nenhum resultado encontrado para Novelty Funsy

Uau. Isso era estranho. Tudo estava no Google. Adam se recostou na cadeira e ficou pensando. Por que diabos não haveria uma única entrada para Novelty Funsy? A empresa realmente existia – o débito no cartão provava isso.

Adam já não sabia mais o que pensar. Um estranho tinha surgido do nada para dizer que Corinne inventara uma mentira elaboradíssima sobre sua gravidez. Mas quem era ele? Que motivo teria para fazer uma coisa dessas?

Mais importante do que essas duas perguntas: teria ele dito a verdade?

A vontade de Adam era simplesmente dizer que não e virar aquela página. Após dezoito anos de casamento, era óbvio que os dois tinham problemas e cicatrizes, mas nada que minasse a confiança que depositava na mulher. Muitas coisas se esvaíam com o tempo, quebravam e se dissolviam, ou apenas mudavam. Mas havia algo que não mudava nunca, ou então mudava para melhor, ficando cada vez mais forte: o caráter protetor dos laços familiares. Marido e mulher formavam uma equipe. Jogavam o mesmo jogo, ambos no mesmo time, protegendo-se mutuamente. As vitórias de um também eram do outro. Assim como as derrotas.

Adam confiaria a própria vida a Corinne. Mas agora...

No ramo em que trabalhava, ele via isso o tempo todo. Em suma, sempre havia uma pessoa tentando passar a perna na outra. Ele e Corinne talvez formassem uma dupla coesa, mas nem por isso deixavam de ser indivíduos. Seria ótimo confiar nela incondicionalmente e apagar da memória o que o sujeito dissera (o que Adam estava muito tentado a fazer), mas não podia esconder a cabeça num buraco como um avestruz. A dúvida que agora martelava em sua mente talvez lhe desse uma trégua no futuro, mas jamais sumiria por completo.

A menos que ele tirasse toda aquela história a limpo.

O estranho dissera que a prova estava numa compra aparentemente inofensiva no cartão. Adam devia isso a si próprio (e a Corinne também, que decerto não iria querer um marido paranoico ao seu lado), então ligou para o serviço de atendimento ao cliente. Solicitado pela gravação, digitou o número do cartão, a data de validade e o código de segurança. Um menu oferecia diversos caminhos eletrônicos, mas ele preferiu falar com um atendente. Assim que foi atendido, precisou repetir à moça todas as informações que já havia digitado (por que eles sempre fazem isso?), além dos quatro últimos números do CPF e o endereço.

– Em que posso ajudá-lo, Sr. Price?

– Um débito foi feito no meu cartão em nome de uma empresa chamada Novelty Funsy.

Ela pediu que ele soletrasse "Funsy" e depois perguntou:

– O senhor poderia informar o valor e a data da transação?

Adam passou os dados, já esperando algum empecilho quando informou a data (o débito havia sido feito mais de dois anos antes). Mas a atendente disse apenas:

– Pois não, Sr. Price, o que o senhor deseja saber?

– Não me lembro de ter comprado nada numa empresa com esse nome.

– Hum... – disse a moça.

– Hum, o quê?

– Algumas empresas operam com nomes fantasia. Por uma questão de discrição. Os hotéis têm uma prática semelhante, quando dizem que o nome do filme que o hóspede viu não aparecerá na conta.

Certamente ela estava se referindo a filmes pornográficos ou a qualquer outra coisa envolvendo sexo.

– Não é o caso.

– Bem, então vejamos o que pode ser. – A moça digitou alguma coisa. – Novelty Funsy está cadastrado como uma loja on-line. Geralmente isso sugere uma empresa que se preocupa com a privacidade dos compradores. Isso ajuda em alguma coisa?

Sim e não.

– Seria possível pedir que eles emitam uma nota detalhada?

– Claro. Mas pode levar algumas horas.

– Tudo bem.

– Temos o seu e-mail no nosso registro. – Ela leu o endereço. – Podemos enviar a resposta para ele?

– Sim, por favor.

A atendente perguntou a Adam se ele precisava de mais alguma ajuda. Adam disse que não, agradeceu e desligou. Em seguida ficou olhando para a tela do computador, queimando os miolos. Novelty Funsy. Novidades divertidas. Pensando melhor, o nome poderia ser a fachada de uma sex shop.

– Pai?

Era Thomas. Adam imediatamente minimizou a tela como se... bem, como se fosse um dos filhos e estivesse vendo pornografia.

– Opa – disse ele, a naturalidade em pessoa. – O que você manda?

Se o garoto estranhou o comportamento do pai, não demonstrou. De modo geral os adolescentes não enxergam um palmo além do próprio umbigo, o que naquele momento vinha a calhar para Adam. Thomas não tinha o menor interesse em saber o que o pai fazia ou deixava de fazer na internet.

– Você pode me dar uma carona até a casa do Justin?

– Agora?

– Ele está com o meu calção.

– Que calção?

– O meu calção de treino. Preciso dele pro treino de amanhã.

– Não dá pra usar outro calção qualquer?

Thomas olhou para o pai como se um par de chifres monstruosos tivesse crescido na testa dele.

– O técnico exige que a gente use o calção de treino.

– O Justin não pode levar pra você na escola amanhã?

– Ele já devia ter levado hoje e esqueceu. Vai esquecer de novo.

– Então o que você usou no treino de hoje?

– O Kevin tinha um pra me emprestar. Do irmão dele. Ficou grande demais.

– Você não pode ligar pro Justin e pedir a ele que coloque a porcaria do calção na mochila agora mesmo?

– Posso, mas ele não vai colocar. A casa é aqui perto. Só quatro quarteirões. Além disso, bem que eu ando precisando treinar um pouco na direção.

Fazia apenas uma semana que Thomas havia recebido sua habilitação provisória, o que para os pais equivale a um teste de esforço sem a máquina de eletrocardiograma.

– Tudo bem, então. Daqui a pouco eu desço – disse Adam.

Limpou o histórico do navegador e desceu a escada para a sala.

Jersey, esperando uma nova caminhada, fez uma carinha triste como quem diz "Você não vai me levar?" quando o viu passar direto pela porta. Na rua, Thomas recebeu as chaves do carro e assumiu o volante.

Adam já era capaz de relaxar um pouco no banco do passageiro, ao contrário da mulher. Com sua mania de controle, Corinne ficava berrando instruções para o menino a todo instante, mandando que ele atentasse para isso ou para aquilo; vez ou outra não se continha e pisava num freio imaginário à sua frente. Assim que Thomas deu a partida no carro, Adam se virou para admirá-lo. Algumas poucas espinhas começavam a aparecer no rosto do garoto. Fiapos de barba despontavam nas faces, não exatamente uma juba como a de Abraham Lincoln, mas o bastante para que ele precisasse se barbear pelo menos uma vez por semana. Bermudas cargo deixavam de fora um par de pernas cabeludas. O moleque tinha lindos olhos azuis. Límpidos como gelo. Todos comentavam.

Thomas estacionou diante da casa do amigo, por pouco não raspando as rodas no meio-fio.

– Não demoro – disse.

– Ok.

Thomas desligou o carro e correu para a porta. Quem atendeu foi Kristin Hoy, mãe de Justin. Adam se surpreendeu ao vê-la ali. Kristin era professora na mesma escola em que Corinne trabalhava. As duas haviam ficado muito amigas. Adam achara que ela também deveria estar em Atlantic City, mas depois se lembrou de que o congresso era apenas para professores de história e línguas. Kristin lecionava matemática.

A mulher sorriu e acenou da porta. Adam acenou de volta. Thomas sumiu no interior da casa e Kristin veio caminhando na direção do carro. Por mais incorreto que fosse admitir, Kristin Hoy era uma coroa gostosona. Adam já tinha entreouvido diversos comentários desse tipo por parte dos amigos de Thomas, mas não precisava ser incentivado pela opinião de ninguém para achar a mesma coisa. Naquele momento a mulher vinha rebolando na sua direção, embrulhada a vácuo em sua calça jeans e usando uma camiseta branca. Praticava alguma modalidade de fisiculturismo, Adam não sabia ao certo qual. Ele nunca achara muita graça nas halterofilistas de outrora, e Kristin realmente parecia um tanto musculosa demais, "trincada" demais. Os cabelos pareciam mais louros, o sorriso mais branco e a pele mais alaranjada do que deviam. No entanto, ela tinha lá o seu charme.

– Olá, Adam.

Por um instante ele ficou sem saber se devia ou não sair do carro. Acabou decidindo ficar onde estava.

– Olá, Kristin.

– Corinne ainda está viajando?

– Está.

– Mas volta amanhã, não é?

– É.

– Ok. Vou dar uma ligada pra ela. A gente precisa treinar. Meu campeonato é daqui a duas semanas.

Em seu Facebook, Kristin se apresentava como "modelo fitness" e "WBFF Pro", o que quer que isso significasse. Corinne invejava o corpo da amiga. Recentemente elas haviam começado a malhar juntas. Como em geral acontece com as coisas relacionadas à nossa saúde, chega-se a um ponto em que o que tinha começado como um hábito saudável acaba se tornando uma obsessão.

Thomas voltou com seu calção em punho.

– Tchau, Thomas.

– Tchau, Sra. Hoy.

– Boa noite, rapazes. Muito juízo na ausência da minha amiga Corinne, ok? – disse Kristin, e saiu rebolando de volta para casa.

– Essa mulher é meio mala – observou Thomas.

– Isso não é coisa que se diga.

– Você devia ver a cozinha dela.

– O que tem a cozinha dela?

– Na geladeira tem fotos dela de biquíni – disse Thomas. – É constrangedor.

Difícil discordar. Assim que Thomas arrancou com o carro, um discreto sorriso brotou em seus lábios.

– O que foi? – quis saber Adam.

– O Kyle chama ela de Raimunda – disse Thomas.

– Por que Raimunda?

– Por que é feia de rosto mas boa de... você sabe.

Adam tentou conter o riso enquanto balançava a cabeça em sinal de censura. Estava prestes a dar uma bronca no filho (cogitando como manter a seriedade) quando seu celular tocou. Vendo pelo identificador que era Corinne, preferiu não atender. Ela entenderia. Naquele momento era mais importante ficar atento à condução de Thomas.

O celular vibrou antes que Adam pudesse guardá-lo no bolso. Rápido demais para Corinne ter enviado uma mensagem de texto, ele pensou. Mas não: era um e-mail do banco. Ele abriu e viu que havia um link para um detalhamento de compra.

– Pai? Tudo bem com você?

– Olha pra frente, garoto.

Adam mal prestou atenção no tal link. Em casa ele examinaria o que havia ali. Por ora bastava o que estava escrito na primeira linha da mensagem:

Novelty Funsy é o nome fantasia para a seguinte loja on-line:
BarrigaFalsa.com

capítulo 4

JÁ DE VOLTA AO cubículo que fazia as vezes de escritório, Adam clicou no link do e-mail e foi encaminhado para a página da tal loja.

BarrigaFalsa.com.

Ele procurou manter a cabeça fria. Sabia que a internet atendia às demandas de todas as preferências, manias e taras do planeta, mesmo as mais escabrosas, mas o fato de haver um site inteiramente dedicado à falsificação de uma gravidez lhe dava vontade de gritar de desespero e admitir que os piores instintos humanos venceram a eterna luta do bem contra o mal.

Sob o cabeçalho de letras rosas, numa fonte ligeiramente menor, vinha a seguinte epígrafe: A BRINCADEIRA MAIS ENGRAÇADA DO MUNDO!

Brincadeira? Engraçada?

Adam clicou no link para ver o histórico de compras do usuário. O primeiro item da lista era um "Falso Teste de Gravidez SUPERNOVO". Adam simplesmente meneou a cabeça. O preço normal de 34,95 dólares vinha riscado para dar lugar ao preço promocional de 19,99 dólares e abaixo, em itálico, estava escrito: "Um desconto de 15,00 dólares!".

"Ah, ótimo", pensou Adam. "Valeu pela economia. Que bom que minha mulher aproveitou esta oportunidade."

O produto seria entregue em 24 horas numa "embalagem discreta". Mais abaixo na página se lia:

Use da mesma maneira que você usaria um teste de gravidez real! Urine na fita e leia o resultado, que será sempre positivo!

Adam sentiu a boca secar.

Dê um belo susto no namorado, nos cunhados, no primo ou no professor!

No primo ou no professor? Quem seria demente o bastante para querer levar um primo ou um professor a acreditar que... Adam preferiu não dar asas à imaginação. Na parte inferior da página, em letras miúdas, vinha a seguinte advertência:

ATENÇÃO: Sempre há a possibilidade de que este produto seja usado de modo irresponsável. Ao completar e enviar o formulário abaixo, o comprador se compromete a não usá-lo para fins ilegais, imorais, fraudulentos ou prejudiciais a terceiros.

Inacreditável. Adam clicou na imagem do produto e deu um zoom na embalagem. O teste se resumia a uma fita branca com uma marca vermelha indicando gravidez. Adam procurou se lembrar de como era o material usado por Corinne à época. Não conseguiu. Talvez nem tivesse se dado ao trabalho de olhar. Além disso, esses kits eram todos mais ou menos iguais, certo?

No entanto, ele se lembrava agora de que estava em casa quando Corinne realizou o teste.

O que era uma novidade. Nas duas vezes anteriores, quando descobriu que estava grávida de Thomas e de Ryan, ela o havia esperado à porta com um radiante sorriso nos lábios para dar a notícia. Mas na terceira, insistira para que ele estivesse presente. Disso ele se lembrava bem. Esperara ela entrar no banheiro, deitara-se na cama e ficara ali, zapeando canais na televisão. Imaginara que o processo durasse pelo menos alguns minutos, mas não. Corinne saíra do banheiro pouco depois com a fita na mão, dizendo: "Adam, veja, estou grávida!"

Mais uma vez ele procurou lembrar como era a tal fita.

E mais uma vez não conseguiu.

Em seguida clicou no segundo link e deixou a cabeça cair entre as mãos.

BARRIGAS DE SILICONE

Elas vinham em diversos tamanhos: primeiro trimestre (1–12 semanas), segundo trimestre (13–27 semanas) e terceiro trimestre (28–40 semanas). Também havia tamanhos maiores para gêmeos, trigêmeos e até mesmo para quadrigêmeos. Uma fotografia mostrava uma mulher bonita olhando carinhosamente para o ventre "grávido". Usava um vestido de noiva e segurava nas mãos um buquê de lírios. A legenda dizia:

Nada coloca você mais em evidência do que uma gravidez!

Abaixo disso, e bem menos sutil:

Até os presentes ficam melhores!

O produto era feito de um "silicone de qualidade medicinal" que o site descrevia como "o que há de mais semelhante à pele humana até agora!". Mais abaixo vinham vídeos com depoimentos de "clientes reais do BarrigaFalsa.com". Adam clicou num deles. Sorrindo para a câmera, uma morena bonita dizia: "Oi! Estou adorando minha barriga de silicone. É tão natural!" Em seguida contava que havia recebido o produto no prazo de dois dias úteis (não tão rápido quanto o teste de gravidez, mas nesse caso não tinha tanta urgência, né?) e que ela e o marido estavam adotando um bebê e não queriam que os amigos soubessem a verdade. Outra mulher, dessa vez uma ruiva magrinha, dizia que ela e o marido estavam usando uma barriga de aluguel e precisavam manter sigilo sobre isso. O último depoimento era de uma mulher que havia usado a barriga de silicone para "dar o maior susto do mundo" nos amigos.

Uma bela amizade.

Adam voltou para a página com a lista de compras. O último item era um kit de falsos exames de ultrassonografia. Caramba!

2D ou 3D! Você escolhe!

O preço do kit era 29,99 dólares. Havia campos em branco para que o usuário digitasse o nome do médico, o nome da clínica ou do hospital, a data do exame. Era possível escolher o sexo do bebê ou apenas uma probabilidade ("Menino – 80% de certeza"), bem como o número de semanas do feto, o número de fetos, etc. Por mais 4,99 dólares era possível "acrescentar um holograma ao falso ultrassom para torná-lo ainda mais autêntico".

Adam ficou enojado. Corinne havia optado pelo holograma? Ele não lembrava.

Mais uma vez o site dava a entender que as pessoas compravam aqueles produtos para brincar com os outros. "Ótimo para despedidas de solteiro!" Puxa, como alguém não havia pensado nisso antes?! "Perfeito para festas de aniversário e até mesmo festas de Natal!" Festa de Natal? As pessoas faziam o quê? Colocavam o falso teste de gravidez numa embalagem de presente e deixavam debaixo da árvore? Como não achar graça numa brincadeira dessas?

Claro, toda essa história de "brincadeira" não passava de uma medida preventiva contra ações judiciais. Os donos daquele negócio sabiam perfeitamente qual era o uso real que os compradores davam a seus produtos.

"Isso, Adam. Continue se mantendo distante. Continue ignorando o óbvio."

A confusão mental voltou a se instalar. Não havia mais nada que ele pudesse fazer naquela noite. O melhor seria ir para a cama e pensar no assunto. Ou não pensar em nada se fosse preciso. Não agir precipitadamente. Manter a calma. Havia muita coisa em jogo.

Ele passou pelos quartos dos filhos a caminho do seu. Aqueles cômodos, aquela casa inteira... subitamente tudo aquilo lhe pareceu frágil, como cascas de ovo que poderiam ser reduzidas a pó caso não agisse com muita cautela.

Entrando no quarto que dividia com a mulher, ele notou o livro que ela havia deixado na mesinha de cabeceira, um romance de estreia de uma autora paquistanesa, ao lado do último número da revista *Real Simple*, com páginas marcadas aqui e ali. Também viu os óculos de leitura (de grau baixíssimo, que ela preferia não usar em público) e o radiorrelógio equipado com um dock para iPhone. Adam e Corinne tinham gostos musicais parecidos. Ambos adoravam Bruce Springsteen. Já tinham visto mais de dez shows do cantor. Adam perdia totalmente a compostura, dançando feito um maluco, deixando-se levar pela música. Já Corinne permanecia focada, concentrada, os olhos grudados no palco.

Ele foi para o banheiro escovar os dentes. Corinne tinha uma daquelas escovas elétricas que mais pareciam alguma engenhoca projetada pela Nasa. Adam não. Ele permanecia fiel às boas e velhas escovas manuais. Uma caixa de tinta L'Oréal jazia aberta na bancada, exalando o cheiro forte típico de produtos químicos. Provavelmente Corinne havia retocado as raízes antes da viagem para Atlantic City. Os fios brancos pareciam brotar um de cada vez. Quando notava a presença de um deles, Corinne tinha o hábito de esticá-lo para vê-lo melhor e dizer: "Credo! Parece palha de aço."

O celular tocou e Adam conferiu o identificador de chamadas, mesmo sabendo quem era. Cuspiu a pasta de dente, enxaguou a boca e atendeu.

– Alô.

– Adam?

Claro, era Corinne.

– Oi.

– Liguei mais cedo – disse ela, preocupada. – Por que não atendeu?

– O Thomas estava dirigindo. Eu precisava ficar de olho nele.

– Ah. – Certamente ainda estava no bar com as amigas, pois no fundo se ouviam risadas e música. – Então, como foi hoje à noite?

– Tudo certo. Ryan entrou na equipe.
– E o Bob, como estava?
– Como assim, como estava o Bob? O palhaço de sempre, claro.
– Você precisa ser mais cordial com ele, Adam.
– Não, não preciso.
– Ele quer rebaixar o Ryan para que ele não tenha de competir com o Bob Jr. Só está esperando um pretexto.
– Corinne...
– Oi.
– Já é tarde, e amanhã eu tenho um dia cheio pela frente. Será que podemos conversar outra hora?
– Está tudo bem com você? – perguntou ela.
– Está – respondeu Adam, e desligou.
Jogou uma água no rosto e o secou com a toalha.
Dois anos antes, quando Thomas tinha 14 anos e Ryan, 10, Corinne havia engravidado, o que fora uma grande surpresa. Depois de certa idade Adam passara a ter problemas com sua contagem de esperma, por isso o casal havia relaxado um pouco – senão totalmente – com as medidas de prevenção. Uma irresponsabilidade, claro. À época, ele e Corinne nem pensavam na possibilidade de ter mais um filho. Era como se houvesse entre eles um acordo tácito no sentido contrário.
Adam olhou para seu reflexo no espelho. As vozes recomeçaram a murmurar em sua cabeça, e dali a pouco ele se viu novamente diante do computador do escritório. Abriu o navegador e digitou "teste de DNA" no campo de busca. A primeira entrada era para um kit vendido na rede de farmácias Walgreens. Ele já ia finalizar a compra quando parou para pensar melhor. Não queria correr o risco de que alguém abrisse a caixa. Melhor seria comprar o tal kit pessoalmente na manhã seguinte.
Adam voltou para o quarto, sentou-se na cama e farejou no ar o cheiro de Corinne, ainda um poderoso feromônio depois de tantos anos. Talvez estivesse imaginando coisas.
As palavras do desconhecido lhe voltaram à mente:
"Você não precisava ter ficado com ela."
Adam deitou a cabeça no travesseiro e se deixou embalar pelos sons quase inaudíveis de sua casa adormecida.

capítulo 5

ADAM ACORDOU ÀS SETE e deparou com Ryan à porta do quarto, esperando por ele.

- Pai...

- Fala, filho.

- Você pode olhar se já chegou o e-mail do Sr. Baime com os resultados?

- Já olhei, filho. Você entrou na equipe A.

Ryan não comemorou externamente. Isso não era do seu feitio. Apenas meneou a cabeça e procurou segurar o sorriso.

- Posso ir pra casa do Max depois da aula?

- O que vocês pretendem fazer neste dia tão bonito?

- Ficar jogando videogame num quarto escuro - disse Ryan.

Adam franziu o cenho, mas sabia que o menino estava brincando.

- O Jack e o Collin vão também - emendou Ryan. - A gente vai jogar lacrosse.

- Claro. - Adam esticou as pernas e se levantou da cama. - Já tomou seu café da manhã?

- Ainda não.

- Quer que eu faça um ovo do Papi?

- Só se você prometer que nunca mais vai falar "ovo do Papi".

- Fechado - disse Adam, rindo.

Por um momento ele conseguiu não pensar na noite anterior, no encontro com o estranho, nas barrigas de silicone. Era como se tivesse sonhado essas coisas todas, o que era natural nas atuais circunstâncias. Mas não era sonho nenhum, disso ele tinha certeza. Sabia que estava bloqueando os pensamentos. Nem sequer tivera dificuldade para dormir à noite. Se realmente havia sonhado alguma coisa, não lembrava. Quase sempre dormia bem. Corinne era quem tinha o hábito de varar a madrugada acordada quando estava preocupada com algo. Em algum momento da vida, Adam aprendera a não se preocupar com as coisas que não podia controlar. Um hábito saudável. Mas ele agora se perguntava o que realmente era aquilo: uma estratégia para simplificar a vida ou um simples artifício para bloquear a verdade?

Adam desceu para a cozinha e preparou o café do filho. "Ovo do Papi" era o nome que ele dava a uma simples receita de ovos mexidos com leite, mostarda e queijo parmesão. Quando tinha 6 anos, Ryan adorava os ovos preparados dessa maneira, mas como sempre acontece com os filhos, chega um momento na vida deles em que tudo que vem dos pais se torna um "mico". Com Ryan não tinha sido diferente, mas havia pouco tempo ele ouvira do novo técnico que o dia devia começar com um belo prato de proteínas, e foi o que bastou para que o famigerado "ovo do Papi" renascesse das cinzas.

Vendo o filho atacar o prato furiosamente, Adam tentou visualizá-lo aos 6 anos, comendo aqueles mesmos ovos naquela mesma cozinha. A imagem não lhe veio à cabeça.

Thomas tinha carona naquele dia, então Adam e Ryan foram sozinhos de carro para a escola, num silêncio confortável entre pai e filho. Passaram por uma Baby Gap, depois pela academia Tiger Schulmann. Um Subway fora inaugurado na esquina, num ponto comercial em que nada parecia dar certo. Ali já existira uma loja de bagel, uma joalheria, uma loja de colchões caros e uma lanchonete não muito diferente do próprio Subway.

– Valeu, pai. Tchau.

Ryan saltou do carro sem ao menos dar um beijinho no rosto do pai. Quando teriam parado os beijinhos? Adam não conseguiu lembrar.

Ele dobrou a esquina da Oak Street, passou pela 7-Eleven e deu um suspiro alto quando viu a farmácia Walgreens. Parou o carro no estacionamento da loja e permaneceu ao volante por vários minutos. Um velhinho passou por ele com sua receita médica espremida entre os dedos esqueléticos e o metal do andador. Adam ficou com a impressão de que ele o havia encarado de um modo azedo, mas talvez aquela fosse a forma como o homem encarava o mundo como um todo.

Por fim ele entrou na loja e pegou um dos cestos empilhados junto à porta. Precisava comprar pasta de dente e sabonete antibacteriano; mais do que isso, precisava de alguma coisa, *qualquer coisa*, que desse à sua compra um ar de naturalidade. Por um segundo ele se lembrou da própria juventude, quando comprava uma série de outras coisas junto com as camisinhas, que depois eram guardadas na carteira e por lá ficavam até apodrecer.

Os testes de DNA ficavam ao lado do balcão do farmacêutico. Com a maior displicência possível, Adam se aproximou da prateleira, olhou para ambos os lados, e só então pegou uma das caixas. Na parte de trás da embalagem estava escrito:

TRINTA POR CENTO DOS "PAIS" QUE FAZEM ESTE TESTE DESCOBREM QUE A CRIANÇA QUE ESTÃO CRIANDO NÃO É SUA.

Ele devolveu a caixa para a prateleira e se afastou o mais rápido que pôde, como se ela pudesse chamá-lo de volta se permanecesse ali. Não. Hoje, não. Aquilo teria de ficar para outro dia. Em seguida levou as pastas de dente e os sabonetes para o caixa, acrescentou um pacote de chicletes e pagou.

Pegando a Rota 17, passou por mais umas tantas lojas de colchão (qual seria o problema com o norte do estado de Nova Jersey e seus colchões?) e foi para a academia. Trocou-se no vestiário e se dirigiu aos aparelhos de musculação. Ao longo de sua vida adulta, Adam já havia experimentado uma ampla variedade de atividades físicas: ioga (não era flexível o bastante), Pilates (ficava confuso com os exercícios), *boot camp* (por que não se alistar no exército logo de uma vez?), Zumba (sem comentários), hidroginástica (por pouco não havia se afogado), spinning (muita dor na bunda). Mas sempre acabava voltando para a boa e velha musculação. Havia dias em que adorava a queimação nos músculos e mal conseguia se imaginar fazendo outra coisa na vida. Noutros, odiava cada segundo daquilo e mal via a hora de passar na lanchonete para um shake gigante de manteiga de amendoim.

À medida que fazia sua série, Adam procurava se lembrar de contrair o músculo e segurar alguns segundos ao fim de cada movimento. Pelo que diziam, esse era o segredo da coisa. Não bastava puxar os pesos e voltar com eles para a posição inicial: era preciso contrair e segurar. Terminada a série, tomou banho, vestiu a roupa de trabalho e foi para o escritório que tinha na Midland Avenue, distrito de Paramus. O prédio tinha apenas quatro andares e uma fachada inteiramente de vidro – igual a todos os outros edifícios comerciais.

– Ei, Adam, tem um minuto?

Era Andy Gribbel, o melhor técnico jurídico da equipe de Adam. Quando começara a trabalhar ali, todos o chamavam de "Dude" por causa da semelhança com o personagem de Jeff Bridges em *O grande Lebowsky*. Era mais velho que a maioria dos técnicos jurídicos (aliás, mais velho que o próprio Adam) e poderia facilmente ter cursado uma faculdade de direito para se tornar um legítimo advogado, mas, como ele próprio costumava dizer: "Essa não é a minha praia, cara."

Isso mesmo. Palavras dele.

– Que foi? – perguntou Adam.

– O velho Rinsky.

A especialidade de Adam era o campo das desapropriações, isto é, aqueles casos em que o governo precisa surrupiar a propriedade dos cidadãos para construir uma estrada, uma escola ou coisa parecida. No caso em questão, o município de Kasselton estava tentando desapropriar a casa de Michael Rinsky por causa do processo conhecido como "gentrificação". Trocando em miúdos, aquela parte da cidade era gentilmente chamada de "indesejável", e as autoridades municipais haviam encontrado um empreendedor imobiliário disposto a jogar no chão todos os imóveis pobres e antigos que havia nela para construir um complexo de lojas, restaurantes e prédios residenciais.

– O que tem ele?

– Vamos encontrar com o cara na casa dele – respondeu Andy.

– Sem problemas.

– Vamos apelar pro chumbo grosso?

Essa era a forma como Adam se referia às suas manobras de último recurso.

– Ainda não – disse ele. – Mais alguma coisa?

Gribbel se recostou na cadeira e cruzou as botinas sobre a mesa.

– Hoje à noite vai rolar um show. Você vai aparecer?

Adam fez que não com a cabeça. Andy Gribbel tocava música dos anos setenta numa banda cover que se apresentava em alguns dos bares mais bacanas de Nova Jersey.

– Não vai dar.

– Prometo não tocar nada dos Eagles.

– Você nunca toca Eagles.

– Não gosto – disse Gribbel. – Mas vai ser a primeira vez que a gente toca "Please come to Boston". Lembra dessa música?

– Claro.

– O que você acha dela?

– Não sou muito chegado – respondeu Adam.

– Jura? É um clássico da música romântica. Você adora uma dor de cotovelo. – E Gribbel cantou: – *Hey, ramblin' boy, why don't you settle down?*

"Ei, andarilho, por que você não sossega o facho?", ou alguma coisa nesse sentido.

– Provavelmente porque a namorada dele é uma idiota – falou Adam. –

O cara vive chamando a garota pra mudar de cidade e ela não topa nunca, fica enchendo o saco dele, mandando o coitado voltar pro Tennessee.

– Talvez porque ela seja a fã número um do cara do Tennessee.

– Talvez ele não precise de uma fã, mas de uma mulher legal, de uma boa companheira.

Gribbel coçou a barba e comentou:

– É, pode ser.

– Em nenhum momento ele chama a garota pra deixar o Tennessee e nunca mais voltar. Chama ela pra passar a primavera em Boston, só isso. E ela responde o quê? "Nada feito." Isso não está certo. A mulher finca o pé e nem troca uma ideia com o cara, nem ouve o que ele tem pra dizer. Daí o cara, gente-boa que é, sugere outras cidades: Denver, Los Angeles, etc. E a resposta é sempre a mesma: não, não e não. Francamente, mulher. Que tal ampliar um pouco os horizontes? Que tal um pouco de aventura na vida?

– Você é uma figura, cara – disse Gribble, sorrindo.

– E tem mais – prosseguiu Adam, cada vez mais exaltado. – Depois a pentelha diz que nessas cidades enormes, tipo Boston, Denver e Los Angeles, ele não vai encontrar nada melhor do que ela. A mulher se acha, não é não?

– Adam?

– Oi.

– Você está exagerando, meu amigo.

– É verdade.

– Aliás, você vive fazendo isso.

– Pois é.

– Por isso é o melhor advogado que conheço.

– Valeu – respondeu Adam. – Mas a minha resposta é não. Não, você não pode sair mais cedo pra tocar no seu show.

– Porra, cara. Vai dar uma de chefe mala justo agora?

– Vou. Sinto muito.

– Adam...

– Diga.

– O cara da música. O andarilho que pede a garota pra ir pra Boston...

– O que tem ele?

– Temos que ser justos. A garota tem lá os seus motivos.

– Tipo o quê?

– O cara diz que ela pode vender os quadros dela na calçada, na frente do café em que ele *espera* trabalhar *um dia*. – Gribbel espalmou as mãos, dizendo: – Isso não é lá o melhor exemplo de planejamento financeiro, vamos combinar.

– Tem razão – concordou Adam, abrindo um pequeno sorriso. – Talvez o melhor seja mesmo que cada um vá pro seu lado.

– Que nada. Tem um lance legal rolando entre eles. Dá pra ouvir na voz do cara.

Adam deu de ombros e foi para a sua sala. O papo furado havia sido uma boa distração, mas agora ele estava novamente sozinho com seus pensamentos. Poderia estar em um lugar melhor. Ele fez algumas ligações, teve duas reuniões com clientes, consultou alguns técnicos, certificou-se de que o follow-up fora feito neste e naquele outro caso. O mundo continua girando. Adam havia aprendido isso aos 14 anos quando o pai morrera subitamente de infarto. No banco do carrão preto, ao lado da mãe, ele olhava pela janela e via o resto do mundo tocando a vida adiante. Estudantes continuavam indo para a escola. Pais continuavam indo para o trabalho. Motoristas continuavam buzinando. O sol continuava brilhando. Seu pai tinha morrido, e nada havia mudado.

Naquele dia ele mais uma vez fora lembrado do óbvio: o mundo não está nem aí para nós e muito menos para os nossos pequenos problemas. Difícil de engolir, certo? Nossas vidas são destroçadas, e ninguém sequer repara. Para os outros, Adam continuava sendo a mesma pessoa de sempre, agindo da mesma forma, sentindo as mesmas coisas. Às vezes ficamos putos quando alguém nos fecha no trânsito ou demora demais para fazer o pedido na Starbucks ou reage de um modo inesperado, e nem pensamos na possibilidade de que essas pessoas, por trás de suas respectivas fachadas, estejam chafurdando num grande mar de merda. Talvez tenham passado pela pior das tragédias, talvez estejam a um passo de perder irremediavelmente a sanidade mental.

Mas não nos importamos com isso. Não vemos nada disso. Simplesmente seguimos com a nossa vida.

Voltando para casa, Adam foi mudando as estações de rádio até encontrar uma inofensiva mesa-redonda sobre um jogo qualquer. A humanidade tinha uma incorrigível inclinação para a discórdia e para a luta, portanto era um alívio quando as pessoas se debatiam por algo tão desimportante quanto uma partida de basquete.

Assim que entrou em sua rua, ficou surpreso ao avistar, diante da garagem de casa, o carro de Corinne, uma minivan Honda Odyssey que o vendedor havia descrito, com a cara mais lavada do mundo, como Cereja-Escuro Perolizado. Na porta traseira havia um adesivo metálico oval com o nome da cidade escrito em preto – aparentemente um pré-requisito dos subúrbios nos tempos atuais, uma espécie de tatuagem tribal automotiva. Além dele havia outros dois adesivos: um redondo com dois tacos de lacrosse cruzados e o nome do mascote da cidade (PANTHER LACROSSE) e um gigantesco W que simbolizava a Willard Middle School, a escola de Ryan.

Corinne havia voltado de Atlantic City mais cedo que o esperado.

Isso atrapalhava um pouco o timing das coisas. Durante todo o dia Adam havia ensaiado mentalmente o confronto que teria com a mulher. Testara diferentes abordagens, mas nenhuma delas lhe parecera ideal. Sabia que não fazia muito sentido planejar. Conversar sobre a revelação do estranho – que ele agora considerava verdadeira – seria o mesmo que puxar o pino de uma granada. Não havia como prever a reação de ninguém depois daquilo.

Corinne negaria tudo?

Talvez. Ainda existia a possibilidade de que ela tivesse uma explicação perfeitamente plausível para tudo aquilo. Adam fazia o possível para manter a mente aberta, embora isso parecesse muito mais uma falsa esperança do que uma tentativa consciente de não fazer pré-julgamentos. Ele estacionou ao lado do Honda diante da garagem que, apesar de ter espaço para duas vagas, atulhava-se com móveis velhos, equipamentos esportivos e todo tipo de tralha. Os dois carros sempre ficavam do lado de fora.

Adam desceu e foi caminhando para a porta. O gramado andava malcuidado, com manchas amarronzadas aqui e ali. Não demoraria muito para que Corinne começasse a reclamar. Ela simplesmente não conseguia ignorar esse tipo de coisa e curtir a vida. Gostava de corrigir o que estava errado. Adam era mais tranquilo, e sempre havia quem confundisse isso com preguiça. O gramado da família Bauer, que morava logo ao lado, era tão perfeito que poderia ser confundido com um tapete. Volta e meia Corinne o citava como exemplo. Adam não estava nem aí para a grama do vizinho.

Assim que entrou em casa, esbarrou com Thomas, que já ia saindo com sua sacola de lacrosse pendurada no ombro e seu uniforme de "time visitante".

– Oi – disse ele sorrindo, o aparelho ortodôntico saltando da boca.

Adam mais uma vez sentiu no peito aquele orgulho paterno que conhecia tão bem.

– E aí, está indo aonde?

– Tenho um jogo, esqueceu?

Como era de se esperar, Adam havia esquecido, mas isso explicava o porquê da volta antecipada de Corinne.

– Ah, é. Contra quem vocês vão jogar?

– Glen Rock. A mamãe vai me levar. Você passa lá mais tarde?

– Claro, claro.

Assim que se viu frente a frente com a mulher, Adam sentiu o próprio coração despencar. Corinne era uma bela mulher. Se ele tinha dificuldade para visualizar os dois filhos quando crianças, o contrário vinha acontecendo com relação a Corinne. Ele ainda a via como a gata de 23 anos por quem havia se apaixonado. Claro, se olhasse melhor, veria as pequenas rugas que já despontavam em torno dos olhos e a flacidez que vinha naturalmente com a idade, mas talvez porque fosse um homem apaixonado, ou talvez porque visse a mulher todos os dias e não percebesse as mudanças, achava que o tempo não havia passado para ela.

O cabelo de Corinne ainda estava molhado do banho recém-tomado.

– Olá, meu bem.

– Oi – foi só o que ele disse, parado onde estava.

Ela se aproximou e o beijou no rosto. Os cabelos exalavam um delicioso perfume floral.

– Você vai poder buscar o Ryan?

– Onde ele está?

– Na casa do amiguinho dele, o Max.

Thomas fez uma careta e resmungou:

– Mãe, na idade do Ryan ninguém tem mais "amiguinhos".

Corinne suspirou, depois riu de si mesma.

– Tudo bem, como você quiser. O Ryan está na casa do amigão Max. – Virando-se para Adam, perguntou: – Você pode buscá-lo antes de ir pro jogo?

Adam se viu afirmando com a cabeça, embora não se lembrasse de ter refletido antes de responder.

– Claro. A gente se encontra lá. Como foi em Atlantic City?

– Bem.

– Ei, vocês dois – interrompeu Thomas. – Será que a conversinha pode ficar pra depois? O técnico fica puto se a gente não chega com pelo menos uma hora de antecedência.

– Tudo bem – disse Adam. Virando-se para Corinne, procurando manter um tom leve na voz, emendou: – Nossa "conversinha" fica pra depois.

Corinne hesitou por uma fração de segundo.

– Claro.

Ainda na soleira da porta, Adam viu a mulher e o filho mais velho caminharem para o carro. Corinne apertou o controle remoto e a porta traseira do Honda se abriu feito o bocejar de uma boca gigantesca. Thomas jogou sua sacola no porta-malas, depois se acomodou no banco do passageiro. A boca se fechou, engolindo a sacola. Corinne acenou para Adam e ele acenou de volta.

Eles haviam se conhecido em Atlanta durante um treinamento de cinco semanas elaborado pela LitWorld, uma organização sem fins lucrativos que enviava professores para alfabetizar crianças em países subdesenvolvidos. Isso havia sido antes da época em que todos os adolescentes iam para a Zâmbia construir casebres apenas para florear o currículo que precisavam submeter ao comitê seletivo das universidades. Para início de conversa, todos os voluntários já haviam se formado na faculdade – e suas intenções eram absolutamente legítimas.

Adam e Corinne não se conheceram no campus da Universidade Emory, onde era realizado o treinamento, mas num bar próximo, onde os estudantes com mais de 21 anos podiam beber e paquerar em paz, apesar da música country de péssima qualidade. Ela estava com um grupo de amigas, e ele com alguns amigos. Adam procurava apenas uma aventura naquela noite. Corinne procurava algo mais. Os dois grupos foram se misturando aos poucos, os rapazes abordando as meninas como numa manjada cena de baile de um filme ruim. Adam perguntou a Corinne se podia lhe pagar uma cerveja. Ela disse que sim, mas que aquilo não ia levar a lugar nenhum. Adam comprou a cerveja mesmo assim, depois de mandar o pior dos clichês: "A noite é uma criança."

Cerveja em punho, os dois começaram a conversar. Entenderam-se bem. Lá pelas tantas, pouco antes de o bar fechar, Corinne comentou que havia perdido o pai ainda jovem, e Adam, que nunca tocara no assunto com ninguém, contou a história da morte do próprio pai e da indiferença do mundo.

As tragédias paternas formaram o primeiro vínculo entre eles. E foi assim que tudo começou.

Depois que se casaram, foram morar num condomínio tranquilo nas imediações de uma autoestrada, a Interstate 78. Adam ainda estava tentando ajudar as pessoas como defensor público. Corinne lecionava numa das áreas mais perigosas de Newark, Nova Jersey. Com o nascimento de Thomas, acharam por bem procurar um lugar melhor para morar. Esse parecia ser o caminho natural das coisas. Para Adam, no entanto, qualquer lugar estava bom. Tanto fazia uma casa de arquitetura moderna ou clássica, como a que eles acabaram comprando. Ele só queria ver Corinne feliz, nem tanto porque era um bom sujeito, mas porque realmente não se importava muito com endereços e casas. Dessa forma, Corinne escolhera morar em Cedarfield.

Talvez tivesse sido melhor cortar as asas dela ali mesmo, mas Adam era muito jovem na época e nem cogitara essa possibilidade. Permitira que a mulher escolhesse tudo: a cidade, a casa, os carros, os filhos.

E ele, quais eram as suas vontades?

Adam não sabia ao certo, mas aquela casa, naquele bairro, havia sido uma grande extravagância financeira que o obrigara a trocar a defensoria pública por um posto mais bem-remunerado no escritório de advocacia Bachmann Simpson Feagles. Não fora exatamente o que ele havia escolhido para si, mas o caminho óbvio que homens como ele acabavam seguindo: um lugar seguro para criar os filhos, uma casa simpática com quatro quartos, uma garagem de duas vagas, um aro de basquete e uma churrasqueira no quintal.

Perfeito, certo?

Tripp Evans havia se referido a isso como "uma vida de sonho". Corinne teria concordado com ele.

"Você não precisava ter ficado com ela..."

Mas, claro, nada disso era verdade. Sonhos são feitos de coisas delicadas e incomensuráveis. Não podem ser destruídos com tanta facilidade. Quanta ingratidão, quanto egoísmo, quanto desatino não admitir tamanha sorte na vida.

Enfim ele entrou em casa e foi para a cozinha. A mesa era uma bagunça de livros e cadernos. O livro de álgebra de Thomas estava aberto num problema que pedia a ele para resolver a seguinte função: $f(x) = 2x^2 - 6x = 4$. Um lápis se aninhava no sulco entre as páginas. Folhas de papel quadriculado se espalhavam por toda parte, inclusive no chão.

Adam recolheu as que estavam caídas, deixou-as sobre a mesa e por um momento ficou olhando para os livros e cadernos de Thomas.

"Vá com calma", ele disse a si mesmo. O sonho que estava em jogo ali não era apenas dele e de Corinne.

capítulo 6

O JOGO DE THOMAS ACABARA de começar quando Adam e Ryan chegaram.

Com um discretíssimo "Valeu", Ryan rapidamente se afastou para se juntar aos demais garotos de sua idade antes que alguém o visse na companhia do pai – o mico supremo. Adam foi para o lado esquerdo do campo, reservado à "equipe visitante", lá onde estariam os outros pais de Cedarfield.

Não havia arquibancadas no lugar, mas alguns pais haviam trazido cadeiras dobráveis para que tivessem onde se sentar. Corinne sempre mantinha quatro dessas cadeiras na minivan, todas com porta-copos nos dois braços (quem precisava de dois porta-copos numa cadeira só?) e um pequeno toldo para fazer sombra. Kristin Hoy estava ao lado dela, vestindo uma camiseta sem mangas e um shortinho que de tão pequeno parecia ainda engatinhar.

Adam cumprimentou alguns dos pais enquanto ia ao encontro da mulher. Tripp Evans estava num canto junto com alguns deles, todos de braços cruzados e óculos escuros, mais parecendo agentes secretos do que espectadores de um jogo. À direita, um sorridente Gaston papeava com seu primo Daz (sim, esse era o nome do cara), proprietário da CBW Inc., uma empresa de investigações corporativas especializada em levantar a ficha dos funcionários. Primo Daz também levantava a ficha de todos os técnicos da liga para se certificar de que nenhum deles tinha antecedentes criminais ou coisa parecida. Gaston insistira para que o conselho de lacrosse contratasse os serviços caríssimos da CBW, alheio ao fato de que uma investigação semelhante podia ser feita por conta própria a um custo infinitamente menor. Mas... para que servem os parentes, certo?

Vendo que Adam se aproximava, Corinne se afastou um pouco de Kristin e, assim que pôde, sussurrou no ouvido do marido:

– O Thomas não está jogando.

– O técnico gosta de fazer um rodízio com os jogadores – argumentou Adam. – Eu não ficaria preocupado com isso.

Mas Corinne ficaria. E ficou.

– Pete Baime entrou no lugar dele.

Pete era o filho de Gaston, o que explicava o sarcasmo no sorriso que ela estampava no rosto.

– Ele ainda nem se recuperou da contusão. Como pode jogar?

– Por acaso eu tenho cara de médico, Corinne?

– Vamos, Tony! – gritou uma mulher. – Sai da retranca!

Adam não precisava perguntar a ninguém para saber que a figura era a mãe de Tony. Só podia ser. Não é difícil identificar quando são os pais que estão gritando para os próprios filhos. Ouve-se na voz deles uma pontinha de exasperação, de agonia. Não há pai ou mãe que, no fundo, não acredite que está imune a esse vexame, que isso é coisa apenas dos outros pais. Como dizia um velho provérbio croata que Adam aprendera na faculdade, "O corcunda vê a deformidade apenas nas costas dos outros corcundas, nunca na sua própria". A mais pura verdade.

Três minutos se passaram e nada de Thomas ser chamado. Adam olhou de relance para Corinne, que estava visivelmente tensa, os olhos fulminando o técnico do outro lado do campo, talvez pensando que assim poderia forçar o homem a colocar Thomas no jogo.

– Fique fria, ele vai entrar – disse Adam.

– Ele já deveria estar jogando. O que você acha que pode ter acontecido?

– Sei lá.

– Pete não devia estar lá.

Adam não se deu ao trabalho de responder. Pete pegou a bola e a arremessou para um colega na mais previsível das jogadas. Do outro lado do campo, Gaston berrou:

– Isso aí, Pete! Mandou bem demais! – Em seguida comemorou com um *high five* com o primo Daz.

– De onde será que saiu esse nome... Daz? – resmungou Adam.

– O quê? – perguntou Corinne.

– Nada.

– A gente chegou um pouco atrasado, eu acho. Quer dizer, chegamos com cinquenta e cinco minutos de antecedência, mas o técnico disse que era para chegar uma hora antes.

– Duvido que seja isso.

– Eu devia ter saído de casa mais cedo.

A vontade de Adam era dizer que eles tinham problemas bem maiores para resolver, mas por ora aquela distração vinha a calhar. O time adversário marcou um gol. Os pais resmungaram e logo começaram a diagnosticar os erros da defesa.

Thomas enfim correu para o campo.

Corinne pareceu exalar alívio em ondas eletromagnéticas. Imediatamente relaxou os músculos do rosto, abriu um sorriso e se virou para perguntar:

– Como foi seu dia?

– Agora você quer saber.

– Desculpe. Você sabe como eu fico em dia de jogo.

– Sei.

– É mais ou menos por isso que você me ama.

– Mais ou menos.

– Isso e... claro, a minha bunda.

– Agora, sim, estamos falando a minha língua.

– Ainda tenho uma bundinha legal, não tenho?

– Legal é pouco. Carne de primeira.

Com o mais discreto dos sorrisos safados, Corinne devolveu:

– Sua picanha também não é nada mal.

Adam adorava quando ela fazia isso, quando baixava a guarda e ficava um pouco safadinha. Por uma fração de segundo ele chegou a esquecer o estranho. Uma fração, não mais que isso. Ficou se perguntando: “Por que agora?” Corinne falava daquele jeito raramente – não mais que duas, três vezes por ano. Por que agora?

Ele olhou de volta para a mulher. Notou que ela estava usando os brincos de diamante que ele lhe dera de presente de aniversário de quinze anos de casamento. Levara-a para jantar num restaurante chinês, com a intenção de dar um jeito de esconder a joia num biscoito da sorte (Corinne adorava abrir os biscoitos, mas nunca os comia), mas a ideia não chegara a se concretizar. No fim das contas o garçom simplesmente deixara o embrulho à frente dela sob uma daquelas cloches de prata que cobrem a comida. Cafona, batido, etc., mas Corinne achara o máximo. Dera um grito de alegria, depois se jogara sobre ele para espremê-lo num forte e demorado abraço.

Ela agora só tirava aqueles brincos à noite ou quando nadava, pois temia que o cloro pudesse estragá-los. Seu outro par de brincos jazia esquecido na caixinha de joias que ela guardava no closet, como se usá-los no lugar dos de diamante fosse uma espécie de traição. Para Corinne, aqueles brincos tinham um significado especial. Significavam compromisso, amor, honra. Francamente, como uma mulher dessas fingiria uma gravidez?

Corinne voltou a atenção para o jogo assim que a bola passou para o ataque, onde Thomas jogava. Bastava vê-la chegar perto do garoto para que retesasse todos os músculos do corpo.

Dali a pouco Thomas fez uma bela jogada, tirando a bola do taco de um defensor, recolhendo-a com seu próprio taco e saindo com ela na direção do gol.

Fingimos que não, mas na verdade prestamos atenção somente nos nossos filhos. No início de sua carreira como pai, Adam achava comovente esse foco paternal, essa dedicação dos pais sempre que assistem a seus rebentos num jogo, numa apresentação escolar ou em qualquer outra coisa do gênero. Tudo ao redor deles se reduz a ruído incidental, a cenário. Pregam os olhos nos filhos como se a luz de um holofote caísse sobre os garotos e sobre mais ninguém, e o resto do campo – da quadra ou do palco – se reduzisse à mais completa escuridão.

Adam sentia um afago no coração sempre que recebia de volta um sorriso de Thomas, estivesse ele jogando num campo ou atuando no palco da escola. Sabia que todos os outros pais presentes sentiam exatamente o mesmo por seus filhos, de que todos tinham seu próprio holofote direcionado para seus respectivos garotos. De algum modo isso era reconfortante, e era assim que tinha de ser.

Agora, no entanto, esse "filho-centrismo" lhe parecia estranho, fruto mais da obsessão do que do amor. Aquele zoom excludente, aquela fixação, tudo isso agora parecia pouco saudável ou até mesmo nocivo.

Thomas aproveitou o embalo e fez um passe para Paul Williams. Terry Zobel estava livre na cara do gol, mas antes que pudesse fazer qualquer coisa, o juiz apitou e acenou a bandeirinha amarela. Freddie Friednash, um dos meios de campo da equipe de Thomas, foi penalizado com uma expulsão de um minuto por ter golpeado outro jogador com o taco. À beira do campo, um grupo de pais teve um ataque coletivo: "O que é isso, juiz?", "Ficou maluco?", "Tá precisando de oftalmologista?","Penaliza os dois, porra!"

Os técnicos se juntaram à confusão. Até mesmo Freddie, que já ia correndo para fora do campo, olhou para trás e balançou a cabeça para o juiz. Outros pais foram se juntando ao coro dos insatisfeitos, o rebanho de ovelhas entrando em ação.

– Você viu a falta? – perguntou Corinne.

– Não. Estava olhando pro outro lado.

Becky Evans, a mulher de Tripp, se aproximou e disse:

– Olá, Adam. Olá, Corinne.

Por causa da falta, a bola estava agora na zona da defesa, longe de Thomas, portanto ambos puderam olhar para a recém-chegada e cumprimentá-la de volta. Becky Evans, mãe de cinco filhos, era um ser humano ridiculamente alegre, sempre com um sorriso e uma palavra gentil nos lábios. Adam tinha um pé atrás com pessoas assim. Gostava de observá-las e ficar à espreita daquele momento em que o sorriso murcha ou se apaga por completo, denunciando o que realmente se passa por trás dele. Era só esperar que ele sempre chegava. Mas nunca com Becky. A mulher podia ser vista zanzando pela cidade com seu Dodge Durango apinhado de crianças, levando os filhos para um lugar ou para outro, executando com alegria e bom humor todas aquelas tarefas cotidianas que deixam a maioria das mães exaustas. Na verdade, Becky dava a impressão de que se alimentava dessas coisas, de que se fortalecia com elas.

– Oi, Becky – disse Corinne.

– Dia lindo pra um jogo ao ar livre, não é?

– Pois é – respondeu Adam, sem saber o que dizer.

O juiz apitou novamente: mais uma falta cometida pelo time visitante. E mais um ataque por parte do grupinho de pais, agora com sonoros palavrões. Adam franziu o cenho na direção deles, mas não disse nada. Ficou surpreso ao ver que as agressões vinham sendo lideradas por Cal Gottesman, pai de Eric, um garoto que vinha se sobressaindo cada vez mais na defesa da equipe. Cal trabalhava como corretor de seguros em Parsippany e costumava ser um sujeito pacato, bem-intencionado, por vezes um tanto maçante, didático demais. Ultimamente, no entanto, vinha agindo de modo estranho: quanto mais via o filho se destacar, mais agressivo ficava. Eric havia crescido mais de dez centímetros no ano anterior, tornando-se titular da equipe. As universidades andavam de olho nele, e agora Cal, antes tão reservado durante os jogos, volta e meia podia ser visto andando para lá e para cá no campo, falando consigo mesmo.

– Vocês ficaram sabendo do Richard Fee? – perguntou Becky.

Richard Fee era o goleiro do time.

– Recebeu um convite da Boston College.

– Mas ainda faltam três anos pra ele se formar! – exclamou Corinne.

– Muito cedo, não é? Daqui a pouco vão começar a recrutar esses meninos na barriga da mãe.

– É ridículo – concordou Corinne. – Como eles podem saber que tipo de aluno ele vai ser? O garoto mal começou o ensino médio.

As duas continuaram papeando, mas Adam já nem ouvia o que elas diziam. Vendo que sua presença ali não era mais necessária, achou que era um bom momento para esticar as pernas e ficar um pouco sozinho. Despediu-se de Becky com um beijinho no rosto e se afastou. Becky e Corinne se conheciam desde meninas. Ambas haviam nascido em Cedarfield. Becky jamais saíra da cidade.

Corinne não tivera a mesma sorte.

Adam se postou num lugar distante, contando com alguns momentos de paz. A certa altura, virou-se para o grupo de pais e seu olhar cruzou com o de Tripp Evans, que fitou-o de volta e meneou a cabeça como se quisesse sinalizar que o compreendia muito bem. Talvez também não quisesse estar entre aquelas pessoas, mas na qualidade de "celebridade local", era ele próprio quem atraía a companhia de todos.

A sirene tocou, dando fim ao primeiro dos quatro tempos do jogo. Virando o rosto, Adam viu que Corinne ainda tagarelava animadamente com Becky. Por um tempo ficou assim, olhando para a mulher, perdido e amedrontado. Conhecia-a pelo avesso. Sabia tudo a seu respeito. E paradoxalmente, porque a conhecia tão bem, sabia que havia uma aura de verossimilhança naquilo que o estranho dissera.

O que uma pessoa é capaz de fazer para proteger a própria família?

Dali a pouco a sirene tocou de novo, e os jogadores voltaram para o campo. Todos os pais agora esticavam o pescoço para ver se os filhos haviam sido escalados para o segundo tempo. Thomas havia. Becky continuou falando, mas Corinne foi se calando aos poucos, apenas acenando com a cabeça de vez em quando para mostrar que estava ouvindo, os olhos fixos em Thomas. Foco era uma das qualidades que Adam admirava nela desde o início. Corinne sabia muito bem o que queria da vida e era capaz de concentrar todas as energias para conquistar seus objetivos. Quando se conheceram, Adam tinha planos difusos para o futuro: sabia apenas que queria trabalhar para os desfavorecidos, mas não fazia ideia de onde queria morar, do tipo de vida que queria ter, tampouco se queria formar uma família. Tudo para ele era muito vago, até que surge ao seu lado aquela criatura tão diferente, aquela mulher extraordinária, linda e sagaz que sabia exatamente o que ambos deveriam fazer.

Foi então que, ainda pensando nas decisões que havia tomado (ou deixado de tomar) para chegar àquele ponto da vida, Adam viu Thomas receber a bola atrás do gol, fintar um passe para o meio de campo, dar uma guinada para a direita e descer o taco rapidamente para marcar um belíssimo gol no canto inferior da rede.

Pais e mães começaram a pular. Os companheiros de Thomas o rodearam para cumprimentá-lo com tapinhas no capacete. Thomas seguiu a tradição e ficou na sua, como se um gol daqueles fosse algo normal. No entanto, apesar de toda a indiferença, apesar da máscara que cobria o rosto do filho, apesar do protetor que escondia parte da boca, Adam sabia que Thomas estava sorrindo, estava feliz, e portanto era seu dever como pai manter aquele menino sorrindo, feliz e seguro. Ele e o irmão mais novo.

O que ele faria para garantir a felicidade e a segurança dos filhos?

Qualquer coisa.

Mas as coisas não se resumiam simplesmente ao que fazer ou ao que sacrificar, certo? Na vida também havia uma grande parcela de sorte, de aleatoriedade, de caos. Portanto ele faria tudo o que estivesse a seu alcance para proteger os filhos, mas de algum modo sabia (quase podia jurar) que isso não seria o bastante. Sabia que a sorte, a aleatoriedade e o caos tinham seus próprios planos e que cedo ou tarde a felicidade e a segurança se dissolveriam feito poeira no ar morno da primavera.

capítulo 7

THOMAS AINDA MARCOU UM segundo gol na partida, o gol da vitória, com menos de vinte segundos no relógio.

Esta era a hipocrisia no modo cínico como Adam enxergara a exagerada intensidade do mundo dos esportes: apesar de tudo, ao ver Thomas marcar aquele segundo gol, ele havia pulado e gritado como todos os outros pais. Não havia como negar aquela imensa alegria. Almas boas diriam que aquele sentimento não tinha nada a ver com Adam, mas com o fato de ele saber que o filho estava feliz – e nada mais natural do que um pai se sentir feliz com a felicidade do próprio filho. No entanto, Adam precisou lembrar a si mesmo que não era um daqueles pais que viviam indiretamente a vida dos filhos ou que viam o lacrosse apenas como um passaporte para a universidade. Ele gostava do esporte por um motivo muito simples: Thomas e Ryan adoravam jogar.

Mas os pais sempre diziam um monte de coisas para si mesmos, certo? O corcunda croata estava ali para provar isso.

Terminado o jogo, Corinne pegou o carro e voltou com Ryan para casa. Precisava preparar o jantar. O mais lógico seria que Adam esperasse por Thomas e o levasse de volta para casa, mas por questões contratuais do seguro, todos os jogadores deviam voltar no mesmo ônibus para o prédio da escola. Portanto, Adam e os outros pais seguiram em seus respectivos carros para o estacionamento da Cedarfield High School e lá ficaram esperando os respectivos filhos.

Adam desceu do carro e foi caminhando na direção dos vestiários. No meio do caminho foi abordado por Cal Gottesman.

– Bela vitória – disse ele, estendendo a mão para Adam.

– É verdade.

– Thomas fez uma ótima partida.

– O Eric também.

Os óculos de Cal nunca paravam no lugar. Invariavelmente escorregavam para a ponta do nariz, obrigando o sujeito e empurrá-los de volta com o dedo indicador apenas para vê-los deslizar nariz abaixo segundos depois.

– Você parecia... sei lá, meio distraído.

– Hein?

– No jogo – acrescentou Cal, com aquele seu jeito de quem parecia estar sempre choramingando. – Está impaciente?

– Eu? Impaciente?

– Sim. – Ele empurrou os óculos nariz acima. – Também não pude deixar de notar aquele seu olhar de... digamos... censura.

– Não sei do que está...

– Quando eu estava corrigindo o juiz.

"Corrigindo o juiz?", pensou Adam. Mas preferiu deixar passar.

– Nem notei – foi o que disse.

– Pois devia. O juiz ia apitar uma falta antes que Thomas chegasse com a bola no gol.

Adam fez uma careta.

– Não estou entendendo.

– Não dou mole para esses caras – disse Cal num tom conspiratório. – E você devia ficar agradecido. Beneficiei o seu filho no jogo de hoje.

– Certo – disse Adam.

Mas mudou de ideia. Quem era ele para abordá-lo assim? Então emendou:

– E por que será que a gente assina aquela cláusula de espírito esportivo no começo de cada temporada?

– Cláusula? Que cláusula?

– Aquela em que a gente se compromete a não xingar os jogadores, os técnicos, os juízes... – falou Adam. – *Essa* cláusula.

– Você está sendo ingênuo – rebateu Cal. – Por acaso já ouviu falar do Moskowitz?

– Aquele que mora na Spenser Place? O corretor financeiro?

– Não, não – negou Cal, impaciente. – Estou falando do professor Tobias Moskowitz da Universidade de Chicago.

– Hum... não.

– Cinquenta e sete por cento.

– O quê?

– Estudos mostram que 57 por cento das vezes as equipes que jogam em casa vencem. É o que eles chamam de "vantagem da casa".

– E daí?

– E daí que essa história é pra valer. Existe em todos os esportes, em todos os lugares. Sempre existiu. Segundo o professor Moskowitz, é uma tendência bastante consistente.

– Sim, mas e daí? – insistiu Adam.

– Você já deve ter ouvido as explicações mais comuns para essa vantagem. O cansaço provocado pelo traslado das equipes visitantes, seja de ônibus ou de avião. Ou a familiaridade que o time de casa tem com o campo ou com a quadra. Ou o costume com o clima muito quente ou muito frio...

– As equipes de hoje moram em cidades vizinhas, Cal.

– Exatamente. Isso só vem reforçar a minha tese.

Adam não estava com a menor paciência para aquilo. Onde diabos estaria Thomas?

– Então – prosseguiu Cal –, o que você acha que o Moskowitz descobriu?

– Hein?

– O que você acha, Adam, que realmente explica a vantagem da casa?

– Sei lá – disse Adam. – A torcida?

Cal Gottesman ficou visivelmente satisfeito com a resposta.

– Sim. E não.

Adam precisou se conter para não bufar.

– O professor Moskowitz e outros estudiosos da mesma área fizeram diversos estudos sobre o assunto. Nenhum deles nega a influência dos traslados, etc., mas não há dados concretos que endossem essas teorias, apenas alguns subsídios informais. A verdade é que... apenas *uma* explicação para a vantagem da casa é corroborada por dados concretos e incontestáveis.

Ele ergueu o indicador na eventualidade de que Adam não conhecesse o significado da palavra "uma". Em seguida, apenas para garantir que não estava sendo sutil demais, repetiu:

– Apenas *uma*.

– Que é...

Cal fechou a mão como se quisesse esmurrar alguém.

– A tendenciosidade dos juízes. É isso mesmo que você ouviu. As equipes de casa são favorecidas pelo excesso de faltas marcadas contra os visitantes.

– Então você está dizendo que os juízes manipulam os resultados?

– Não é bem assim. Aliás, esse é o ponto crucial dos estudos. Não é que os juízes favoreçam deliberadamente as equipes de casa. A tendenciosidade deles não é proposital. Nem consciente. Tem a ver com a necessidade de conformidade social. – O chapéu de cientista estava enterrado até a testa na cabeça de Cal Gottesman. – Em poucas palavras, todos queremos que as pessoas gostem de nós. Os juízes, assim como todos os seres humanos, são criaturas sociais e assimilam as emoções do público presente. Então inconscientemente eles marcam uma ou outra falta para deixar a plateia feliz. Já viu um jogo de basquete? Os técnicos ficam em cima dos juízes porque conhecem a natureza humana mais do que qualquer um. Entendeu agora?

Adam lentamente fez que sim com a cabeça.

– Então é isso, Adam – disse Cal, espalmando as mãos. – Fundamentalmente, isso é o que está por trás da teoria da vantagem da casa: o desejo humano de se conformar e ser admirado.

– Então é por isso que você fica gritando com os...

– Só nos jogos fora de casa – interrompeu ele. – Quer dizer, a gente precisa manter a nossa vantagem em casa. Mas nos jogos fora, claro, por motivos puramente científicos, a gente precisa gritar pra manter o equilíbrio. Ficar de bico calado pode ser um tiro no pé.

Adam desviou o olhar.

– Que foi?

– Nada.

– Não, eu quero saber. Você é advogado, não é? Trabalha com litígios.

– Isso.

– E faz o que estiver ao seu alcance pra influenciar o juiz contra o litigante, não faz? – indagou Cal.

– Faço.

– Pois então.

– Já entendi, já entendi...

– Mas não concorda.

– Prefiro não falar disso agora.

– Mas os dados são incontestáveis.

– Certo.

– Então? Qual é o problema?

Adam hesitou um instante, mas depois pensou: "Por que não?"

– É só um jogo, Cal. A vantagem da casa é apenas parte da coisa. É por isso que as equipes jogam metade dos jogos em casa e a outra metade fora. Uma coisa compensa a outra. No meu ponto de vista, no meu *modesto* ponto de vista, você está apenas arrumando uma justificativa pra um mau comportamento. Deixe a coisa rolar! Com faltas injustas e tudo mais! Acho que esse é um exemplo melhor para os nossos filhos do que ficar berrando com os juízes. E se num ano a gente perder um ou dois jogos por causa disso, o que eu acho pouco provável, é um preço pequeno a pagar em nome do decoro e da dignidade, você não acha?

Cal Gottesman já ia abrindo a boca para desferir seu contragolpe quando Adam finalmente avistou o filho saindo do vestiário. Antes que o outro pudesse dizer qualquer coisa, ele ergueu a mão e disse:

– Deixe pra lá, Cal. Não é tão importante. Agora preciso ir, ok?

Em seguida correu de volta para o carro e ficou observando Thomas enquanto ele ia a seu encontro. É interessante como os atletas caminham de um modo diferente após uma vitória. Thomas estava mais ereto que de costume, parecia gingar. Esboçava um sorriso no canto da boca. Certamente não queria dar vazão à sua alegria antes que estivesse dentro do carro. Acenou para alguns amigos, o político de sempre. Ryan era quieto, mas Thomas poderia ser o prefeito da cidade.

Ele jogou a sacola no banco de trás. As roupas suadas logo empestaram o ar com sua fedentina. Adam baixou os vidros das janelas, mas a situação não melhorou muito. Após um jogo acirrado num dia tão quente, isso não bastava.

Thomas esperou que eles dobrassem a primeira esquina e só então deixou que o rosto se iluminasse para dizer:

– Você viu aquele primeiro gol?

– Animal.

– Meu segundo gol com a mão esquerda.

– Uma bela jogada. E o gol da vitória também foi bacana.

A conversa prosseguiu assim por um tempo. Alguém poderia ver nela uma ponta de empáfia. Mas esse não era o caso. Na companhia dos técnicos e dos companheiros de equipe, Thomas era modesto e generoso. Sempre dava crédito aos outros (aos que haviam feito o passe, aos que haviam roubado a bola) e ficava envergonhado sempre que se via no centro das atenções.

Mas sozinho com a família ele se sentia à vontade para se soltar. Adorava comentar os detalhes do jogo, não apenas dos próprios gols, mas de toda a partida, o que os outros garotos haviam dito, quem havia jogado bem, quem não havia. Em casa ele tinha a segurança de um santuário para fazer isso, uma espécie de bolha de honestidade, por assim dizer. Assim deveriam ser todas as famílias, por mais brega que isso pudesse parecer. Com os pais e o irmão caçula, Thomas podia falar o que pensava e sentia. Não precisava se preocupar com o que achavam dele, se o viam como arrogante, pretensioso, isto ou aquilo.

– Você chegou! – gritou Corinne assim que viu o filho atravessar a porta.

Thomas largou a sacola no vestíbulo e se deixou abraçar pela mãe.

– Foi um belo jogo, querido – disse ela.

– Valeu, mãe.

A título de parabéns, Ryan ergueu a mão fechada em punho para receber nela o murrinho do irmão.

– O que tem pra jantar? – perguntou Thomas.

– Filés de fraldinha grelhados.

– Oba.

Esse era o prato predileto do garoto. Para não quebrar o clima, Adam deu um beijo protocolar na mulher quando entrou em casa. Todos lavaram as mãos. Ryan colocou a mesa, o que significava que caberia a Thomas tirá-la. Para os meninos, água; para os adultos, o vinho que Corinne já havia servido em duas taças. Ela arrumou a comida sobre a bancada da cozinha. Todos pegaram seus pratos e se serviram por conta própria.

O que estava acontecendo ali era um jantar em família, ao mesmo tempo rotineiro e delicioso, mas Adam tinha a sensação de que havia uma bomba-relógio debaixo da mesa. Agora era apenas uma questão de tempo. O jantar terminaria e os meninos subiriam para estudar, ver televisão, jogar ou navegar na internet. Seria necessário esperar que eles dormissem? Provavelmente. O problema era que nos últimos tempos ele e Corinne vinham dormindo antes de Thomas. Portanto seria preciso dar um jeito de fazê-lo ir para o quarto mais cedo, e só então ele poderia tocar no assunto com a mulher.

Tic, tic, tic...

Thomas reinou absoluto no jantar. Para deleite de Ryan, que adorava ouvir os casos do irmão mais velho. A certa altura Corinne contou sobre a bebedeira de uma professora em Atlantic City, dizendo que a mulher havia vomitado no cassino. Os meninos adoraram.

– Você ganhou alguma coisa? – perguntou Thomas.

– Eu não jogo – disse Corinne, sempre a mãe exemplar. – E vocês deviam seguir o meu exemplo.

Os garotos reviraram os olhos.

– Estou falando sério. O jogo pode se tornar um vício terrível.

Ambos balançaram a cabeça.

– Que foi?

– Mãe, você às vezes é uma mala, sabia? – disse Thomas.

– Não sou, não.

– Sempre com uma lição pra dar – completou Ryan. – Pare com isso.

Corinne olhou para Adam em busca de apoio.

– Está ouvindo como eles falam comigo? – disse.

Adam simplesmente deu de ombros. O assunto havia mudado, mas ele não estava acompanhando. Era como se estivesse assistindo a um filme sobre a própria vida, a família saudável que ele e Corinne construíram juntos, jantando à mesa da cozinha, felizes na companhia um do outro. Quase podia ver a câmera rodeando a mesa, capturando o rosto de cada um. Assim eram os dias da família Price: absolutamente comuns e perfeitos.

Tic, tic, tic...

Após meia hora a cozinha já estava limpa. Corinne esperou que os meninos subissem, depois apagou o sorriso do rosto e virou-se para o marido:

– O que está acontecendo?

Adam ficou surpreso. Em dezoito anos de casamento, já tinha visto Corinne em todos os estados de espírito, em todas as variações emocionais. Sabia o momento certo de se aproximar dela e de se afastar. Sabia quando precisava reconfortá-la com um abraço ou com uma palavra de carinho. Conhecia-a tão bem que era capaz de completar as frases dela, às vezes até de ler seus pensamentos. Conhecia aquela mulher pelo avesso.

Não havia segredo entre eles, ou pelo menos ele pensava que não. Adam conhecia Corinne bem o bastante para saber que a revelação do estranho poderia ser verdadeira.

E no entanto ele nunca percebera que Corinne também era capaz de ler seus pensamentos. Apesar de todo o seu esforço para não dar nenhuma bandeira, ela havia notado que algum problema sério o consumia por dentro, um problema fora do comum, talvez grande o bastante para alterar o rumo da vida dos dois.

Corinne ficou ali, esperando o golpe que estava por vir.

À queima-roupa, Adam perguntou:

– Você fingiu aquela gravidez?

capítulo 8

O ESTRANHO OCUPAVA UMA MESA discreta no Red Lobster de Beachwood, Ohio, nas imediações de Cleveland. Segurava entre as mãos uma taça do "especial da casa", um *mai tai* de manga. No prato, um *scampi* ao alho que esfriara fazia muito tempo. Por duas vezes o garçom viera à mesa para recolhê-lo e por duas vezes fora despachado de volta. Sentada à sua frente estava Ingrid. A certa altura ela suspirou e conferiu as horas no relógio.

– Que almoço interminável.

O estranho assentiu.

– Sim, quase duas horas.

Eles estavam observando quatro mulheres em outra mesa. Ainda nem eram duas e meia da tarde e elas já estavam na terceira rodada do "especial da casa". Duas delas haviam optado pelo Crabfest, um pot-pourri de frutos do mar servido num prato grande como a tampa de um bueiro. A terceira havia pedido um linguine de camarão *all'*Alfredo; volta e meia o molho branco se acumulava nos cantos de sua boca, contrastando com o rosa do batom.

A quarta mulher, que eles sabiam chamar-se Heidi Dann, era a razão de sua presença ali. Heidi havia pedido o salmão grelhado. Com seus 49 anos, era uma mulher de carnes fartas, gestos largos e cabelos que mais pareciam um chumaço de palha. Estava usando uma blusa de oncinha, com um decote relativamente ousado, e tinha uma risada que, apesar de escandalosa, não chegava a irritar. Fazia duas horas que o estranho vinha ouvindo essa risada, quase hipnotizado por ela.

– Estou começando a gostar dela, sabia? – disse ele.

– Eu também.

Ingrid puxou os cabelos para trás com as duas mãos, formando um rabo de cavalo, depois os soltou. Muito lisos e compridos, eram daquele tipo que sempre cai no rosto.

– Ela tem gosto pela vida, você não acha?

Ele sabia exatamente do que ela estava falando.

– No fim das contas – emendou Ingrid – nós estamos fazendo um favor pra ela.

Essa era a justificativa, com a qual o estranho concordava plenamente. Se o alicerce estava podre, o certo era demolir a casa inteira. De nada adiantava uma pintura nova ou algum reparo paliativo. Ele sabia disso. Compreendia isso. Vivia isso.

Acreditava nisso.

Mas isso não significava que gostava do seu papel de detonador de explosivos. Também era assim que ele enxergava as coisas. Explodia a casa de alicerces podres, mas nunca ficava para ver *como* ela havia sido reconstruída ou mesmo *se* havia sido reconstruída. Sequer ficava para ver se havia alguém dentro da casa no momento da explosão.

A garçonete enfim deixou a conta sobre a mesa das quatro mulheres. Todas pegaram as respectivas carteiras, e foi a de batom rosa quem fez a matemática da coisa, dividindo a conta até os últimos centavos. As duas que haviam comido o pot-pourri pegaram algumas notas e depois abriram a bolsinha de moedas como se estivessem abrindo um cinto de castidade enferrujado.

Heidi simplesmente jogou sobre a mesa algumas notas de vinte.

O estranho chegou a se emocionar com a naturalidade do gesto dela. Imaginava que os Danns eram ricos, mas hoje em dia não havia como ter certeza de nada. Heidi e Marty estavam casados havia vinte anos e tinham três filhos. Kimberly, a mais velha, cursava o primeiro ano de faculdade na NYU em Manhattan. Os dois meninos, Charlie e John, ainda estavam no ensino médio. Heidi trabalhava em quiosques de maquiagem na loja da Macy's em University Heights. Marty Dann era vice-presidente de vendas e marketing da filial da TTI Floor Care em Glenwillow, a holding proprietária de diversas marcas de aspirador de pó: Hoover, Oreck, Royal e Dirt Devil. Era nesta última que Marty trabalhava havia onze anos. Ele viajava constantemente a negócios, quase sempre para Bentonville, no estado de Arkansas, pois era lá que ficava a sede corporativa da cadeia de lojas Walmart.

Avaliando a expressão no rosto do estranho, Ingrid disse:

– Posso cuidar disso sozinha, se você preferir.

Ele fez que não com a cabeça. A tarefa era sua. Ingrid estava ali somente porque ele precisava abordar uma mulher, e às vezes isso parecia estranho. Ninguém se importava quando um homem acompanhado fazia a mesma coisa – da mesma forma que ninguém se importava quando um homem desacompanhado sozinho ia falar com outro num bar qualquer, como, por exemplo, o bar do American Legion. Mas se um homem de 27 anos se aproximava para falar com uma senhora num restaurante como aquele...

Aí a história era outra.

Ingrid já havia pagado a conta, então eles puderam entrar em ação rapidamente. Heidi fora para o restaurante no próprio carro, um Nissan Sentra prata. O estranho e Ingrid tinham estacionado o carro alugado a duas vagas de distância. Ficaram esperando junto dele, com as chaves na mão, prontos para fingir que já estavam indo embora.

Não queriam chamar atenção.

Cinco minutos depois, as quatro mulheres saíram do restaurante. Com alguma sorte, Heidi voltaria para o carro sozinha, mas não havia como prever. Era possível que uma das amigas resolvesse acompanhá-la, e nesse caso eles seriam obrigados a segui-la até em casa e optar entre dois caminhos: ou abordá-la lá mesmo (nunca era uma boa ideia abordar as vítimas na própria residência, pois isso as deixava ainda mais na defensiva) ou esperar até que ela saísse outra vez.

As mulheres se despediram. Os abraços de Heidi, ele podia ver, eram ótimos, genuínos, afetuosos, não apenas formais. Ela fechava os olhos quando abraçava, e a outra pessoa fazia o mesmo.

As outras três saíram caminhando na direção oposta. Perfeito.

Heidi veio vindo na direção do Nissan, cambaleando um pouco sobre os saltos muito altos após tantos drinques. Mas parecia ter prática na coisa, pois em nenhum momento perdeu a classe. Estava sorrindo. Ingrid discretamente sinalizou para o parceiro se preparar. Ambos fizeram o possível para se mostrar inofensivos.

– Heidi Dann?

Ele tentou estampar no rosto uma expressão afável ou, ao menos, neutra. Heidi se virou para trás e no mesmo instante seu sorriso despencou como se alguém tivesse amarrado nele uma âncora.

Ela sabia.

Ele não ficou surpreso. Algumas pessoas intuíam o que estava por vir, mas outras tantas, senão quase todas, preferiam se fingir de cegas. Heidi não. Ela parecia ser uma mulher inteligente e forte. Decerto já sabia que sua vida jamais voltaria a ser a mesma depois do que estava prestes a ouvir.

– Pois não?

– Tem um site chamado SugarBaby.com – disse o estranho.

A experiência havia lhe ensinado que era mais eficaz ir direto ao ponto. Nada de perguntar à vítima se ela estava com tempo para conversar ou se preferia ir para algum lugar mais calmo. Detonava a bomba e pronto.

– O quê?

– Em tese é a versão moderna de um site de relacionamentos. Mas não é nada disso. Homens, supostamente ricos, se cadastram nesse site para encontrar o que eles chamam de... *sugar babies*. Já ouviu falar?

Heidi o encarou por mais alguns segundos. Depois desviou o olhar para Ingrid, que procurou tranquilizá-la com um sorriso.

– Quem são vocês?

– Não importa – disse o estranho.

Alguns partiam para o confronto. Outros percebiam logo que essa informação não fazia mesmo muita diferença. Heidi era desse tipo.

– Não, nunca ouvi falar – ela respondeu afinal. – Parece um desses sites que homens casados usam pra trair a mulher.

– Não é bem assim. O que o site faz na verdade é uma espécie de intermediação comercial, por assim dizer.

– Não entendi – disse Heidi.

– Quando você tiver um tempinho, entre lá e veja com os próprios olhos. Segundo dizem, todo relacionamento é no fundo uma transação comercial. Então é importante definir com clareza qual é o papel de cada um, saber exatamente o que se espera do homem e da sua amante.

Heidi empalideceu.

– Amante?

– Vou explicar direitinho – prosseguiu o estranho. – O sujeito entra no site e vê uma lista de mulheres, geralmente bem mais jovens que ele. Se gostar de alguma, faz um convite, e se a garota topar, eles começam a negociar.

– Negociar?

– Ele está procurando o que as pessoas chamam de *sugar baby*. Na definição do próprio site, são moças com traquejo suficiente para acompanhar um executivo num jantar ou num congresso, por exemplo. Esse tipo de coisa.

– Mas não é isso que acontece de verdade – conjeturou Heidi.

– Não – disse o desconhecido. – Não é isso que acontece.

Heidi soltou um demorado suspiro. Depois plantou as mãos nos quadris e disse:

– Prossiga.

– Então eles negociam.

– O homem rico e sua *sugar baby.*

– Isso. O site conta todo tipo de mentira para as moças. Falam que tudo é definido de antemão, que elas não precisam fazer nada além do que foi combinado, que os homens são pessoas sofisticadas e vão tratá-las feito rainhas. Vão comprar presentes, levá-las a viagens internacionais...

Heidi balançou a cabeça, dizendo:

– E elas caem nessa?

– Algumas, talvez. Mas acho que a maioria, não. A maioria sabe muito bem onde está pisando.

Era como se Heidi já esperasse a visita dele, já antevisse o que aquele estranho tinha a dizer. Agora se mostrava mais calma, embora ainda deixasse transparecer que estava dilacerada por dentro.

– Então eles negociam – disse ela, disposta a ir até o fim.

– Sim, até chegarem a um acordo. Tudo fica estabelecido por um contrato on-line. Vou dar um exemplo específico: uma moça se comprometeu a encontrar um homem cinco vezes por mês, em determinados dias da semana. O sujeito lhe ofereceu oitocentos dólares.

– Por vez?

– Não, por mês.

– É pouco.

– Bem, é assim que começa. Depois a moça fez uma contraproposta de dois mil dólares, e daí em diante eles foram negociando até...

– Até que chegaram a um acordo – disse Heidi, lacrimejando.

– Isso. Bateram o martelo em 1,2 mil dólares por mês.

– O que equivale a 14,4 mil dólares por ano. – Heidi deu um sorriso triste. – Sou boa de conta.

– Exatamente.

– Mas essas moças... elas falam o quê para os homens? Espere, nem precisa responder. Falam que são universitárias e que estão precisando de dinheiro pra pagar as mensalidades.

– Nesse caso específico, sim.

– Uma estudante... – Heidi balançou a cabeça, desconsolada. – Era só o que faltava.

– Mas a moça não parou por aí – disse o estranho. – Nos outros dias da semana, ela firmou contrato com outros homens. Ou outros *sugar daddies*, como eles chamam.

– Que horror...

– Então, com um dos homens ela se encontra na terça, com outro na quinta e com outro nos fins de semana.

– No fim deve dar um bom dinheiro.

– Dá.

– E muitas doenças venéreas também.

– Quanto a isso não posso dizer nada.

– Como assim, não pode dizer nada? – questionou Heidi.

– Não sabemos se ela usa preservativos ou não. Não temos os registros médicos dela. Nem sabemos exatamente o que ela faz com todos esses homens.

– Duvido muito que fique jogando carta.

– Também duvido.

– Mas por que está me contando tudo isso?

O estranho olhou para Ingrid, que pela primeira vez abriu a boca para dizer algo.

– Porque você merece saber.

– Só isso?

– Sim, é só isso que podemos dizer.

– Vinte anos de casamento... – murmurou Heidi, balançando a cabeça, chorando. – Aquele sem-vergonha...

– Hein? – disse o estranho.

– Marty, meu marido. Aquele descarado.

– Ah, mas não é dele que estamos falando.

Pela primeira vez, Heidi ficou absolutamente perplexa.

– Não? Mas então... de quem?

– Da sua filha Kimberly.

capítulo 9

CORINNE RECEBEU O GOLPE e recuou dois passos para recuperar o fôlego.

– De que diabos você está falando? – perguntou ela.

– Será que a gente pode pular essa parte? – devolveu Adam.

– *Parte?* Que parte?

– Essa em que você finge não fazer ideia do que eu estou falando. Vamos deixar os joguinhos de lado, ok? Sei que você fingiu aquela gravidez.

Corinne procurou se recompor e colar os pedaços de volta, um de cada vez.

– Se você sabe, por que está perguntando?

– E os meninos?

– O que tem eles? – indagou, surpresa.

– São meus?

Corinne arregalou os olhos.

– Você enlouqueceu?

– Quem já fingiu uma gravidez é capaz de qualquer coisa. Vai saber.

Corinne ficou muda.

– E aí? São ou não são?

– Poxa, Adam, olhe pra eles...

Adam permaneceu mudo.

– *Claro* que são seus.

– Existem testes, sabia? DNA. Até as farmácias vendem.

– Então vá lá e compre! – cuspiu ela de volta. – Esses meninos são seus e você sabe disso.

Eles estavam em lados opostos da bancada da cozinha. Apesar das circunstâncias, apesar de toda a raiva e de toda a confusão mental, Adam não podia deixar de notar a beleza da mulher. Mal acreditava que entre tantos pretendentes ela havia escolhido justamente ele. Corinne era aquela garota com que todos queriam se casar. Era assim que os garotos da sua época dividiam as mulheres: aquelas com quem tinham os sonhos eróticos nas noites de solidão e aquelas com quem se imaginavam passeando ao luar, jantando à luz de velas, trocando alianças. Corinne sem dúvidas pertencia a essa última categoria.

A mãe de Adam fora uma mulher excêntrica, beirando as raias da loucura, e havia sido isso o que inadvertidamente atraíra o pai dele. "Aquela faísca que ela tinha", era assim que ele se explicava. Mas aos poucos a tal faísca fora resvalando para a bipolaridade pura e simples. Por vezes ainda era divertida e espontânea, mas a imprevisibilidade da coisa acabara se tornando um fardo para o pai de Adam, fatigando-o a ponto de envelhecê-lo precocemente. Havia ótimos períodos de euforia, que pouco a pouco foram dando lugar a um crescente número de períodos de depressão. Adam não havia cometido o mesmo erro. A vida era uma série de reações. Sua reação ao erro do pai havia sido casar-se com uma mulher que ele considerava controlada, firme, consistente, mesmo sabendo que as pessoas nunca eram tão simples assim.

– Sou todo ouvidos – disse ele.

– O que faz você pensar que eu menti sobre a gravidez?

– A compra no Visa em nome de Novelty Funsy. Você disse que se tratava de enfeites pra escola. Mentira. Novelty Funsy é o nome fantasia de um site chamado BarrigaFalsa.com.

Corinne ficou confusa.

– Não estou entendendo. Por que você foi olhar os débitos de dois anos atrás?

– Não interessa.

– Claro que interessa. Ninguém resolve mexer em contas antigas do nada.

– Fingiu ou não fingiu, Corinne?

Ela baixou os olhos para o granito da bancada que separava os dois. Levara uma eternidade para encontrar o tom exato que ela queria, até que descobriu o tal "Marrom Ontario". Localizando uma sujeirinha grudada na pedra, começou a raspá-la com a unha.

– Corinne?

– Lembra aquela época em que eu tinha dois tempos livres na hora do almoço?

A mudança de assunto desconcertou Adam por alguns segundos.

– O que isso tem a ver? – perguntou ele.

– Foi a única vez em toda a minha carreira que tive tanto tempo livre.

– Sim, eu lembro.

– Eu costumava ir àquele café na livraria Bookends. Eles faziam um ótimo *panini*. Era o que eu sempre pedia, com café ou com chá gelado. Sentava num canto e ficava ali, lendo um livro.

Um pequeno sorriso despontou em seu rosto.

– Pra mim, aquele momento era uma bênção.

– Uma bela história.

– Sem ironia, por favor.

– Não, não, é sério. Tudo isso é muito interessante, além de muito relevante. Quer dizer, pergunto sobre uma falsa gravidez e você me vem com uma história sobre sanduíches. Muito melhor. Afinal, o que tinha nesse *panini* que você tanto gostava? Peito de peru com queijo suíço? É o meu preferido, sabia?

Corinne fechou os olhos.

– Você sempre usou o sarcasmo como mecanismo de defesa.

– Ah, claro, e você sempre foi ótima com o seu timing. Agora, por exemplo. Agora é o momento *perfeito* pra uma sessão de psicanálise.

Num tom de súplica, ela disse:

– Estou tentando contar uma coisa, ok?

– Então conte – rebateu Adam, dando de ombros.

Corinne levou alguns segundos para reorganizar os pensamentos e as emoções antes de prosseguir.

– Eu ia na Bookends quase todo dia – prosseguiu ela, afinal, com certo distanciamento na voz. – Depois de um tempo, você acaba conhecendo as pessoas. Eram quase as mesmas que almoçavam lá, uma espécie de comunidade. Tinha o Jerry, um desempregado... O Eddie, que fazia um tratamento por perto, no hospital de Bergen Pines. Debbie estava sempre com o laptop aberto, escrevendo alguma coisa, e...

– Corinne.

Ela ergueu a mão e prosseguiu:

– E também tinha a Suzanne, que na época estava grávida de uns oito meses.

Silêncio.

Corinne se virou para trás.

– Onde está aquela garrafa de vinho?

– Ainda não sei aonde você quer chegar com tudo isso.

– Preciso de um pouco de vinho.

– Guardei no armário em cima da pia.

Corinne buscou a garrafa. Enquanto servia sua taça, disse:

– Suzanne Hope devia ter uns 25 anos. Era o primeiro filho dela. Você sabe como são as mães de primeira viagem. Elas têm um brilho no olhar, uma felicidade exagerada, como se fossem as primeiras grávidas do mundo.

Suzanne era uma simpatia. Sempre conversava sobre a gravidez, o bebê, não só comigo, mas com todo mundo. Falava das vitaminas que estava tomando, perguntava se a gente gostava deste ou daquele nome... Não queria saber se era menino ou menina, preferia a surpresa. Todo mundo gostava dela.

Adam precisou contar até dez para não voltar com o sarcasmo. Em vez disso, fez uma observação mais ou menos óbvia:

– Pensei que você almoçasse lá pra ler em paz.

– No começo, sim. Mas a partir de um certo momento, comecei a gostar daquele pequeno círculo social. Sei que é ridículo, mas eu ansiava por ver aquelas pessoas, entende? Era como se elas existissem apenas ali. Igual aquele pessoal com quem você jogava basquete. Você adorava os caras na quadra, mas fora dela não sabia nada a respeito de nenhum deles. Um era o proprietário daquele restaurante que a gente gostava de ir, lembra? E você nem sabia.

– Lembro, Corinne. Mas e daí?

– Só estou tentando explicar. Fiz amigos naquele café. As pessoas apareciam e sumiam sem nenhum aviso prévio. Feito o Jerry. Um dia ele simplesmente deixou de aparecer. Deduzimos que ele tivesse arrumado um emprego, mas... ele nunca deu uma passadinha lá pra contar a novidade. Simplesmente sumiu. A Suzanne também. Achamos que ela houvesse tido o bebê. Afinal, a gestação já estava bem avançada. E depois... infelizmente o semestre acabou e a minha folga no horário do almoço também. Então foi a minha vez de sumir do café. Era assim que a coisa funcionava. Em ciclos. Uns chegando, outros partindo.

Adam ainda não fazia a menor ideia de onde aquilo ia dar, mas já não via motivo para apressar a mulher. De certo modo, agora queria que as coisas se desenrolassem mais lentamente. Precisava de tempo para pensar em tudo aquilo. Num gesto automático, olhou para a mesa onde pouco antes estavam Thomas e Ryan, comendo, rindo, certos de que estavam seguros no seio daquela família.

Corinne deu um demorado gole no vinho. Para reacender a conversa, Adam perguntou:

– Você nunca mais voltou a ver essas pessoas?

Corinne quase sorriu.

– Esse é justamente o xis da questão.

– Como assim?

– Vi Suzanne novamente. Uns três meses depois.

– Na livraria?
– Não. Na Starbucks de Ramsey.
– Ela teve um menino ou uma menina?
Um sorriso triste brotou nos lábios de Corinne.
– Nem uma coisa nem outra.
Adam não soube o que perguntar, então disse apenas:
– Ah.
Encarando-o, Corinne falou:
– Ela ainda estava grávida.
– A Suzanne?
– Sim.
– Ela *ainda* estava grávida quando você a encontrou na Starbucks?
– Isso. Fazia três meses que a gente não se via, mas ela ainda estava com um barrigão de oito meses.
Adam meneou a cabeça, finalmente enxergando a luz no fim daquele túnel de informações.
– O que é impossível, claro – disse ele.
– Claro.
– Ela estava se fingindo de grávida.
– Sim. O que aconteceu foi o seguinte: precisei ir até Ramsey, dar uma olhada num livro didático novo. Era hora do almoço. Suzanne certamente pensou que seria impossível encontrar qualquer um de nós por ali. Aquela Starbucks fica a uns quinze minutos da Bookends.
– Acho que sim.
– Então eu estava no balcão, pedindo meu *latte*, quando ouvi uma voz conhecida e olhei pra trás. Lá estava ela, sentadinha num canto, toda empolgada enquanto falava de suas vitaminas para um novo grupo de pessoas.
– Ainda não entendi qual é a dessa mulher.
Corinne inclinou a cabeça.
– Jura?
– E você entendeu?
– Claro. Entendi imediatamente. Suzanne estava ali, dando o seu showzinho, e quando me viu chegando, perdeu a cor. Imagine só. Como explicar uma barriga de oito meses ter durado... tipo, seis meses? Eu fiquei ali, olhando pra ela. Ela devia estar rezando pra eu ir embora, mas não fui. Eu precisava voltar pra escola, mas falei que o pneu do meu carro tinha furado e Kristin me substituiu nas aulas.

– Afinal, você e Suzanne conversaram?

– Conversamos.

– E?

– Ela disse que morava em Nyack, Nova York.

Nos cálculos de Adam, a cidadezinha de Nyack ficava a mais de trinta minutos tanto da Bookends quanto da Starbucks de Ramsey.

– Ela me contou que sofreu um aborto – prosseguiu Corinne. – Acho que nem é verdade, mas, sei lá. Em muitos aspectos, essa história é até simples. Algumas mulheres adoram ficar grávidas. Não por causa de algum desequilíbrio hormonal nem da vontade de ser mãe, mas de algo bem mais primitivo que isso. A gravidez é o único momento em que essas mulheres se sentem especiais. Os outros abrem as portas pra elas passarem. Perguntam como foi o dia delas. Querem saber pra quando é o bebê, se elas estão passando bem. Em resumo, elas recebem atenção como nunca. É um pouco como ser uma pessoa famosa. Suzanne não tinha nenhum projeto de vida. Não me parecia alguém particularmente inteligente ou interessante. A gravidez fazia com que ela se sentisse uma espécie de celebridade. Funcionava mais ou menos como uma droga, um vício.

Adam balançou a cabeça. Lembrou-se de algo que tinha lido no tal site BarrigaFalsa.com: "Nada coloca você mais em evidência do que uma gravidez!"

– Quer dizer então que ela fingia estar grávida só para sentir um barato?

– Sim. Ela colocava a barriga falsa, ia pro café e pronto: atenção imediata.

– Mas não podia manter a farsa por muito tempo. Não tinha como exibir uma barriga de oito meses por mais do que... sei lá, um mês ou dois.

– Pois é. Ela ia trocando o lugar onde almoçava. Só Deus sabe há quanto tempo vinha fazendo isso ou se ainda está fazendo. Falou que o marido não dava muita bola pra ela, que chegava em casa e ia direto ver televisão ou então saía de novo pra beber com os amigos. Tudo isso também pode ser mentira, mas tanto faz. Ela fazia a mesma encenação em outros lugares também. Por exemplo, em vez de ir ao supermercado em Nyack, ia a outros mais distantes e ficava sorrindo para as pessoas, esperando que elas sorrissem de volta. Se ia ao cinema e queria uma poltrona melhor, usava o truque da barriga. A mesma coisa nas viagens de avião.

– Uau – disse Adam. – É doentio.

– Você não entende, não é?

– Entendo muito bem. Essa moça devia procurar um psiquiatra.

– Sei lá. Não me parece tão grave assim.

– Colocar uma barriga falsa pra chamar a atenção das pessoas?

Corinne deu de ombros, dizendo:

– Concordo que é um recurso extremo, mas algumas pessoas recebem atenção porque são bonitas, porque têm dinheiro ou porque têm um emprego bacana.

– E outras porque fingem que estão grávidas – completou Adam.

Silêncio. E depois:

– Suponho que tenha sido sua amiga Suzanne quem falou sobre esse site, o BarrigaFalsa.

Ela virou o rosto.

– Corinne?

– É só isso que estou preparada pra contar por enquanto.

– Está brincando, não está?

– Não.

– Espere aí. Você está me dizendo que é viciada em atenção que nem essa Suzanne? Quer dizer, isso não é um comportamento normal. Você percebe isso, não percebe? Isso só pode ser algum tipo de transtorno psicológico.

– Preciso pensar no assunto.

– Pensar no quê?

– Já está tarde. Estou cansada.

– Enlouqueceu?

– Pare com isso, Adam.

– Parar com o quê?

Corinne se virou novamente para ele.

– Você sente a mesma coisa, não sente, Adam?

– Do que você está falando?

– É como se nós dois estivéssemos num campo minado – disse ela. – Basta um passo em falso pra que a gente pise num troço qualquer e mande tudo pelos ares.

Eles se entreolharam por alguns instantes.

– Não fui eu quem nos colocou nesse campo minado – rebateu Adam por entre os dentes. – Foi você.

– Vou subir pro quarto. Amanhã a gente continua essa conversa.

Adam se interpôs no caminho dela.

– Você não vai a lugar nenhum.

– Vai fazer o quê, Adam? Vai me bater?

– Você me deve uma explicação.

Ela balançou a cabeça.

– Você não está entendendo nada.

– É claro que não estou entendendo nada!

Fitando-o diretamente nos olhos, ela perguntou:

– Como foi que você descobriu?

– Não importa.

– Você nem faz ideia do tanto que isso importa – sussurrou Corinne. – Quem foi que mandou você investigar aquele débito no cartão de crédito?

– Um estranho – disse Adam.

Corinne recuou um passo, assustada.

– Como assim, um estranho?

– Sei lá. Um sujeito que eu nunca vi na vida. Ele me abordou lá no bar da American Legion e contou o que você fez.

Corinne balançou a cabeça como se com isso pudesse pôr as ideias no lugar.

– Não estou entendendo. Quem é essa pessoa?

– Já disse. Um desconhecido.

– A gente precisa pensar melhor sobre isso – disse ela.

– Não. Você é que precisa me contar o que está acontecendo.

– Agora não.

Corinne pousou as mãos nos ombros de Adam, mas ele se afastou como se as mãos de Corinne estivessem pegando fogo.

– Não é o que você está pensando. É tudo muito mais complicado do que você imagina.

– Mãe?

Adam se virou na direção da voz. Ryan estava no pé da escada.

– Alguém pode me ajudar com o dever de matemática?

Corinne não hesitou nem um segundo. Recolocando o sorriso no rosto, falou para o filho:

– Já vou, querido.

Depois se virou para Adam.

– Amanhã – murmurou num tom de súplica. – Há muita coisa em jogo. Por favor, amanhã.

capítulo 10

O QUE MAIS ELE PODERIA fazer?

Corinne havia se fechado. Mais tarde, sozinho com ela no quarto, ele havia tentado diferentes estratégias: exigências, súplicas, ameaças. Recorrera a palavras de carinho, sarcasmo, orgulho, afronta... Tudo em vão.

À meia-noite, Corinne tirou os brincos de diamante e os deixou sobre a mesinha de cabeceira. Apagou a luz do abajur, deu seu boa-noite e fechou os olhos. Àquela altura, Adam já estava à beira do desespero, muito próximo de partir para a agressão física. Por menos que estivesse disposto a admitir, sua vontade era sacudir a mulher até fazê-la falar alguma coisa. Mas aos 12 anos ele vira os próprios pais num lamentável momento de violência. Sua mãe tinha o costume de provocar o marido, xingando-o, questionando sua masculinidade, até que um dia ele perdeu a paciência e partiu para cima da mulher, apertando os dedos no pescoço dela e por muito pouco não a estrangulando ali mesmo.

No entanto, o que mais o afligia na lembrança daquele episódio não era o pavor de ver o pai usar a força contra a própria mulher, tampouco o risco de que aquilo terminasse numa grande tragédia. O pior era ver o homem fraco e deplorável em que o pai se transformara após aquele ato de violência. Embora a mãe fosse a vítima, ela havia conseguido transformar o marido em algo tão patético que ele se vira obrigado a fazer coisas fundamentalmente contrárias à própria natureza.

Adam jamais seria capaz de agredir uma mulher. Não só porque era errado, mas também por causa do efeito que isso teria sobre ele.

Sem saber ao certo o que fazer, ele se deitou ao lado de Corinne. Socou o travesseiro até deixá-lo como queria, acomodou a cabeça nele e fechou os olhos. Não conseguiu ficar ali mais do que dez minutos. Saltou da cama com o travesseiro debaixo do braço e desceu para o sofá da sala, onde talvez conseguisse dormir.

Colocou o telefone para despertar às cinco da manhã, de modo que pudesse voltar ao quarto antes que os filhos acordassem – eles não precisavam presenciar aquilo. Se o sono apareceu, não foi por mais do que alguns minutos. Corinne, no entanto, estava completamente apagada quando ele enfim subiu de volta. Dava para ver pela sua respiração que ela não estava fingindo. O que não deixava de ser engraçado; ele não conseguia dormir, e ela, sim. Adam se lembrou então de ter lido em algum lugar sobre os policiais que eram capazes de determinar a culpa ou a inocência de um suspeito pela capacidade ou incapacidade dele de dormir. Em tese, o inocente deixado sozinho numa sala de interrogatório não conseguia pregar o olho porque remoía internamente a injustiça sofrida. O culpado, no entanto, cedo ou tarde acabava dormindo. Adam nunca havia acreditado muito nessa história, mas lá estava ele, o inocente que não conseguia dormir enquanto a mulher (culpada?) dormia feito um bebê.

Adam ficou tentado a acordá-la, pegá-la de surpresa naquele estado intermediário entre o sono e a vigília, aproveitando o torpor para tirar dela toda a verdade, mas acabou concluindo que isso não funcionaria. Corinne tinha razão ao dizer que eles precisavam ir com calma. Além disso, talvez fosse mesmo mais produtivo deixar que ela se abrisse em seu próprio tempo. Acuá-la poderia produzir o efeito contrário e fazê-la se retrair ainda mais.

A pergunta era: o que fazer agora?

Ele sabia da verdade, não sabia? Seria realmente necessário esperar que ela admitisse? Se fosse mentira, ela já teria negado tudo. Corinne estava tentando ganhar tempo para inventar alguma desculpa razoável ou para dar a ele a oportunidade de se acalmar e avaliar suas alternativas.

E quais eram as alternativas?

Estaria disposto a ir embora? A pedir o divórcio?

Adam ainda não sabia. Aproximando-se da cama, olhou para a mulher e se perguntou exatamente o que sentia por ela. Fez um teste e tentou responder sem pensar muito: se tudo aquilo fosse verdade, ele continuaria amando Corinne e querendo viver o resto da vida ao lado dela?

Apesar da confusão mental, sua resposta foi um retumbante "sim".

Portanto era preciso pensar e agir com frieza. Será que aquela mentira era mesmo tão grave? Sim. Gravíssima. Quanto a isso não havia dúvida.

No entanto, seria grave o bastante para destruir a vida dos dois? Ou seria possível que de algum modo eles aprendessem a conviver com aquilo? Toda família tinha seu elefante branco no meio da sala. Ele conseguiria um dia ignorar o seu?

Difícil dizer. E justamente por isso ele precisava ser cauteloso. Teria de esperar. Precisaria ouvir a justificativa da mulher, por mais absurdo que isso lhe parecesse.

"Não é o que você está pensando. É tudo muito mais complicado do que você imagina", ela dissera. Mas de que diabos estaria falando?

Adam se enfiou debaixo das cobertas e fechou os olhos apenas por um instante.

Quando voltou a abri-los, três horas haviam se passado. Não encontrando Corinne na cama, levantou-se rapidamente e ouviu a voz do filho mais velho na cozinha. Thomas, o falante. Ryan, o ouvinte.

Mas... e Corinne?

Ele olhou pela janela do quarto. A minivan da mulher continuava na rua. Pé ante pé, ele foi descendo os degraus da escada. Não saberia explicar o motivo de tanto cuidado; provavelmente queria surpreender a mulher antes que ela saísse para o trabalho. Os meninos estavam à mesa. Corinne havia preparado o café da manhã predileto de Adam: bacon, ovos e sanduíche de bagel com sementes de gergelim e recheio de queijo. (De uma hora para outra ela dera para fazer os pratos prediletos de todo mundo; por quê?) Ryan devorava um prato de cereal com chocolate enquanto lia o verso da caixa como se aquilo fosse um livro sagrado.

– E aí, pessoal?

Dois grunhidos. Por mais diferentes que fossem no resto do dia, pela manhã os garotos tinham isto em comum: nenhuma disposição para bater papo com os pais antes do colégio.

– Cadê a mãe de vocês?

Dois pares de ombros sacudidos.

Adam olhou pela janela que dava para o quintal da casa. Lá estava Corinne, de costas para ele, falando ao celular.

Adam sentiu o rosto queimar.

Assim que ouviu a porta dos fundos se abrir, Corinne se virou e sinalizou para que ele esperasse "um segundinho". Adam não esperou: irrompeu imediatamente na direção dela. Num gesto rápido, Corinne desligou o telefone e o guardou no bolso.

– Com quem você estava falando?

– Com a escola.

– Mentira. Deixe eu ver o aparelho.

– Adam...

– Me dê este telefone – disse ele, estendendo a mão.

– Por favor, não faça uma cena na frente dos meninos.

– Chega, Corinne. Quero saber o que está acontecendo.

– Não tenho tempo agora. Preciso estar na escola em dez minutos. Você se importa de levar os meninos?

– Você só pode estar brincando...

Corinne deu um passo na direção dele.

– Ainda não posso contar o que você quer saber.

Por muito pouco ele não esmurrou a mulher. Precisou se conter para não erguer o punho.

– Qual é a sua estratégia, Corinne?

– Qual é a sua? – devolveu ela.

– Hein?

– Qual é a pior opção? Pense bem. Se for verdade, você vai abandonar a gente?

– A gente?

– Você sabe o que eu quis dizer.

Foi preciso um segundo para que Adam conseguisse concatenar as palavras.

– Não posso viver com alguém em quem não confio – respondeu ele.

Ela inclinou a cabeça, dizendo:

– Você não confia em mim?

Adam não disse nada.

– Todos nós temos os nossos segredos, não é? Até você, Adam.

– Nunca escondi nada parecido com isso de você. Mas acho que já tenho minha resposta.

– Não tem, não.

Ela se aproximou ainda mais e o fitou diretamente nos olhos para dizer:

– Mas logo, logo terá. Prometo.

– Quando?

– Vamos sair para jantar hoje à noite. Espere por mim no Janice's Bistrô. Às sete, numa mesa discreta. Lá a gente conversa.

capítulo 11

DIVERSAS ESTATUETAS DE PORCELANA se enfileiravam na prateleira superior: uma menininha com um burrico; três crianças brincando de "o que seu mestre mandar"; um garoto com uma caneca de cerveja; um menino empurrando uma menina no balanço.

– Eunice adora essas porcarias – disse o velho. – Eu não gosto nem de olhar. Eu me cago de medo delas. Fico achando que alguém devia fazer um filme de terror com isso aí. Já imaginou? Uma dessas criaturas virando gente?

A cozinha era toda forrada de um lambri caindo aos pedaços. Um ímã de *Viva Las Vegas* estava pregado na porta da geladeira. Um globo de neve com três flamingos cor-de-rosa jazia no parapeito da janela logo acima da pia; na base, uma plaqueta informava: MIAMI, FLA (como se houvesse outra Miami além daquela na Flórida). Pratos colecionáveis de *O mágico de Oz* e um relógio de coruja ocupavam boa parte da parede à direita. A da esquerda era decorada com inúmeros diplomas e certificados já um tanto desbotados, uma retrospectiva da longa e ilustre carreira do tenente-coronel Michael Rinsky, há muito aposentado.

Vendo que Adam examinava os diplomas, Rinsky comentou:

– Foi a Eunice que insistiu que eu pendurasse isso aí.

– Certamente ela se orgulha do marido – disse Adam.

– É, pode ser.

Adam virou-se novamente para o velho.

– E então, como foi a visita do prefeito?

– Rick Gusherowski, nosso ilustre alcaide. Prendi o moleque duas vezes quando ele estava no colégio. Uma vez por estar bêbado ao volante.

– Ele foi indiciado?

– Não, simplesmente ligou pro papai e pediu que ele o buscasse. Isso foi uns trinta anos atrás. Naquele tempo era assim. Dirigir bêbado era considerado um delito menor. Uma grande burrice.

Adam meneou a cabeça para sinalizar que estava ouvindo.

– Hoje em dia, não. Agora é crime. Vidas são salvas por causa da nova legislação. Mas então, o Rick. Quer dizer, o senhor prefeito. Ele chegou aqui, todo engravatado, uma bandeira nacional espetada na lapela do paletó.

O sujeito nunca serviu o exército, nunca fez nada em favor dos pobres e dos desvalidos em geral... De repente espeta uma bandeira na lapela e vira um grande patriota.

Adam procurou não sorrir.

– Pois bem. Rick chega aqui com o peito estufado e um largo sorriso. "Os empreiteiros estão oferecendo um bom dinheiro", ele diz pra mim. Depois fica meia hora falando do quanto eles estão sendo generosos.

– E você respondeu o quê?

– Por enquanto não dei nenhuma resposta. Fiquei só olhando pra ele, deixando o cara falar.

Rinsky sinalizou para que eles se sentassem à mesa. Adam não queria ocupar a cadeira de Eunice (por algum motivo isso lhe parecia errado), então perguntou:

– Onde?

– Onde você quiser.

Adam se acomodou na cadeira mais próxima, depois Rinsky sentou-se também. A toalha de plástico que cobria a mesa era velha e um tanto pegajosa, mas combinava com todo o resto. Ainda havia cinco cadeiras em torno dela, embora os três filhos que o casal havia criado naquela casa já fossem adultos e tivessem partido há muito tempo.

– Depois ele veio com essa história de "pelo bem da comunidade". Sei. "Você está atrapalhando o progresso da cidade", ele falou. "As pessoas vão perder o emprego por sua causa. A criminalidade vai aumentar." Você já deve conhecer esse papo.

– Sim, conheço.

Adam já tinha ouvido a mesma história um milhão de vezes e não discordava exatamente dela. Ao longo dos anos aquela parte da cidade havia ficado abandonada. Então algum empreendedor, desfrutando de generosos incentivos fiscais, chegou ali e comprou quase todos os imóveis vizinhos por uma ninharia. Queria demolir toda a velharia para construir no lugar uma série de prédios ultramodernos com lojas, restaurantes e escritórios. A ideia não era de todo ruim. Sempre há quem torça o nariz para esse processo de transformação urbana, mas a verdade é que as cidades também precisam de algum sangue novo.

– Daí ele continua falando que o bairro vai ficar mais seguro, que as pessoas vão começar a voltar pra cá e tudo mais. E a certa altura tira da manga o grande curinga: parece que o empreiteiro pretende adaptar diversos imóveis aos inquilinos da terceira idade. Pois não é que o sujeito teve a cara de pau de dizer que eu precisava "pensar na Eunice"?

– Uau – disse Adam.

– Não é? Depois falou que eu devia fechar o negócio depressa porque a proposta seguinte será pior e eles podem me botar na rua. Podem mesmo?

– Podem – afirmou Adam.

– Compramos esta casa em 1970 com minha indenização de veterano de guerra. A Eunice... ela é uma boa pessoa, mas às vezes parece que está com um parafuso frouxo, sabe? Quando está num lugar que não conhece, ela fica morrendo de medo, tremendo, chorando... Mas depois que chega aqui e vê esta cozinha, esses trecos todos que ela gosta, essa geladeira enferrujada, de repente tudo fica bem, entende?

– Entendo.

– Você pode nos ajudar?

Adam se recostou na cadeira.

– Ah, sim. Acho que posso.

Rinsky o avaliou por alguns segundos com os olhos penetrantes. Adam se reacomodou na cadeira, um tanto intimidado. Podia imaginar o policial fantástico que o velho havia sido.

– Estou vendo um brilho engraçado no seu olhar, Sr. Price.

– Pode me chamar de Adam. Um brilho engraçado?

– Esqueceu que fui da polícia?

– Claro que não.

– Pois é. Um dos meus grandes orgulhos é a capacidade de ler o que está escrito no rosto dos outros.

– E o que você está lendo no meu? – perguntou Adam.

– Que você está com uma grande ideia.

– Pode ser – falou Adam. – Acho que posso resolver esse caso rapidamente se você tiver estômago para isso.

O velho deu um sorriso:

– Por acaso tenho cara de quem tem medo de briga?

capítulo 12

Chegando em casa às seis horas, Adam não encontrou o carro da mulher na rua. Ficou sem saber se devia estranhar ou não. De modo geral Corinne chegava do trabalho antes dele, mas provavelmente quis evitar o bate-boca que aconteceria caso eles se encontrassem em casa antes do jantar no Janice's Bistrô. Adam pendurou o paletó, deixou a maleta num canto e foi para a sala. As mochilas e os moletons dos meninos se espalhavam pelo chão feito destroços de um acidente aéreo.

- Olá! - chamou. - Thomas? Ryan?

Nenhuma resposta. Havia uma época neste mundo de Deus em que isso significava alguma coisa, talvez até causasse alguma preocupação, mas nos tempos atuais, com os videogames, os fones de ouvido e a constante necessidade de os adolescentes se trancarem no banheiro para "tomar banho" (um eufemismo?), as eventuais preocupações tinham vida curta. Adam subiu a escada. Tal como havia imaginado, ouviu o chuveiro ligado. Provavelmente Thomas. A porta do quarto de Ryan estava fechada. Ele bateu de leve, mas não esperou por uma resposta para abri-la. Se Ryan estivesse com os fones de ouvido, talvez jamais respondesse; por outro lado, entrar sem bater seria uma imperdoável invasão de privacidade. Portanto, bater de leve e entrar em seguida parecia um meio-termo razoável para solucionar o problema.

Como esperado, Ryan estava esparramado na cama com os fones na cabeça e o iPhone nas mãos.

- Oi - disse ele, tirando os fones, erguendo-se na cama.

- Oi.

- O que tem pra jantar? - perguntou Ryan.

- Tudo bem, obrigado. Muito trabalho no escritório, mas não posso reclamar, tive um dia legal. E com você, tudo bem?

Ryan simplesmente ficou olhando para o pai. Muitas vezes era isso que ele fazia.

- Sabe da sua mãe? - perguntou Adam.

- Não.

- Ela e eu vamos jantar fora. Quer que eu peça uma pizza pelo telefone?

Poucas coisas no mundo são mais redundantes do que perguntar aos filhos se eles querem pizza para o jantar. Ryan sequer se deu ao trabalho de dizer "sim", indo direto para:

– Pode ser de frango?

– Seu irmão gosta de calabresa – disse Adam –, então vou pedir meio a meio.

Ryan franziu o cenho.

– Que foi? – perguntou Adam.

– Só *uma* pizza?

– Pra duas pessoas está bom, não está?

Ryan aparentemente não ficou conformado.

– Se achar pouco, tem sorvete no congelador. Você pode comer de sobremesa.

– Tudo bem – foi a resposta azeda de Ryan.

Adam foi para o quarto. Sentou-se na cama, ligou para a pizzaria e acrescentou ao pedido uma porção de palitinhos de mozarela. Alimentar filhos adolescentes era o mesmo que encher uma banheira a colheradas. Corinne vivia reclamando (numa boa, na maior parte do tempo) que precisava reabastecer a despensa quase todos os dias.

– E aí? – Era Thomas, parado à porta do quarto, toalha amarrada à cintura, água pingando dos cabelos. – O que vai ter pra jantar?

– Acabei de pedir uma pizza.

– Calabresa?

– Metade calabresa, metade frango. – Adam ergueu a mão antes que o filho pudesse dizer o que quer que fosse. – E acrescentei uma porção de palitos de mozarela.

– Valeu.

– Vocês não precisam comer tudo. Podem deixar as sobras na geladeira.

Thomas crispou o rosto numa careta.

– Sobras? Nem sei o que significa isso.

Adam balançou a cabeça, rindo.

– Falando em sobras, por acaso você deixou um pouco de água quente no chuveiro para mim?

– Um pouquinho.

– Ótimo.

Se fosse outro dia qualquer Adam não tomaria banho nem trocaria de roupa, mas estava com tempo e nervoso. Então tomou uma ducha rápida (por sorte conseguiu terminar antes da água quente) e se barbeou, apagando do rosto aquela sombra de barba à la Homer Simpson. Em seguida abriu o armarinho à sua frente e de lá tirou a loção pós-barba de que Corinne tanto gostava. Fazia tempos que ele não usava essa loção. Por quê? Ele não sabia dizer. Assim como não sabia dizer por que decidira usá-la justamente naquela noite.

Vestiu uma camisa azul porque Corinne costumava dizer que o azul combinava com os olhos dele. Sentiu-se um idiota por causa disso e quase trocou de camisa, mas depois pensou: por que não? Já ia saindo para o corredor quando parou à porta e correu os olhos pelo quarto, aquele espaço que eles haviam dividido por tantos anos. A cama king size estava perfeitamente arrumada com seus inúmeros travesseiros e almofadas (em que momento as pessoas haviam começado a colocar tanta tralha em cima da cama?) e também tinha lá os seus muitos anos de história. Um pensamento simples e bobo. Apenas um quarto, apenas uma cama, mas...

Lá nos confins da consciência, uma voz lhe dizia: dependendo de como as coisas se desdobrassem naquele jantar, talvez ele e Corinne jamais voltassem a dormir juntos naquele quarto.

Aquilo era um pouco melodramático, é claro. Mas se o exagero não tivesse espaço para vagar em sua cabeça, onde mais poderia ter?

A campainha da casa tocou. Nenhum movimento por parte dos garotos. O que era normal. Ambos haviam sido instruídos para jamais atenderem o telefone fixo (afinal, a ligação nunca era para eles) e nunca atender a porta (geralmente era alguma entrega). Assim que pagou a pizza e fechou a porta, Adam ouviu os dois filhos dispararem escada abaixo feito dois cavalos selvagens recém-fugidos do curral. A casa tremeu, mas por sorte não caiu.

– Prato descartável, pode ser? – perguntou Thomas.

Thomas e Ryan preferiam comer em pratos descartáveis apenas porque não precisavam lavá-los depois. Não era o caso de argumentar. Adam sabia perfeitamente o que aconteceria se obrigasse os filhos a usar os pratos de porcelana: quando chegasse em casa, ele e Corinne encontrariam a louça suja na pia, a mulher reclamaria e ele teria de chamar os dois marmanjos, obrigando-os a descer para colocar tudo na máquina. Thomas e Ryan diriam que já iam mesmo fazer isso (claro), que não era preciso esquentar a cabeça, que em cinco minutos (leia-se: dez) terminaria o programa que eles estavam vendo na televisão e depois disso eles desceriam. Os cinco (quinze) minutos passariam, Corinne reclamaria da irresponsabilidade dos filhos e ele teria de chamá-los de novo, dessa vez com mais autoridade na voz.

Os ciclos da vida doméstica.

– Pratos descartáveis, tudo bem – disse Adam.

Os dois garotos atacaram a pizza como se não vissem um prato de comida há séculos. Entre uma garfada e outra, Ryan fitou o pai com uma interrogação no olhar.

– Que foi? – perguntou Adam.

Ryan mastigou o que tinha na boca, depois disse:

– Você não falou que ia jantar com a mamãe?

– Sim, por quê?

– Então... por que essa beca toda?

– Não tem beca nenhuma.

– E esse cheiro? – perguntou Thomas.

– Você está usando perfume? – emendou Ryan.

– Eca. Está estragando o gosto da pizza.

– Vão ver se eu estou na esquina, vocês dois – brincou Adam.

– Quer trocar uma fatia de calabresa por uma de frango?

– Não.

– Poxa, Thomas, só uma fatia.

– Só se você me der um de seus palitos de mozarela.

– De jeito nenhum. Só se for meio palito.

Adam não podia esperar o fim das negociações. Antes de sair, já à porta, avisou:

– Não vamos chegar tarde. Terminem os deveres e não se esqueçam de jogar a caixa da pizza no lixo reciclável, ok?

Adam passou pelo novo centro de ioga de Cedarfield e encontrou uma vaga para estacionar diante do Janice's Bistrô, do outro lado da rua. Faltavam cinco minutos para as sete horas. Ele procurou o carro de Corinne, mas não o encontrou. Ela devia tê-lo deixado no estacionamento dos fundos.

David, filho de Janice e maître da casa, recebeu-o à porta e o conduziu a uma das mesas no fundo. Nenhum sinal de Corinne. Certo, ele havia chegado primeiro. Nenhum problema nisso. Dali a dois minutos, Janice saiu da cozinha. Adam se levantou para cumprimentá-la com um beijinho no rosto.

– Cadê o seu vinho? – perguntou Janice.

No seu bistrô, os clientes geralmente levavam o próprio vinho.

– Esqueci – disse Adam.

– De repente a Corinne está trazendo alguma coisa...

– Acho que não.

– Posso mandar o David dar um pulo na delicatéssen ali da esquina.

– Não precisa.

– Não custa nada. E a casa ainda está vazia. David? – Janice chamou o filho, depois se virou novamente para Adam. – O que vocês vão pedir hoje à noite?

– Provavelmente a vitela à milanesa.

– David, compre uma garrafa de Paraduxx Z Blend para Adam e Corinne.

Pouco depois, David voltou com o vinho, abriu a garrafa e serviu duas taças. Corinne ainda não havia chegado. Às sete e quinze, Adam começou a se preocupar. Mandou uma mensagem para a mulher. Nenhuma resposta. Às sete e meia, Janice veio à mesa e perguntou se estava tudo bem. Ele garantiu que sim, dizendo que provavelmente Corinne estava presa numa reunião com algum pai de aluno.

Adam ficou encarando o próprio celular, rezando para que ele desse algum sinal de vida. Já eram 7h45 quando ele finalmente recebeu uma mensagem da mulher:

ACHO QUE A GENTE PRECISA DAR UM TEMPO. CUIDE DAS CRIANÇAS. NÃO TENTE ENTRAR EM CONTATO COMIGO. ESTÁ TUDO BEM.

E depois outra:

SÓ ALGUNS DIAS, POR FAVOR.

capítulo 13

ADAM ENVIOU DIVERSAS MENSAGENS numa desesperada tentativa de fazer a mulher responder. Escreveu coisas como: "não é assim que vamos resolver este problema"; "por favor, me liga"; "onde você está?"; "quantos dias?"; "como você pode fazer isto com a gente?" Mensagens ora educadas, ora desaforadas; ora tranquilas, ora furiosas.

Mas nenhum sucesso.

O que estaria acontecendo com Corinne?

Adam chamou Janice e inventou uma mentira qualquer, dizendo que Corinne não poderia mais vir. Janice insistiu que ele levasse para casa as duas quentinhas de vitela. Adam já ia dizendo que não era preciso, mas logo viu que o melhor seria aceitar e dar o assunto por encerrado.

Ao entrar em sua rua, ainda nutria a esperança de que Corinne tivesse mudado de ideia e voltado para casa. Uma coisa era estar com raiva dele; outra bem diferente era descontar nos próprios filhos. Mas o carro não estava na rua, e a primeira coisa que Ryan disse ao vê-lo à porta foi:

– Cadê a mamãe?

– Ficou presa no trabalho – respondeu ele, num tom ao mesmo tempo vago e incisivo.

– Preciso do meu uniforme de lacrosse.

– E daí?

– E daí que eu joguei ele na máquina de lavar. Você sabe se a mamãe lavou a roupa?

– Não – respondeu Adam. – Por que não dá uma olhada no cesto?

– Já olhei.

– E nas gavetas do armário?

– Também já olhei.

Sempre vemos nos nossos filhos os defeitos dos nossos cônjuges. Ryan tinha a mesma ansiedade de Corinne com os problemas pequenos. Os grandes – como o pagamento da hipoteca, as doenças e os acidentes – não a preocupavam: ela os enfrentava com extrema placidez. Talvez fosse um mecanismo de compensação ou apenas uma estratégia inspirada nos atletas: poupar energia para os momentos mais decisivos da prova.

Mas, para Ryan, o sumiço do uniforme não era um problema pequeno.

– Então talvez esteja dentro da máquina de lavar ou da secadora – sugeriu Adam.

– Já olhei.

– Então não sei o que dizer, filho.

– A que horas a mamãe vai chegar?

– Não sei.

– Tipo dez?

– Que parte de "não sei" você não entendeu?

A resposta saiu um pouco mais ríspida do que ele pretendia. Ryan era supersensível, como a mãe.

– Desculpe, filho, eu não queria...

– Vou mandar uma mensagem pra ela.

– Boa ideia. Depois me conta o que ela respondeu.

Ryan fez que sim com a cabeça e digitou a mensagem no celular.

Corinne não respondeu imediatamente. Tampouco dali a uma hora. Ou duas. Adam precisou inventar outra mentira, dizendo que a reunião na escola havia se estendido mais que o previsto. Tanto Ryan quanto Thomas acreditaram na história, pois nenhum dos dois tinha o hábito de questionar informações desse tipo. Adam prometeu a Ryan que encontraria o uniforme antes do jogo.

Até certo ponto, Adam estava tentando tapar o sol com a peneira. Corinne estaria bem? Seria possível que algo ruim tivesse acontecido com ela? Seria o caso de chamar a polícia?

Chamar a polícia seria tolice. Eles ouviriam a história sobre a discussão dele com a esposa e simplesmente cruzariam os braços. Pensando bem, seria mesmo tão estranho que Corinne quisesse ficar um pouco sozinha depois do que ele havia descoberto?

O sono foi todo entrecortado naquela noite. Volta e meia Adam conferia o celular na esperança de encontrar alguma mensagem da mulher. Nada. Às três da madrugada, ele entrou no quarto de Ryan e conferiu o telefone dele. Também nada. Aquilo não fazia nenhum sentido. Tentar evitar o marido, tudo bem. Corinne poderia estar com raiva, amedrontada, confusa, ou até mesmo se sentindo acuada. Não seria estranho se ela quisesse ficar longe dele por uns dias.

Mas dos filhos também?

Como era possível que ela tivesse sumido no mapa e abandonado os garotos? Estaria esperando que ele inventasse alguma desculpa?

"Cuide das crianças. Não tente entrar em contato comigo." Que diabos aquilo significava? Por que não devia entrar em contato com ela? E por que...?

Adam sentou-se na cama assim que o sol despontou do outro lado da janela.

Corinne poderia abandoná-lo. Poderia até mesmo – poderia? – forçá-lo a tomar conta dos filhos por uns tempos, mas... E os alunos dela?

Corinne encarava as responsabilidades de professora com muita seriedade, como fazia com tudo que considerava importante. Além disso, era uma pessoa naturalmente controladora, detestava a ideia de que alguma professora mal preparada a substituísse em sala de aula por um dia que fosse. Pensando nisso, Adam se deu conta de que nos últimos quatro anos a mulher havia faltado ao trabalho uma única vez.

O dia seguinte ao "aborto".

Era uma quinta-feira. Ele chegara tarde do escritório e a encontrara chorando na cama. Corinne havia procurado seu médico assim que as dores começaram a piorar. Tarde demais, segundo ela mesma dissera, pois àquela altura já não havia nada que o médico pudesse fazer.

– Por que você não me ligou? – perguntara Adam.

– Não queria que você ficasse preocupado e viesse correndo pra casa. Você não ia poder fazer nada.

E ele havia acreditado na história toda.

Corinne insistira em ir trabalhar no dia seguinte, mas Adam fincara o pé. Ela havia passado por uma experiência traumática. Nenhuma mulher simplesmente saltava da cama para ir trabalhar no dia seguinte a um aborto. Portanto ele havia colocado o telefone nas mãos dela, dizendo:

– Ligue pra eles agora. Diga que hoje você não vai.

Ela telefonara a contragosto, informando que estaria de volta na segunda-feira. Na ocasião, Adam pensara que este era mesmo o jeito da mulher: sacudir a poeira, voltar ao trabalho, seguir a vida. Ele havia ficado espantado com a rapidez da recuperação dela.

Quanta ingenuidade...

Pensando melhor, que culpa ele tinha? Que marido procuraria uma desonestidade numa situação tão triste? Que motivo teria ele para duvidar da mulher num episódio tão sério? Mesmo agora, olhando para trás, ele não fazia a menor ideia do que levara Corinne a fazer algo tão... hediondo? Maluco? Extremo? Maquiavélico?

Mas isso não importava agora. A questão era que Corinne deveria estar na escola hoje. Que ela quisesse dar um tempo no casamento e nos filhos, tudo bem, mas não havia motivo para que faltasse ao trabalho.

Os meninos já eram crescidos o suficiente para se aprontarem sozinhos para a escola. Adam precisou fingir um banho mais demorado para evitá--los e fugir das perguntas sobre o paradeiro da mãe, berrando respostas vagas de dentro do quarto.

Assim que os viu partir, correu para o carro e partiu para a escola da mulher. O sinal para o primeiro tempo estava prestes a tocar, o que era perfeito: ele a abordaria antes que ela entrasse na sala de aula. Sabia que sua sala era a de número 233. Esperaria por ela à porta.

A escola havia sido construída nos anos 1970, isso podia ser percebido por todos os lados. Aquilo que fora considerado moderno e elegante na época havia envelhecido como um cenário de filme de ficção científica. As fachadas eram cinzentas com acabamentos em turquesa. O prédio era o equivalente arquitetônico de uma calça boca de sino ou do *mullet* nos cabelos de um jogador de hóquei.

Não havia nenhuma vaga livre no estacionamento. Adam deixou o carro num local proibido (fortes emoções!) e correu na direção da escola. O portão lateral estava trancado. Adam nunca visitara a mulher num dia de trabalho, mas sabia que todas as escolas haviam adotado medidas rigorosas de segurança após os recentes surtos de violência entre os alunos. Ele virou a esquina, foi para o portão principal e apertou o botão do interfone.

Uma câmera girou na sua direção e a voz entediada de alguém que deveria ser uma funcionária da secretaria perguntou quem ele era. Trazendo ao rosto o mais inocente dos sorrisos, ele disse:

– Sou Adam Price, marido da Corinne.

O portão se abriu automaticamente. Entrando, Adam deparou com o aviso: APRESENTE-SE NA RECEPÇÃO. Por um instante ficou sem saber o que fazer. Se passasse pela recepção, o mais provável era que chamassem Corinne pelo sistema de comunicação. Ele não queria isso. Queria surpreender a mulher ou pelo menos evitar a obrigação de explicar a uma funcionária o que ele estava fazendo ali. A recepção ficava logo à direita. Ele já ia dando uma guinada para a esquerda quando subitamente notou a presença do segurança armado. Repetiu o mesmo sorriso inocente de antes e o homem sorriu de volta. Agora não havia escolha: ele teria de passar pela recepção.

Então seguiu para a direita e foi ziguezagueando entre as mães que ali estavam. No chão da recepção havia um grande cesto no qual os pais podiam depositar o almoço que os filhos haviam esquecido de levar pela manhã.

O relógio de parede marcava 8h17. O sinal tocaria dali a três minutos. Ótimo. O livro de protocolo estava no balcão da recepção. Com a maior naturalidade possível, Adam pegou a caneta, rabiscou uma assinatura intencionalmente ilegível e pegou seu crachá de visitante. Ocupadas que estavam, as duas mulheres do outro lado do balcão sequer se deram ao trabalho de erguer o rosto.

E ele não tinha a menor intenção de esperar.

Mostrando o crachá para o segurança, Adam irrompeu no corredor principal do prédio. Vários acréscimos tinham sido feitos ao longo dos anos, tornando o espaço numa espécie de labirinto arquitetônico e dificultando o tráfego dos visitantes. Apesar disso, quando o sinal tocou, Adam já estava posicionado de maneira estratégica para observar a porta da sala 233.

Os alunos iam e vinham, colidiam uns com os outros e obstruíam os corredores feito partículas de gordura nas artérias de um cardiopata. O fluxo já estava mais tranquilo quando um jovem de uns 30 anos dobrou para a esquerda e entrou na sala.

Um professor substituto.

Adam ficou onde estava, as costas espremidas contra a parede, fora do caminho dos alunos. Não sabia ao certo o que pensar ou fazer. Também não sabia se devia mesmo ficar surpreso com o que acabara de presenciar. Aflito, procurou organizar a cabeça e encontrar algum vínculo, por mais tênue que fosse, entre os fatos mais recentes: a falsa gravidez, o estranho, o confronto com a mulher, a fuga dela.

Nada disso fazia sentido.

E agora?

"Agora nada", respondeu a si mesmo. Pelo menos não agora, *neste* minuto. "Vá para o escritório. Faça o seu trabalho. Reflita sobre o que aconteceu." Certamente havia algo que ele não estava percebendo. Aliás, a própria Corinne dissera: "Não é o que você está pensando. É tudo muito mais complicado do que você imagina."

O corredor já estava completamente vazio quando ele foi caminhando na direção da saída. Perdido nos próprios pensamentos, Adam se assustou quando alguém fincou os dedos em seu braço como se fossem garras de aço. Virando o rosto, deparou com Kristin Hoy, a amiga de Corinne.

– Que diabos está acontecendo? – sussurrou ela.

– O quê?

Os músculos da mulher não eram apenas para as competições. Sem nenhuma dificuldade, ela o arrastou para uma sala de química e fechou a porta. Bancadas com pias, torneiras altas e tubos de ensaio se espalhavam pelo lugar. Uma gigantesca tabela periódica (presença certa em todas as salas de química) cobria quase inteiramente uma das paredes.

– Onde ela está? – perguntou Kristin.

Sem saber como proceder, Adam optou pela verdade.

– Não sei.

– Como assim, não sabe?

– A gente combinou de se encontrar pra jantar ontem à noite e ela simplesmente não apareceu.

– Não... apareceu? – disse Kristin, aturdida. – Você chamou a polícia?

– Polícia? Não.

– Por que não?

– Sei lá. Ela me mandou uma mensagem. Falando que precisava dar um tempo.

– Dar um tempo do quê?

Adam apenas olhou para Kristin, que concluiu:

– De você?

– É o que tudo indica.

– Puxa. Sinto muito. – Ela recuou um passo. – Então... o que você veio fazer aqui?

– Vim ver se ela está bem. Pensei que a encontraria aqui. Ela nunca falta ao trabalho.

– Nunca – concordou Kristin.

– Exceto hoje, pelo que parece.

Kristin refletiu um instante, depois disse:

– Suponho que vocês andem brigando muito nos últimos tempos.

Adam não queria entrar em detalhes, mas o que mais poderia fazer?

– Aconteceu uma coisa recentemente – confessou ele, valendo-se do tom neutro dos advogados.

– Não é da minha conta, certo?

– Certo.

– Acontece que é mais ou menos da minha conta, sim, porque a Corinne acabou me envolvendo nessa história.

– Como assim? Do que está falando?

Kristin suspirou, depois levou a mão à boca. Fora da escola, ela sempre usava roupas que de algum modo acentuavam sua forma física: blusas cavadas, shorts ou saias curtas, mesmo que o clima não estivesse apropriado para isso. Mas agora estava vestindo uma blusa bem mais conservadora, ainda que os músculos se insinuassem junto das clavículas e do pescoço.

– Também recebi uma mensagem – disse ela.

– Dizendo o quê?

– Adam?

– Que foi?

– Não quero me meter nessa história. Que isso fique bem claro, tá? Eu entendo que vocês estejam enfrentando problemas, é normal.

– Nós não estamos tendo problemas.

– Mas você acabou de dizer que...

– Tivemos *um* problema. E faz pouco tempo.

– Quando?

– Anteontem.

– *Hum* – disse Kristin.

– Como assim, *hum*?

– É que... Faz mais ou menos um mês que Corinne tem andado meio estranha.

Adam procurou não transparecer surpresa.

– Estranha como?

– Sei lá. Diferente. Distraída. Faltou ao trabalho uma ou duas vezes, pediu que eu quebrasse o galho dela. Também andou faltando à academia e...

Kristin interrompeu o que ia dizendo.

– E o quê? – cutucou Adam.

– Pediu que eu confirmasse que estávamos juntas caso alguém perguntasse.

– Esse alguém... sou eu, não é?

– Ela nunca disse isso especificamente. Olha, é melhor eu ir andando. Tenho que dar aula...

Adam se interpôs no caminho de Kristin:

– O que foi que ela disse na mensagem?

– Hein?

– Você falou que a Corinne mandou uma mensagem ontem. O que ela disse?

– Olha, a Corinne é minha amiga. Você entende isso, não entende?

– Não estou pedindo pra você trair a confiança de ninguém.

– Está, sim, Adam.

– Só preciso saber se ela está bem.

– E por que não estaria?

– Porque nada disso combina com ela.

– Talvez seja só isso mesmo que ela lhe disse. Está precisando de um tempo.

– Foi isso que ela escreveu pra você?

– Mais ou menos isso, sim.

– Quando?

– Ontem à tarde.

– Espere aí. Depois do trabalho?

– Não – respondeu Kristin, talvez um pouco devagar demais. – Durante.

– *Durante* o trabalho?

– Isso.

– A que horas?

– Sei lá. Umas duas da tarde.

– Ela não estava aqui?

– Não.

– Corinne não veio pra escola ontem também?

– Não – disse Kristin. – A gente se encontrou de manhã. Ela estava meio nervosa. Talvez por causa dessas brigas de vocês.

Adam não disse nada.

– Ela precisava supervisionar a sala de estudos durante o intervalo de almoço, mas pediu que eu a substituísse. Falei que tudo bem, depois a vi correndo pro carro.

– Sabe dizer pra onde ela estava indo?

– Não. Ela não disse.

Os dois ficaram em silêncio.

– Depois ela voltou pra cá?

Kristin balançou a cabeça, dizendo:

– Não, Adam, depois disso ela não apareceu mais.

capítulo 14

O ESTRANHO TINHA DADO A Heidi Dann o link para o site SugarBaby.com, assim como o nome de usuário e a senha usados pela filha dela. Com o coração pesado, Heidi fez o login como se fosse Kimberly e constatou que tudo aquilo que o sujeito dissera era verdade.

O homem não a havia advertido porque era uma alma generosa, se é que ele tivesse alguma alma. Exigira dinheiro, claro. Dez mil dólares. Se ela não pagasse em três dias, a notícia sobre o "hobby" de Kimberly se espalharia rapidamente pela internet.

Heidi saiu do maldito site e foi se sentar no sofá. Pensou em tomar uma taça de vinho, mas acabou decidindo que era melhor não. Depois chorou copiosamente. Tão logo as lágrimas secaram, foi para o banheiro, lavou o rosto e voltou para o sofá.

"Ok", pensou. "O que eu faço agora?"

Sua primeira decisão foi simples: não contar nada a Marty. Ela não gostava de ter segredos com o marido, mas também não via nisso nenhum pecado mortal. Mentir fazia parte da vida, certo? Ele ficaria louco da vida se descobrisse o que a filhinha do coração andava fazendo enquanto supostamente frequentava uma universidade em Nova York. Marty tinha o pavio curto e a cabeça quente, e Heidi podia vê-lo saltando no carro, indo até Manhattan e trazendo a filha de volta pelos cabelos.

Marty não precisava saber da verdade. Pensando bem, ela também não.

Malditos fossem aqueles dois estranhos!

Certa vez, ainda no colégio, Kimberly havia bebido mais do que devia na festa de uma amiga. Influenciada pelo álcool, fora longe demais com um menino – não até o fim, mas longe demais. Entreouvindo a própria filha comentar o incidente, uma das mães da cidade, uma fofoqueira cheia de boas intenções, não pensara duas vezes antes de ligar para Heidi e dizer: "Olha, detesto ter de te contar isto, mas se estivesse no seu lugar, eu gostaria de saber que..."

Heidi contara a Marty tudo que ouvira da mulher e ele perdera a cabeça. Sua relação com a filha jamais voltaria a ser a mesma. Muitas vezes Heidi se perguntava o que teria acontecido se aquela mexeriqueira nunca tivesse telefonado. No fim das contas, de que servira aquela delação, aquele confronto? Para humilhar a menina. Para arruinar a relação dela com o pai.

Heidi acreditava que a decisão de Kimberly de ir estudar tão longe se devia em grande parte àquele episódio. Também era possível que, em última análise, o maldito telefonema a tivesse levado para aquele terrível site e para aquela relação imoral com três homens diferentes.

Heidi não queria acreditar, mas as provas estavam lá nas conversas "secretas" entre sua filha tão jovem e aqueles homens mais velhos. Por mais que tentasse se enganar, não havia como negar o fato de que Kimberly estava com os dois pés atolados na prostituição.

Heidi quis chorar novamente. Sua vontade era não fazer nada e esquecer que aqueles dois estranhos tinham dito alguma coisa. Mas agora ela não tinha escolha. Não havia como voltar com o cavalo para a baia. Tratava-se de um paradoxo tão antigo quanto o próprio tempo: os pais querem saber tudo a respeito dos filhos e ao mesmo tempo não querem saber nada.

Quando ligou para o celular da filha, a menina atendeu com entusiasmo:

– Mãe!

– Oi, minha querida.

– Tudo bem com a senhora? Está com a voz meio estranha...

De início Kimberly negou tudo, como já era de esperar. Depois tentou fazer com que a coisa parecesse bem mais inocente do que de fato era. O que também já era de se esperar. Em seguida recorreu à afronta, acusando a mãe de invadir sua privacidade. De novo, já esperado.

Heidi manteve a voz firme, ainda que o coração se desmanchasse dentro do peito. Contou à filha sobre a abordagem do desconhecido. Repetiu o que ele havia revelado, depois contou o que vira com os próprios olhos no site. Pacientemente. Calmamente. Pelo menos por fora.

A conversa foi longa, mas ambas já sabiam onde ela ia chegar. Acuada, mas já recuperada do susto, Kimberly enfim começou a se abrir. O dinheiro andava curto, ela explicou.

– A senhora nem imagina como as coisas são caras por aqui.

Uma colega de faculdade havia contado sobre o site. Na verdade não era preciso fazer nada com os clientes, apenas companhia, a garota dissera. Heidi quase riu ao ouvir esta última parte. Tal como ela já sabia desde muito, e como a filha rapidamente aprendera, os homens nunca queriam apenas companhia. Isso não passava de um produto em promoção para fazer as mulheres entrarem na loja.

Heidi e Kimberly conversaram por duas horas. Lá pelas tantas Kimberly perguntou à mãe o que devia fazer.

– Termine com eles. Hoje. Agora.

Kimberly prometeu que faria exatamente isso. Sua pergunta seguinte foi: como fazer para continuar morando e vivendo em Manhattan? Heidi disse que tiraria alguns dias de férias para ficar com ela. Kimberly se esquivou.

– O semestre termina daqui a duas semanas. Vamos esperar até lá.

Heidi não gostou da ideia. No fim das contas, ambas concordaram em retomar a conversa na manhã seguinte.

– Mãe... – disse Kimberly antes de desligar.

– Sim, minha filha.

– Não conte nada pro papai.

Heidi já havia tomado essa decisão, mas não disse isso à filha. Quando Marty chegou em casa, ela ficou de bico calado. Ele foi grelhar hambúrgueres na churrasqueira do quintal e ela foi preparar os drinques. Ele contou como foi seu dia, ela contou como foi o dela. O segredo também estava lá, claro, sentado à mesa da cozinha na cadeira que um dia fora de Kimberly, sem dizer nada, mas também sem dar sinais de que pretendia ir embora.

Na manhã seguinte, assim que Marty saiu para o trabalho, alguém bateu à porta.

– Quem é?

– Sra. Dann? Sou o detetive John Kuntz da Polícia de Nova York. Posso falar com a senhora?

Heidi escancarou a porta, por pouco não desmaiando ao fazê-lo.

– Meu Deus... É minha filha, não é?

– Sua filha está bem, senhora – disse Kuntz rapidamente, adiantando-se para amparar Heidi antes que ela caísse. – Puxa, me desculpe. Eu devia ter falado antes. Sei que sua filha estuda em Nova York, e de repente um policial do departamento de Nova York bate à sua porta...

Ele balançou a cabeça.

– Também tenho filhos, sei como é. Mas não se preocupe. Kimberly está bem. Quer dizer... fisicamente bem. Há outras questões, no entanto.

– Questões?

Kuntz sorriu. O espaço entre os dentes era um tanto grande demais. A careca se cobria ridiculamente com os poucos fios de cabelo que ainda sobravam, espichados desde a altura da orelha. Heidi dava ao homem uns 40 e tantos anos, mas a pança incipiente, os ombros caídos e as olheiras escuras eram indícios de alguém que comia mal e dormia pouco.

– Posso entrar um instante? – perguntou ele, mostrando sua identificação.

Aos olhos leigos de Heidi, o documento parecia legítimo.

– Mas... do que se trata exatamente? – ela quis saber.

– A senhora já deve imaginar. – Kuntz apontou o queixo na direção da porta. – Posso entrar?

Heidi recuou um passo.

– Não, não imagino.

Kuntz entrou e correu os olhos à sua volta como se estivesse ali para comprar o imóvel. Em seguida passou a mão pela cabeça, abaixando os fiapos de cabelo que começavam a se eriçar com a estática.

– Bem, a senhora telefonou para a sua filha ontem à noite, correto?

Heidi ficou sem saber o que responder. Mas Kuntz seguiu adiante, alheio ao silêncio dela.

– Temos conhecimento de que Kimberly está envolvida numa atividade ilegal.

– Do que o senhor está falando?

Ele se sentou no sofá e ela numa poltrona à frente dele.

– Posso lhe pedir um favor, Sra. Dann?

– Pois não.

– Um favor pequeno, mas que pode tornar nossa conversa bem mais simples e rápida. Vamos deixar de lado as mentiras, está bem? Elas são pura perda de tempo, então vamos direto ao ponto: sua filha está envolvida com a prostituição on-line.

Heidi permaneceu muda.

– Sra. Dann?

– Acho melhor o senhor ir embora.

– Estou tentando ajudar.

– Está fazendo uma acusação, isso sim. Preciso consultar um advogado.

Kuntz passou a mão nos cabelos mais uma vez.

– A senhora não está entendendo.

– O que eu não estou entendendo?

– Não estamos interessados no que a sua filha fez ou deixou de fazer. Ela é peixe pequeno e, acredite em mim, com essas coisas de internet, a fronteira que separa uma simples relação comercial da prostituição na maioria das vezes é muito tênue. Pensando bem, acho que sempre foi assim. Não estamos interessados em intimidar a senhora ou a sua filha.

– Então o que o senhor quer?

– Sua colaboração. Só isso. Se a senhora e Kimberly colaborarem, não vejo motivo para não fazermos vista grossa para a participação dela em tudo isso.

– A participação dela no quê?

– Vamos devagar, certo? Uma coisa de cada vez. – Kuntz tirou do bolso um bloco de anotações, depois um lápis pequeno. Lambeu a ponta do lápis e voltou sua atenção para Heidi. – Em primeiro lugar, como foi que a senhora ficou sabendo do envolvimento da sua filha neste site de acompanhantes?

– Que diferença isso faz?

Kuntz sacudiu os ombros.

– Apenas uma pergunta de rotina.

Heidi não disse nada. O ligeiro formigamento que vinha sentindo na base da nuca começou a se acentuar.

– Sra. Dann?

– Acho melhor eu falar com um advogado.

– Tudo bem – disse Kuntz, fazendo uma careta como se fosse um professor desapontado com sua aluna predileta. – Então sua filha mentiu para a gente. E isso não é nada bom, vou ser sincero com a senhora.

Heidi percebeu que aquilo era uma armadilha. O silêncio entre eles ficou tão pesado que ela mal conseguia respirar. Não se contendo, perguntou:

– O que leva o senhor a crer que minha filha mentiu?

– Simples. Kimberly nos disse que a senhora ficou sabendo do site de um modo completamente legal. Falou que duas pessoas, um homem e uma mulher, abordaram a senhora no estacionamento de um restaurante e contaram o que estava acontecendo. Mas se isso for verdade... Fica difícil entender por que a senhora não quer se abrir com a polícia. Não há nada de ilegal nisso.

Meio zonza, Heidi disse:

– Não estou entendendo nada. O que exatamente o senhor veio fazer aqui?

– Uma pergunta razoável, eu acho. – Kuntz suspirou e se reacomodou no sofá. – Por acaso a senhora já ouviu falar da Unidade de Crimes Cibernéticos?

– Imagino que tenha algo a ver com crimes cometidos na internet.

– Exatamente. Trabalho para a UCC, que é uma divisão relativamente nova da Polícia de Nova York. Corremos atrás dessas pessoas que usam a rede de modo espúrio: hackers, golpistas, esse tipo de coisa. E suspeitamos que essas pessoas que abordaram a senhora no restaurante sejam integrantes de uma quadrilha de crimes cibernéticos que estamos investigando já faz um bom tempo.

Heidi engoliu em seco.

– Sei – foi só o que ela disse.

– Portanto precisamos da sua ajuda para identificá-las e encontrá-las. Entendeu agora? Então vamos lá: um homem e uma mulher abordaram a senhora no estacionamento de um restaurante, sim ou não?

O formigamento ainda estava lá.

– Sim.

– Ótimo. – Kuntz reabriu seu sorriso de dentes separados. Anotou algo no bloco e depois reergueu o rosto. – Qual o nome desse restaurante?

Heidi hesitou.

– Sra. Dann?

– Ainda não estou entendendo uma coisa... – disse ela lentamente.

– Pode falar, Sra. Dann.

– Falei com minha filha ontem à noite.

– Sim.

– Como foi que você chegou aqui tão depressa?

– Este caso é de altíssima prioridade. Vim de avião hoje cedo.

– Mas como foi que ficou sabendo do meu telefonema?

– Perdão?

– Minha filha não falou nada sobre chamar a polícia. Então... como foi que vocês ficaram sabendo que...

Ela se calou de repente, avaliando as possibilidades, nenhuma delas muito animadora.

– Sra. Dann?

– Acho melhor o senhor ir embora.

Kuntz meneou a cabeça e mais uma vez correu a mão pelos fiapos de cabelo, deitando-os de uma orelha a outra. Em seguida disse:

– Sinto muito, mas não posso fazer isso.

Heidi se levantou e foi até a porta.

– Não vou mais falar com o senhor.

– Vai, sim.

Sem se levantar do sofá, e com uma expressão de tédio, Kuntz sacou sua arma, apontou-a com precisão para o joelho de Heidi e puxou o gatilho. O disparo foi bem mais silencioso do que ela esperava, e o impacto, bem mais intenso. Ela despencou no chão feito uma cadeira dobrável quebrada. Num piscar de olhos, Kuntz correu e tapou a boca dela a tempo de abafar o grito que estava por vir. Curvando-se, sussurrou no ouvido de Heidi:

– Se fizer algum escândalo, acabo com você, depois cuido da sua filha. Entendeu?

A dor vinha em ondas, ameaçando fazê-la desmaiar. Kuntz encostou a arma no outro joelho dela e perguntou:

– Entendeu o que eu disse, Sra. Dann?

Ela fez que sim com a cabeça.

– Perfeito. Então vamos tentar mais uma vez. Qual era o nome do restaurante?

capítulo 15

Em seu escritório, Adam repassava os acontecimentos pela milionésima vez quando uma pergunta bastante simples pipocou em sua cabeça: se o objetivo de Corinne realmente fosse fugir da vida e do mundo, para onde ela iria?

Ele não fazia a menor ideia.

Ele e a mulher eram tão unidos, tão grudados um com o outro, que para ele era inconcebível que ela quisesse fugir sozinha para onde quer que fosse, sobretudo sem os filhos. Corinne tinha algumas amigas, ex-colegas de faculdade, para as quais poderia ter ligado. Também tinha alguns parentes. Mas em tais circunstâncias ela dificilmente se abriria com essas pessoas ou se hospedaria na casa delas. Corinne não tinha o hábito de se abrir com qualquer outra pessoa que não fosse... bem, que não fosse Adam.

Portanto o mais provável era que estivesse sozinha. Com certeza num hotel.

Nesse caso precisaria de dinheiro vivo ou de um cartão de crédito. Isso significava que em algum lugar haveria registros de débitos no cartão ou de saques no caixa automático.

"Então vai lá e olha, idiota."

Ele e Corinne tinham duas contas conjuntas. Com a primeira usavam o cartão de débito do banco e com a outra usavam o cartão de crédito Visa. Corinne não era muito boa com as finanças. Adam cuidava de tudo como parte de suas obrigações domésticas. Portanto conhecia todas as senhas do banco.

Em suma, ele podia conferir todas as movimentações realizadas pela mulher.

Começou então pelos lançamentos de débito e crédito efetuados naquele mesmo dia e na véspera. Não havia nenhum. Em seguida foi recuando no calendário, procurando ver se detectava algum padrão. Corinne não tinha o hábito de usar dinheiro vivo. Os cartões eram bem mais práticos e ainda por cima ofereciam programas de pontos, que ela adorava.

Toda a sua vida financeira (ou melhor, toda a sua vida de consumidora) estava lá. Nenhuma grande novidade: ela havia ido ao supermercado A&P, à Starbucks, à Lax Shop. Almoçara no Baumgart's, pedira comida japonesa no Ho-Ho-Kus Sushi. Lá estavam o débito automático da academia de ginástica e o débito de uma compra feita on-line na Banana Republic. Coisas do dia a dia.

Mas o estranho era o seguinte: havia pelo menos um débito por dia, exceto nos últimos dois. Nada. Zero.

O que isso significava?

Bem, para início de conversa, Corinne podia ser um tanto ingênua na administração dos seus gastos, mas não era burra. Se quisesse sumir no mapa, sabia que a movimentação dos seus cartões poderia ser conferida on-line.

Certo. Então, o que ela faria? Usaria dinheiro vivo.

Adam examinou os saques de caixa automático. O último havia sido feito duas semanas antes, no valor de duzentos dólares.

Seria o bastante para bancar uma fuga?

Claro que não.

Se Corinne pretendesse pegar a estrada para qualquer lugar, teria de abastecer o carro. Além disso, quanto ela teria gastado daqueles duzentos dólares? Ela não tinha planejado fugir. Afinal, não poderia saber que ele seria procurado pelo estranho e que a confrontaria sobre a falsa gravidez.

Ou poderia?

Adam parou um instante para refletir melhor. Seria possível que Corinne viesse guardando dinheiro, já prevendo que algo semelhante pudesse acontecer? Ele procurou relembrar qual havia sido a reação dela ao ser interpelada. Ficara surpresa? Não exatamente. Parecera mais... resignada.

O que deduzir disso? Que de algum modo ela já suspeitava que sua farsa seria desmascarada?

Não havia como saber. Recostando-se na cadeira, Adam chegou à conclusão de que ainda não era possível afirmar nada. Na mensagem que enviara, Corinne havia suplicado que ele a deixasse em paz. "Só alguns dias, por favor", não era isso que ela tinha escrito? Pensando bem, talvez fosse justamente este o melhor caminho: deixar que ela esfriasse a cabeça (ou fazer o que quer que estivesse fazendo) e esperar pela sua volta. Ela mesma pedira isso, certo?

Por outro lado, nada garantia que Corinne não tivesse se metido numa grande enrascada após ter saído da escola. Talvez conhecesse o cara do bar. Talvez o tivesse procurado para confrontá-lo, e o sujeito, não gostando disso, a tivesse sequestrado ou feito coisa pior. O problema era que aparentemente o desconhecido não fazia esse tipo. E aquelas mensagens haviam sido enviadas, dizendo que ela precisava de um tempo, pedindo que ele lhe desse alguns dias. Por outro lado (sua cabeça estava assim agora: andando de um lado a outro), qualquer um poderia ter enviado aquilo.

Até mesmo um assassino.

Talvez alguém tivesse matado Corinne, pegado o telefone dela e...

Opa, devagar com a imaginação! Não vamos nos precipitar.

Adam podia ouvir o próprio coração esmurrando o peito. Agora que a pulga do medo havia se alojado atrás de sua orelha (talvez já estivesse lá desde o início), tudo indicava que ela jamais iria embora, feito um parente chato que se instala na poltrona e por ali fica. Mais uma vez ele examinou as mensagens da mulher:

ACHO QUE A GENTE PRECISA DAR UM TEMPO. CUIDE DAS CRIANÇAS. NÃO TENTE ENTRAR EM CONTATO COMIGO. ESTÁ TUDO BEM.

E depois:

SÓ ALGUNS DIAS, POR FAVOR.

Havia algo errado ali, mas ele não sabia dizer exatamente o quê. Supondo que Corinne estivesse mesmo correndo perigo, ele deveria procurar a polícia? Afinal, essa havia sido a primeira pergunta de Kristin Hoy ao encontrá-lo na escola: se ele havia avisado a polícia sobre o sumiço da mulher. O problema era que Corinne não havia *sumido*. Ela enviara aquelas mensagens. A menos que não tivesse sido ela.

A essa altura sua cabeça já estava rodando.

Ok, digamos que ele fosse à polícia. O que diria? Havia dois problemas: além das mensagens que desmentiam a hipótese de sumiço, a cidade era pequena e todo mundo se conhecia, inclusive os policiais. Len Gilman era o responsável pelo distrito, certamente seria ele quem receberia a queixa. Len tinha um filho da idade de Ryan, os dois estudavam na mesma escola. As fofocas e os boatos sobre Corinne se espalhariam feito... bem, feito fofocas e boatos. Mas e daí? Adam não se importava com isso, mas Corinne com certeza se importaria. Ela havia nascido em Cedarfield. Havia batalhado para fincar raízes e construir uma vida ali.

– E aí, cara?

Andy Gribbel entrou na sala com um amplo sorriso no rosto barbado. Estava de óculos escuros no ambiente fechado do escritório, não porque quisesse parecer descolado, mas para esconder os olhos vermelhos da noitada da véspera ou de algo mais, digamos, herbáceo.

– Opa – disse Adam. – E então, como foi o show de ontem?

– A banda mandou bem pra cacete – disse Gribbel. – A mulherada pirou.

Adam se recostou na cadeira, aliviado com a interrupção.

– Vocês abriram com o quê?

– "Dust in the Wind", do Kansas.

– Hum – fez Adam.

– Que foi? Não gostou?

– Abrir com uma balada...

– Eu sei, mas funcionou, cara. Ambiente à meia-luz... todo mundo no clima... Daí a gente emendou, sem nenhum intervalo, com "Paradise in the dashboard light". A casa veio abaixo, meu irmão.

– Meat Loaf – disse Adam, meneando a cabeça. – Perfeito.

– Não é?

– Mas peraí. Desde quando vocês têm uma mulher nos vocais?

– Não temos.

– Mas "Paradise" é um dueto de homem e mulher.

– Eu sei.

– Aliás, um dueto bastante agressivo – prosseguiu Adam. – A garota perguntando ao cara se ele vai amá-la pra sempre... O cara pedindo um tempo pra pensar...

– Eu sei.

– E então? Como vocês fazem sem uma mulher?

– Eu canto as duas partes.

Adam se empertigou na cadeira, procurando imaginar a cena.

– Você canta sozinho um dueto de homem e mulher?

– Sempre cantei.

– Deve ser uma versão e tanto.

– Isso porque você nunca me viu fazendo "Don't Go Breaking My Heart". Uma hora eu sou Elton John, na outra, Kiki Dee. Tem gente que chega a chorar. Falando nisso...

– Que foi?

– Você e a Corinne andam precisando se divertir um pouco, cara. Pelo menos *você* precisa. Se essas bolsas debaixo dos seus olhos ficarem mais pesadas, você vai acabar tendo que pagar excesso de bagagem na próxima viagem.

Adam franziu o cenho, dizendo:

– Você já foi melhor nisso.

– Ah, não foi tal mal assim, vai...

– Mas então. Tudo pronto pro caso de Mike e Eunice Rinsky amanhã?

– É justamente sobre isso que eu queria falar com você.

– Algum problema?

– Não. Mas o prefeito Gush-sei-lá-o-quê-wski quer falar com você sobre a desapropriação da casa deles. Tem um comício às sete e perguntou se você podia dar uma passada lá depois. Mandei para você uma mensagem com o endereço.

Adam examinou o celular.

– Ok, tudo bem. Não custa nada ouvir o que o cara tem a dizer.

– Vou avisar o pessoal dele. Então... boa noite, parceiro.

Conferindo o relógio, Adam ficou surpreso ao ver que já eram seis horas.

– Boa noite.

– Me avise se a nossa parada estiver confirmada pra amanhã.

– Aviso, sim, pode deixar.

Gribbel foi embora, deixando Adam sozinho. Por alguns instantes ele não fez mais do que aguçar os ouvidos e atentar para os ruídos distantes do expediente que morria aos poucos. Certo. Onde ele havia parado? Resolveu listar as coisas que sabia com certeza.

Um: Corinne havia passado pela escola na véspera. Dois: por volta da hora do almoço, Kristin a vira sair de carro do estacionamento da escola. Três... tudo bem, não havia "três", mas...

Cabines de pedágio.

Se Corinne tivesse ido longe, certamente haveria registro da passagem dela por alguma cabine de pedágio. Nas redondezas da escola havia uma autoestrada, a Garden State Parkway. Se ela tivesse passado por uma das cabines de cobrança, isto estaria registrado no seu cartão pré-pago E-ZPass. Isto é, caso ela tivesse se lembrado de levar o cartão. Provavelmente não tinha. O cartão era desses que as pessoas colavam no para-brisa do carro e não pensavam mais no assunto. Havia vezes em que acontecia o contrário: Adam precisava alugar um carro e entrava numa das filas de cobrança automática, esquecendo-se de que estava sem o cartão.

Mas não custava nada tentar.

Pelo Google ele encontrou o site da empresa, mas para acessá-lo era preciso informar um número de conta e uma senha. Ele não sabia nem uma coisa nem outra. Na realidade, nunca havia entrado naquele site, mas supunha que os dados estivessem impressos nas contas guardadas em casa. Pois bem, então. Hora de ir embora.

Ele pegou o paletó e se apressou de volta ao carro. Mal havia entrado na Interstate 80 quando precisou atender o celular. Era Thomas.

– Cadê a mamãe?

Adam ficou se perguntando o que dizer, mas aquele não era o momento certo para explicações longas e detalhadas.

– Sua mãe está fora.

– Fora onde?

– Depois eu explico.

– Você vem jantar em casa?

– Já estou indo. Me faça um favor: tire uns hambúrgueres do congelador. Chegando em casa eu faço pra você e pro seu irmão.

– Não sou muito fã de hambúrguer.

– Paciência. Em meia hora estou aí.

Com uma das mãos ao volante, Adam foi mudando as estações de rádio, procurando aquela canção perfeita e decerto inexistente, algo "assombrosamente familiar", como diria Stevie Nicks, mas que ainda não tivesse exaurido os ouvidos pelo excesso de repetição. Sempre que ele encontrava uma raridade dessas, a música já estava no último verso, e a busca recomeçava do zero.

Assim que dobrou a esquina de sua rua, Adam se espantou ao ver o Dodge Durango de Tripp Evans parado mais adiante. Estacionou atrás dele. Tripp desceu o carro e os dois homens se cumprimentaram, trocando apertos de mãos e tapinhas nas costas. Ambos estavam de terno com o nó da gravata desfeito. Adam teve a sensação de que uma eternidade já havia se passado desde a convocação para as equipes de lacrosse, realizada apenas três dias antes no salão do American Legion Hall.

– Adam.

– Tripp.

– Desculpe aparecer assim, sem avisar.

– Sem problema. Posso ajudar em alguma coisa?

Tripp era um homenzarrão de mãos enormes, do tipo que nunca ficava muito confortável dentro de um terno. Seus paletós sempre pareciam apertados demais nos ombros, as mangas longas demais, de modo que o sujeito andava sempre se ajustando, dando a impressão de que sua vontade era rasgar aquilo tudo em mil pedacinhos. Muitos tinham o mesmo problema, pensava Adam. Era como se o terno os constrangesse feito uma camisa de força e eles não conseguissem se desvencilhar.

– Eu queria trocar uma palavrinha com a Corinne – disse Tripp.

Adam ficou mudo, mas fez o que pôde para que nada transparecesse em seu rosto.

– Mandei umas mensagens – prosseguiu Tripp –, mas ela não respondeu. Então resolvi dar uma passadinha aqui.

– Posso saber do que se trata?

– Na verdade... nada muito importante – respondeu ele, mas num tom forçado que não combinava com seu jeito de ser, geralmente franco e direto. – Só umas coisas do lacrosse.

Talvez fosse apenas a imaginação de Adam ou a loucura dos últimos dias, mas uma tensão quase palpável parecia flutuar no ar entre eles.

– Coisas do lacrosse? Que coisas?

– O conselho se reuniu ontem à noite. Corinne não apareceu, o que achei estranho. Eu queria colocá-la a par de algumas coisas que a gente discutiu, só isso.

Tripp olhou na direção da casa como se a qualquer momento Corinne pudesse surgir à porta.

– Pode ficar pra depois.

– Ela não está – informou Adam.

– Tudo bem, então. Depois você diz a ela que eu estive aqui. – Tripp se virou e, sustentando o olhar de Adam, disse: – Você está bem?

– Estou – disse Adam. – Tudo em paz.

– Vamos tomar uma cervejinha qualquer dia desses.

– Claro.

Tripp abriu a porta do Dodge.

– Adam...

– Diga.

– Desculpe a sinceridade, mas você me parece meio desconcertado.

– Tripp...

– Sim.

– Desculpe a sinceridade, mas você também.

Tripp procurou encerrar o assunto abrindo um sorriso.

– Não é nada importante, fica pra outro dia.

– É, você já disse. Mas sinto muito, não estou acreditando.

– São coisas do time, fique tranquilo. Tomara que não seja nada, mas por enquanto não posso dizer mais que isso.

– Por que não?

– Confidencialidade do conselho.

– Está brincando, não está?

Não, Tripp não estava brincando. Fincou o pé e não disse mais nada. Por outro lado, se estivesse mesmo falando a verdade, que assunto do conselho de lacrosse poderia ter alguma coisa a ver com o que estava acontecendo?

Tripp entrou no carro e gritou pela janela:

– Peça a Corinne pra me ligar assim que puder, por favor. Boa noite, Adam.

capítulo 16

ADAM HAVIA IMAGINADO o prefeito Gusherowski como um desses políticos profissionais: gorducho, rosto rosado, sorriso de plástico, talvez até um anel no mindinho. Pois não se equivocou. Ficou se perguntando se o homem nascera daquele jeito, com o *physique du rôle* perfeito para o político corrupto, ou se os muitos anos de "serviço" o haviam deixado dessa forma.

Três dos últimos quatro prefeitos de Kasselton tinham sido indiciados pelo Ministério Público. Rick Gusherowski participara de duas dessas equipes e integrara o conselho municipal da terceira. Adam não julgaria o homem apenas pelo aspecto físico, nem mesmo pelo currículo, mas em se tratando de corrupção nas cidadezinhas do estado de Nova Jersey, onde havia fumaça geralmente havia um fogaréu de proporções romanas.

O evento já estava terminando quando Adam chegou. A faixa etária dos participantes parecia ser em torno dos 80 anos, mas isso talvez se devesse ao fato de que o encontro era no novíssimo Pine Cliff Luxury Village, um rebuscado eufemismo para "asilo da terceira idade".

Gusherowski veio caminhando na direção de Adam com um sorriso exagerado estampado no rosto, um híbrido perfeito de Muppet com animador de programa de auditório.

– Que bom que pôde vir, Adam! Muito prazer em conhecê-lo – cumprimentou ele, apertando a mão de Adam com o protocolar excesso de entusiasmo, acrescentando aquele empurrãozinho que os políticos geralmente dão na direção do cumprimentado numa tola demonstração de superioridade. – Posso chamá-lo de Adam, não posso?

– Claro, Sr. Prefeito.

– Ah, para com isso. Pode me chamar de Gush.

Gush? Não, isso era demais para Adam.

O prefeito abriu os braços e disse:

– Então, o que acha deste lugar? Um espetáculo, não é?

Aos olhos de Adam, o asilo mais parecia o salão de festas de um hotel três estrelas – isto é, genérico e impessoal. Restou-lhe responder com um vago meneio da cabeça.

– Venha comigo, Adam. Quero lhe mostrar as instalações. – Gusherowski saiu caminhando por um corredor de paredes verde-musgo. – Lindo, não é? Tudo aqui é de última geração.

– Como assim? – perguntou Adam.

– Hein?

– Como assim, de "última geração"?

O prefeito coçou o queixo enquanto refletia. Em seguida disse:

– Bem, para início de conversa as televisões são de tela plana.

– Assim como em quase todas as casas do país.

– Tem internet...

– De novo, como em quase todas as casas do país. Assim como nas bibliotecas, nos cafés e nos McDonald's da vida.

Gush (Adam vinha tentando se acostumar com o nome) reacendeu o sorriso para mudar de assunto.

– Venha, vou lhe mostrar nossa unidade de luxo.

Mais adiante ele sacou uma chave do bolso, destrancou uma porta e a abriu com os floreios de uma assistente de palco de programa de auditório (por algum motivo Adam estava com programas de auditório na cabeça).

– E então?

– Parece o salão de festas de um hotel três estrelas – disse Adam.

O sorriso de Gush murchou ligeiramente.

– Tudo aqui é novíssimo em folha, de últ... – Ele parou a tempo. – Tudo é moderno.

– Não interessa – devolveu Adam. – Pra falar a verdade, nem que isto aqui fosse o Ritz de Paris. Meu cliente não quer se mudar.

Gush assentiu com a cabeça, o mais compassivo dos mortais.

– Eu entendo. Realmente entendo. É difícil para todo mundo abrir mão de suas lembranças, não é? Mas às vezes essas lembranças acabam sendo um estorvo. Fazem com que as pessoas vivam no passado, não no presente.

Adam simplesmente ficou olhando para o homem.

– E, às vezes, como membros de uma comunidade, precisamos pensar não só em nós mesmos, mas nos outros também. Por acaso você já esteve na casa do Rinsky? – indagou Gush.

– Já.

– Aquilo lá é uma espelunca – continuou Gush. – Não me leve a mal. Também cresci por aqueles lados. Digo isso como um homem que subiu na vida depois de sair daquelas mesmas ruas.

Adam ficou esperando pelo habitual "conquistei tudo o que tenho" e chegou a ficar decepcionado quando o discurso não aconteceu.

– Temos nas mãos uma chance real de progresso, Adam. Uma chance de acabar com a criminalidade naquela área, de levar pra lá um alívio merecido. Estou falando de novos projetos habitacionais. Um centro comunitário de verdade. Bons restaurantes, boas lojas. Emprego para todo mundo.

– Conheço os planos – disse Adam.

– São ousados, não são?

– Não importa.

– Não importa?

– Represento os direitos de Michael e Eunice Rinsky. Isso é o que importa. Não estou nem aí para restaurantes, lojas e projetos habitacionais.

– Isso não é justo, Adam. Tanto eu quanto você sabemos que o melhor para esta comunidade é que este projeto seja realizado com sucesso.

– Eu e você *não* sabemos disso – devolveu Adam. – Seja como for, não represento a comunidade. Represento os Rinskys.

– Honestamente, Adam. Olhe à sua volta. Aqueles dois teriam uma vida muito melhor aqui.

– Acho difícil, mas até pode ser. Acontece que o governo não pode decidir o que faz ou não uma pessoa feliz. O governo não decide que um casal que deu duro a vida inteira para ter uma casa própria e criar nela a sua família será mais feliz morando em outro lugar.

O sorriso voltou ao rosto de Gush.

– Posso ser bastante franco com você, Adam?

– Por quê? Não estava sendo franco antes?

– Quanto?

Adam ladeou a boca com as mãos e com sua melhor voz de Dr. Evil, sussurrou:

– Um... bilhão... de dólares!

– Estou falando sério. Até poderia fazer o jogo que os empreiteiros me sugeriram: barganhar com você e ir subindo em blocos de dez mil dólares. Mas prefiro ir direto ao ponto: estou autorizado a aumentar a oferta original em 50 mil.

– E eu estou autorizado a dizer não.

– Você não está sendo razoável.

Adam não se deu ao trabalho de responder.

– Você sabe que um juiz já autorizou nosso programa de desapropriação, não sabe?

– Sei.

– Então deve saber também que o antigo advogado do Sr. Rinsky já perdeu o recurso. Foi por isso que largou o caso.

– Sei também.

Gush sorriu e disse:

– Bem, nesse caso... você não me deixa outra escolha.

– Deixo, sim, Gush – disse Adam. – Você não é funcionário dos empreiteiros, é? É um homem do povo. Então construa o seu shopping em volta da casa dele. Mude os planos. Isso pode ser feito.

– Não, não pode – rebateu Gush, já sem sorriso nenhum.

– Então o que vai fazer? Jogá-los na rua?

– A lei está do meu lado. E depois do modo como vocês se comportaram...

Gush se inclinou o bastante para que Adam pudesse sentir seu hálito de balinha de hortelã.

– Será um prazer jogá-los na rua.

Adam recuou e disse:

– É, eu já esperava por isso.

– Então vai dar ouvidos à razão?

– Como nunca na vida.

Adam acenou um rápido adeus e foi se afastando enquanto dizia:

– Tenha uma boa noite, Gush. A gente se vê muito em breve.

capítulo 17

O ESTRANHO ESTAVA ATÉ COM um pouco de pena.

No entanto, Michaela Siegel, que já vinha despontando na calçada, merecia saber da verdade antes de cometer um terrível engano. Ele pensou em Adam Price. Pensou também em Heidi Dann. Os dois com certeza haviam ficado devastados com sua visita, mas, no caso de Michaela, a coisa seria muito, muito pior.

Ou talvez não.

Talvez a verdade libertasse Michaela. Talvez ela ficasse aliviada. Passado o susto inicial, talvez pudesse recolocar a vida nos trilhos e retomar o caminho que deveria ter tomado muitos anos antes.

Nunca havia como saber a reação das pessoas antes de se retirar o pino da granada, certo?

Era tarde, quase duas da madrugada. Michaela se despediu das amigas com muitos abraços. Todas estavam meio "altas" depois das comemorações da noite. Por duas vezes o estranho já havia tentado pegar Michaela sozinha, mas não conseguira. Sua esperança era que hoje ela subisse desacompanhada para o seu apartamento e ele pudesse dar início ao processo.

Michaela Siegel, 26 anos. Estava no terceiro ano de residência em clínica médica no hospital Mount Sinai, depois de ter se formado na faculdade de medicina da Universidade de Colúmbia. Começara sua carreira como residente no hospital Johns Hopkins, mas depois do que acontecera, ela e o diretor do hospital haviam achado melhor que ela fosse transferida.

Meio que trocando as pernas, ela veio caminhando na direção dos elevadores.

– Parabéns, Michaela.

Ela se virou com um sorriso torto. Tal como já sabia o estranho, ela era uma mulher sexy, o que de certa forma tornava aquela intervenção ainda mais dolorosa. Ele sentiu as bochechas queimarem ao se lembrar do que tinha visto, mas não se deteve.

– Hum – fez Michaela.

– Hum?

– Você veio entregar uma ordem judicial?

– Não.

– Não está me cantando, está? Sou noiva.

– Não, não estou dando nenhuma cantada.

– Achei mesmo que não estivesse – disse Michaela, enrolando um pouco a língua. – Não costumo falar com estranhos.

– Entendo – respondeu ele. Por medo de perdê-la, largou logo a bomba: – Por acaso você conhece um homem chamado David Thornton?

Uma sombra desceu imediatamente sobre o rosto da mulher, como ele previa.

– Foi ele que mandou você aqui? – perguntou ela, agora sem nenhum sinal de embriaguez na voz.

– Não.

– Então você é um desses... esquisitões que ficam seguindo a gente?

– Não.

– Mas aposto que viu a...

– Sim, vi – disse ele. – Mas só por dois segundos. Não tive estômago pra ver até o final. Vi apenas o bastante pra... confirmar.

Ele podia sentir que ela se encontrava diante do mesmo dilema que muitas pessoas que ele abordava enfrentavam: fugir o mais rápido possível daquele maluco ou ouvir o que ele tinha a dizer. Geralmente a curiosidade acabava levando a melhor, mas nunca havia como saber ao certo.

Michaela balançou a cabeça e externou justamente esse dilema.

– Por que será que ainda estou falando com você?

– Dizem que pareço um cara confiável.

O que era verdade. Era por isso que na grande maioria das vezes cabia a ele cumprir essa tarefa. Eduardo e Merton tinham lá suas qualidades, mas se abordassem alguém dessa maneira, não havia dúvida de que o primeiro instinto da pessoa seria correr em disparada.

– Era isso que eu pensava do David. Que ele era confiável.

Ela balançou a cabeça e falou:

– Quem é você afinal?

– Isso não vem ao caso.

– O que veio fazer aqui? Isso é coisa do passado.

– Não, não é – respondeu ele.

– Não é?

– Infelizmente não.

– De que diabos você está falando?

A pergunta saiu num sussurro apavorado.

– Você e o David terminaram.

– Ah, é? Terminamos? Obrigada por me informar – ironizou Michaela. – Vou me casar com o Marcus neste fim de semana – emendou ela, mostrando o anel de noivado no dedo.

– Não estou me expressando direito. Você se importa se formos devagar, um passo de cada vez?

– Não interessa se você parece um cara confiável ou não – disse Michaela. – Só sei que não quero ressuscitar essa história.

– Eu sei.

– São águas passadas.

– Ainda não. É por isso que estou aqui.

Michaela simplesmente ficou olhando para ele.

– Você e o David já tinham terminado quando...?

Ele não sabia muito bem que palavras usar, então gesticulou algo vago com as mãos.

– Pode falar – disse Michaela, empertigando o tronco. – Tem até um nome pra isso: vingança pornô. Parece que é a última moda entre os casais.

– Eu sei, mas o que eu perguntei foi: vocês já tinham *oficialmente* terminado a relação quando o David postou aquele vídeo na internet?

– Todo mundo viu aquilo.

– Eu sei.

– Meus amigos. Meus pacientes. Meus professores. Todo mundo no hospital. Meus pais...

– Eu sei – disse o estranho com delicadeza. – Você e David Thornton já estavam separados?

– A gente teve uma briga feia.

– Não foi isso que perguntei.

– Não estou entend...

– Vocês já tinham terminado antes daquele vídeo circular na internet?

– Que diferença isso faz agora?

– Por favor, responda – insistiu o estranho.

– Sei lá – disse ela, dando de ombros.

– Você ainda amava o David. Foi por isso que doeu tanto.

– Não – disse ela. – Doeu porque foi uma puta traição. Doeu porque o homem que eu estava namorando postou num site de vingança pornô uma vídeo da gente transando. Dá pra imaginar uma coisa dessas? A gente teve uma briga, e foi assim que ele reagiu.

– Ele negou ter postado o vídeo, certo?

– Claro que negou. Não teve nem a coragem de...

– Ele estava dizendo a verdade.

Havia outras pessoas por perto. Um rapaz entrou num dos elevadores enquanto duas mulheres saíam. O porteiro fazia seu trabalho atrás de uma mesa. Estavam todos ali, mas ao mesmo tempo era como se não tivessem mais ninguém.

Com um fio de voz, Michaela perguntou:

– Do que você está falando?

– David Thornton não postou aquele vídeo na internet.

– Você é amigo dele, é isso?

– Nunca o vi na vida.

Michaela engoliu em seco.

– Então foi você que postou?

– Claro que não.

– Então como pode...?

– O endereço IP.

– O quê?

O estranho avançou um passo na direção dela.

– O site afirma que mantém em sigilo o IP dos usuários. Assim não há como descobrir a identidade da pessoa que postou, muito menos processá-la.

– Mas você descobriu o endereço IP?

– Sim.

– Como?

– As pessoas acham que o site é confiável porque está escrito lá que o sigilo é garantido. Uma grande mentira. Por trás de todos os sites sigilosos da internet há um ser humano monitorando cada tecla digitada. Nada é realmente secreto ou anônimo.

Silêncio.

Pronto, agora não faltava mais nada. O estranho ficou esperando. Já podia ver a ficha caindo na cabeça da moça, o ligeiro tremor nos lábios dela.

– Então... de quem era o IP?

– Acho que você já sabe.

Ela fechou os olhos e crispou o rosto numa careta de dor.

– Foi o Marcus?

Ele não disse nem que sim nem que não. Não havia necessidade.

– Eles eram amigos, não eram? – perguntou.

– Filho da puta...

– Até dividiam um quarto na universidade. Não conheço os detalhes, mas sei que você e o David tiveram uma briga. Marcus viu ali uma oportunidade e não pensou duas vezes.

O estranho levou a mão ao bolso e tirou de lá um envelope.

– A prova está aqui.

Michaela ergueu a mão.

– Não preciso de prova nenhuma.

O estranho assentiu e guardou o envelope novamente.

– Por que você está me contando tudo isso? – perguntou Michaela.

– É isso que a gente faz.

– O casamento é daqui a quatro dias.

Ela ergueu os olhos para o desconhecido.

– E agora, o que é que eu faço?

– Aí já não é mais comigo.

– Ah, claro – devolveu Michaela num tom amargo. – Você aparece do nada, estilhaça a minha vida e na hora de ajudar a remendar os cacos... Aí já não é mais com você.

O estranho não disse nada.

– Estava achando o quê? Que eu ia voltar correndo pro David? Que ia contar a verdade e pedir perdão? Que ele ia me receber de braços abertos e a gente ia viver feliz para sempre? Era isso que você tinha imaginado? Você, o cavaleiro errante que salvou o amor predestinado de um casal injustiçado?

Na realidade era mais ou menos isso que o estranho havia imaginado, tirando a parte do cavaleiro errante. Mas a ideia de consertar um erro, de restaurar o equilíbrio das coisas, de devolver àquela moça a seu caminho original, sim, tudo isso fazia parte das suas pretensões.

– Mas o problema é o seguinte, Sr. Revelador de Segredos.

Michaela deu um passo na direção dele.

– Mesmo quando eu ainda namorava o David, eu já estava interessada no Marcus. Uma grande ironia, não acha? O Marcus não precisava ter feito nada disso. A gente teria ficado junto de qualquer jeito. Mas talvez, sei lá... Talvez o Marcus esteja arrependido de ter feito o que fez. Talvez esteja tentando se redimir. Por isso é tão bom comigo.

– Isso não é motivo para ser bom com ninguém.

– Ah, então agora você está oferecendo conselhos de vida – cuspiu ela de volta. – Sabe quais são as escolhas que você me deixou agora? Posso acabar com a minha própria vida ou posso viver uma mentira.

– Você ainda é jovem, bonita...

– E apaixonada. Pelo Marcus.

– Mesmo depois de saber o que ele é capaz de fazer?

– As pessoas são capazes de fazer qualquer coisa em nome do amor – respondeu Michaela, mas com docilidade, sem o fogo que até pouco antes ela cuspia das ventas.

Deu as costas para o estranho, apertou o botão do elevador, depois perguntou:

– Você pretende contar isso a mais alguém?

– Não.

– Boa noite.

– Quer dizer então que você ainda vai se casar?

As portas do elevador se abriram. Michaela entrou e disse:

– Você não revelou um segredo. Apenas criou mais um.

capítulo 18

Assim que passou pelo limite do distrito de Cedarfield, Adam parou o carro no acostamento, tirou o celular do bolso e digitou mais uma mensagem para Corinne:

ESTOU PREOCUPADO. OS MENINOS TAMBÉM. POR FAVOR, VOLTE PRA CASA.

Apertou o ENVIAR e voltou para a rodovia. Em seguida se perguntou, não pela primeira vez, como tinha ido parar na cidade de Cedarfield para lá viver o resto da vida. Uma pergunta simples, mas cujas implicações o corroíam por dentro. Aquela escolha tão importante de onde morar e passar o resto da vida teria sido consciente? Não, não fora. Ele e Corinne poderiam ter escolhido qualquer outro lugar. Mas, por outro lado, o que havia de errado com Cedarfield? Ali havia ótimas casas com lindos quintais. Dispunha de um excelente centro comercial com uma ampla variedade de lojas, restaurantes e até mesmo uma sala de cinema. Tinha uma excelente infraestrutura esportiva, uma biblioteca moderna e um lago com patos. No ano anterior, a revista *Money* havia colocado a cidade na vigésima sétima posição no ranking dos "Melhores lugares para se viver nos Estados Unidos". Segundo a Secretaria de Educação de Nova Jersey, Cedarfield pertencia ao Grupo J da tabela de avaliação socioeconômica dos municípios estaduais, o melhor de todos os grupos possíveis. Sim, essas tabelas existem. Mas a pergunta que não quer calar é: que diabos os governos fazem com essa informação?

Para ser justo, Cedarfield era um ótimo lugar para criar os filhos, ainda que ali eles fossem criados para ser uma mera repetição dos pais. Alguns viam nisso o ciclo natural da vida, mas Adam via outra coisa, uma existência automatizada, não muito diferente do hábito de passar xampu e enxaguar os cabelos diariamente. Quantos vizinhos e amigos ele tinha em Cedarfield que haviam crescido ali, saído para a universidade, voltado, casado e criado os próprios filhos na cidade, filhos estes que decerto cresceriam ali, sairiam para a universidade, voltariam, casariam e teriam os próprios filhos em Cedarfield?

Não havia nada de errado nisso, certo?

Corinne havia passado os primeiros dez anos de vida em Cedarfield, mas não tivera sorte o bastante para seguir essa trajetória tão reprisada. Ela ainda estava no quarto ano do colégio, mas com os valores locais já profundamente enraizados no DNA, quando perdera o pai num acidente de carro. O homem tinha apenas 37 anos, portanto era jovem demais para pensar em coisas como a própria mortalidade ou o planejamento patrimonial da família. Seu seguro de vida era uma ninharia e não demorou para que a mãe de Corinne se visse obrigada a vender a casa e se mudar com as duas filhas (Corinne tinha uma irmã mais velha chamada Rose) para um apartamentinho de tijolos aparentes em Hackensack, uma cidade bem menos afluente que Cedarfield.

Por alguns meses a mãe de Corinne se dispusera a enfrentar regularmente os quinze quilômetros que separavam as duas cidades para que as filhas pudessem rever as amigas deixadas para trás. Mas então as aulas começaram e, como era de se esperar, as tais amigas pouco a pouco foram sumindo do mapa, umas com as aulas de balé para frequentar, outras com os treinos de voleibol, atividades que a mãe de Corinne não tinha mais como proporcionar às filhas. Embora a distância física permanecesse a mesma, a distância social se transformara num abismo grande demais para ser transposto. As amizades de infância foram gradualmente se esgarçando até serem rompidas por completo.

Rose reagira de uma forma bastante comum nesses casos: rebelando-se contra a mãe, negligenciando a escola, experimentando todas as drogas a seu alcance, envolvendo-se com todos os "maus elementos" da turma. Corinne, por sua vez, canalizara toda a dor e a revolta que sentira para as atividades consideradas positivas e salutares, focando-se na vida e nos estudos, procurando dar o melhor em tudo. Passava boa parte do tempo com a cabeça enterrada nos livros, ignorando as tentações da adolescência, prometendo a si mesma que voltaria vitoriosa para o lugar onde um dia fora feliz e tivera um pai. Passaria as duas décadas seguintes feito uma criança com o rosto colado no vidro da ascensão social até que, enfim, a janela se abrisse ou simplesmente... se espatifasse.

Corinne e Adam haviam comprado uma casa muito parecida com aquela em que ela tinha crescido. Se isso o havia incomodado, Adam não lembrava, mas o mais provável era que na época ele compartilhasse dos sonhos e das esperanças da mulher. Quando as pessoas se casam, casam-se também com os sonhos e as esperanças uma da outra. Para Corinne, o mais importante era voltar triunfante para a cidade que fora obrigada a abandonar. Havia certo prazer, ele agora percebia, em ajudá-la a atravessar a linha de chegada daquela maratona de 22 anos.

As luzes ainda estavam acesas quando Adam parou diante da academia Hardcore (cujo nome era supostamente uma alusão aos marombeiros "casca grossa" de lá). Correndo os olhos pelo estacionamento, não demorou a localizar o carro de Kristin Hoy. Em seguida ligou para o celular de Thomas e esperou. O garoto atendeu na terceira chamada com o seu habitual e quase inaudível:

– Alô?

– Tudo em paz por aí?

– Tudo.

– Está fazendo o quê?

– Nada.

– Como assim, nada?

– Jogando Call of Duty. Acabei de começar.

Aham.

– Já estudou? – perguntou Adam, mais por uma questão de hábito.

Isso para os pais era uma espécie de "roda de hamster", uma pergunta de praxe que não levava a lugar nenhum.

– Praticamente tudo.

Adam não se deu ao trabalho de mandar que o garoto "praticamente" terminasse de estudar antes de jogar o que quer que fosse. Não queria gastar saliva à toa. Além disso, já estava mais do que na hora de afrouxar um pouco as rédeas e deixar que o filho aprendesse a cuidar sozinho das próprias responsabilidades.

– Cadê o seu irmão?

– Sei lá.

– Mas ele está em casa, não está?

– Acho que sim.

Irmãos.

– Vá lá dar uma olhada nele, ok? Daqui a pouco estou chegando.

– Tá. Pai...

– Diga.

– Cadê a mamãe?

– Está fora – repetiu Adam.

– Fora onde?

– Um lance aí de professores. A gente conversa quando eu chegar em casa.

A pausa foi longa.

– Tá bom.

Adam estacionou ao lado do Audi conversível de Kristin e entrou na academia.

O recepcionista do outro lado do balcão olhou-o de cima a baixo com um quase sorriso de desdém estampado nos lábios. O sujeito era uma montanha de músculos e anabolizantes, um gorila com sobrancelhas de homem das cavernas. Estava usando uma espécie de malha sem mangas.

– E aí?

– Estou procurando Kristin Hoy.

– Sócio?

– Hein?

– Você é sócio?

– Não. Minha mulher é. Corinne Price.

O sujeito meneou a cabeça como se isso explicasse tudo. Depois perguntou:

– Ela está bem?

A pergunta surpreendeu Adam.

– Por que não estaria? – devolveu ele.

O gorila teria sacudido os ombros, mas as duas bolas de boliche que ele tinha no lugar deles não permitiam que se mexesse direito.

– Uma semana importante pra faltar assim. O torneio é na sexta que vem.

Corinne não participava de torneios. Tinha um corpaço e tudo, mas dificilmente se disporia a usar um daqueles minúsculos uniformes e sair posando por aí. No entanto, no ano anterior ela havia acompanhado Kristin em alguns torneios nacionais.

O gorila apontou (e não perdeu a oportunidade de flexionar os bíceps) na direção de uma sala nos fundos da academia, dizendo:

– Sala B.

Adam atravessou a porta de vidro. Certas academias eram razoavelmente silenciosas. Outras colocavam a música no volume máximo. E outras tantas, como aquela, repercutiam os grunhidos primitivos dos marombeiros junto com o tilintar de halteres e anilhas. Todas as paredes tinham espelhos, e naquele recinto não só era aceitável como também esperado que as pessoas ficassem se admirando enquanto faziam caras e bocas. O ambiente recendia a uma mistura de suor, desinfetante e o que devia ser a tal colônia Axe, a julgar pelo que se via nos comerciais de televisão.

Adam encontrou a sala B, bateu de leve à porta e entrou. A sala em si mais parecia um estúdio de ioga, com um piso de tábuas claras, uma trave de equilíbrio e, claro, uma infinidade de espelhos. Vestindo apenas um biquíni, uma mulher supermusculosa desfilava, cambaleando sobre um ridículo par de sapatos de salto alto.

– Pode parar – gritou Kristin.

A mulher obedeceu. Também de biquíni e com um ridículo par de sapatos de salto alto, Kristin não cambaleou, mas caminhou ao encontro da outra com toda a segurança do mundo. Nenhum sinal de hesitação ou desconforto.

– Seu sorriso está forçado – disse ela. – Parece que nunca andou de salto na vida.

– Não costumo usar – admitiu a mulher.

– Então trate de treinar. Num torneio eles julgam tudo: como você entra, como você sai, como você pisa, sua postura, seu sorriso, sua autoconfiança, seu comportamento, sua expressão facial... Você tem apenas uma chance pra causar uma boa primeira impressão. Pode perder a competição logo no primeiro passo. Ok, meninas, podem sentar!

Outras cinco mulheres supermusculosas se acomodaram no chão.

– Todas vocês devem dar uma crescidinha extra agora – prosseguiu Kristin, caminhando de um lado a outro diante das outras, os músculos inflando e desinflando a cada passo dado. – Trinta e seis horas antes da competição, é melhor dar preferência aos carboidratos. Isso evita que os músculos murchem e faz com que eles deem aquela inchadinha que a gente quer. Aqui termina a dieta de 90 por cento de proteína que vocês vinham fazendo. Todas têm um regime nutricional específico, certo?

Certo, certo.

– Então sigam esse regime como se ele fosse um dos dez mandamentos. Bebam pelo menos dois litros de água todo dia. No mínimo. Mais pra frente a gente começa a diminuir. Na véspera da competição, apenas um golinho aqui, outro ali. No dia da competição, nada, nem uma gota. Tenho alguns comprimidos de diurético, caso alguma de vocês esteja com retenção de líquidos. Alguma pergunta?

Uma das supermusculosas levantou a mão.

– Sim?

– Nós vamos ensaiar com o vestido de festa?

– Vamos. Lembrem-se, meninas: todo mundo acha que esta é uma competição de halterofilismo. Não é. O WBFF é uma competição de *fitness*. Vocês vão fazer suas poses do jeitinho que a gente treinou, mas o que os juízes estão procurando agora é uma mulher que seja um misto de Miss Estados Unidos, modelo da Victoria's Secret e capa de *MuscleMag*, tudo no mesmo pacote. Ah, agora vamos repassar as coisinhas que vocês não podem se esquecer de levar na bagagem: cola para a parte de baixo do biquíni, fita adesiva para a parte de cima, tapa-mamilos de silicone, curativo para as bolhas, cola de sapato... sempre tem aquele acidente de última hora... bronzeador, luvas pra passar o bronzeador, protetores para a palma das mãos e para a sola dos pés, tabletes clareadores para os dentes, colírio pra evitar os olhos vermelhos...

Foi então que ela avistou Adam refletido num dos espelhos da sala. A expressão em seu rosto mudou imediatamente. Nele não se via mais a preparadora de uma equipe de WBFF, mas sim a professora de sempre, a amiga de Corinne. Adam não pôde deixar de observar a facilidade com que todos nós trocamos de papel de uma hora para a outra.

– Continuem trabalhando nas poses – disse Kristin, agora com os olhos voltados para ele. – Quando entrarem no palco, vocês vão fazer uma pose de frente, outra de costas, depois vão sair. Só isso. Ok, a Harriet vai continuar no meu lugar. Já volto.

Kristin atravessou a sala e foi ao encontro de Adam. Os saltos a deixavam quase tão alta quanto ele.

– Alguma novidade?

– Não – disse Adam.

– Então o que houve? – perguntou Kristin enquanto o conduzia a um canto mais afastado.

Não deveria ser esquisito conversar com uma mulher vestida com um biquíni minúsculo e um par de sapatos de salto alto. Mas era. Quando tinha 18 anos, Adam havia passado duas semanas na Costa del Sol, na Espanha. Muitas das mulheres faziam topless na praia, e ele se julgava maduro o suficiente para ficar olhando. Não olhava, mas ainda assim ficava meio sem graça. Exatamente como se sentia agora.

– Estou vendo que você está se preparando pra um concurso.

– Não é um concurso qualquer, é o campeonato nacional. Posso ser um pouquinho egoísta? A Corinne resolveu sumir numa péssima hora. Ela é a minha companheira de viagem. Sei que isso nem tem tanta importância assim, mas esse é o primeiro campeonato de que participo depois que me profissionalizei e... bem, isso é bobagem minha. Mas também é o que eu sinto. Por outro lado... estou muito preocupada, Adam. Isso não combina com ela.

– Eu sei – respondeu Adam. – Por isso vim aqui. Queria lhe perguntar uma coisa.

– Pode falar.

Ele não sabia ao certo como abordar o assunto, então preferiu falar logo de uma vez:

– É sobre a gravidez dela, dois anos atrás.

Bingo!

As palavras atingiram Kristin Hoy feito uma onda inesperada na beira da praia.

– O que tem a gravidez da Corinne?

– Você parece surpresa – comentou Adam.

– Eu? Surpresa?

– Sim, quando mencionei a gravidez. Ficou pálida, como se tivesse visto um fantasma.

Kristin olhava para todos os lados, menos para Adam.

– Fiquei surpresa porque... sei lá, a Corinne desaparece e de repente você vem falando de algo que aconteceu dois anos atrás. Não sei o que uma coisa tem a ver com a outra.

– Mas você se lembra da gravidez?

– Lembro, claro. Por quê?

– Como foi que ela contou a você?

– Que estava grávida?

– Sim.

– Ah, eu não me lembro – disse Kristin. Adam viu na mesma hora que ela estava mentindo. – Que diferença isso faz afinal?

– Pense bem, Kristin. Por acaso você não percebeu nada de estranho quando ela contou?

– Não.

– Nada de estranho sobre a gravidez em si?

Kristin plantou as mãos nos quadris. A pele cintilava com uma fina camada de suor, ou talvez com algum resquício de autobronzeador.

– Aonde quer chegar com isso?

– E quando ela abortou? – insistiu Adam. – O que você achou do comportamento dela?

Por algum motivo essas duas últimas perguntas fizeram com que Kristin se concentrasse mais um pouco. Por alguns segundos ela apenas refletiu, respirando lentamente como se estivesse meditando.

– Engraçado... – disse ela afinal.

– O quê?

– Na época eu achei que a Corinne reagiu ao aborto de um modo... frio.

– Como assim?

– Bem, fiquei pensando no assunto. Ela superou a tragédia com muita facilidade. Então, depois que você foi embora da escola hoje cedo, fiquei pensando e... quer dizer, de início achei que ela levou tudo muito numa boa.

– Não estou entendendo.

– Precisamos dar vazão à nossa dor, Adam. Colocar pra fora, expressar, sentir. Se a gente reprime tudo isso, acaba produzindo e liberando toxinas na corrente sanguínea.

Adam precisou fazer um esforço para digerir aquele papo.

– Fiquei com a impressão de que a Corinne fechou a sua dor numa garrafa, entende? – prosseguiu Kristin. – E quando fazemos isso, criamos não só toxinas como também uma pressão interna. Cedo ou tarde alguma coisa acaba estourando. Então, depois que você saiu lá da escola, fiquei pensando: talvez a Corinne tenha reprimido a dor de ter perdido aquele bebê. Talvez tenha tentado fingir que não existia, mas agora, dois anos depois, é possível que os muros que ela construiu em volta dessa dor tenham finalmente ruído.

Encarando-a, Adam disse:

– De início...

– Hein?

– Você falou que "de início" ficou pensando. Isso quer dizer que em algum momento você mudou de ideia.

Kristin não disse nada.

– Por quê?

– Corinne é minha amiga, Adam.

– Eu sei.

– Você é o marido de quem Corinne está fugindo, certo? Quer dizer, se você está dizendo a verdade e nada de ruim aconteceu a ela...

– Poxa, Kristin, fala sério...

– Estou falando sério. – Kristin engoliu em seco, depois disse: – A gente anda pela rua nesta cidade... Vê as casas bacanas, os gramados perfeitos, os móveis nas varandas... Mas a gente nunca sabe o que acontece de verdade do outro lado das paredes, não é?

Adam continuou em silêncio.

– Nada impede que você seja um marido violento.

– Ah, tenha a santa paciência...

Kristin ergueu a mão.

– Não estou afirmando que você seja. Só estou dando um exemplo. A gente nunca sabe.

Os olhos dela agora estavam molhados, e Adam ficou se perguntando sobre Hank, o marido da própria Kristin. Não era estranho que ela, que adorava exibir o corpo, de vez em quando o cobrisse com mangas compridas e roupas fechadas? Até então Adam nunca suspeitara de nada, mas agora pensava que Hank pudesse ter alguma coisa a ver com isso. Fosse como fosse, a mulher tinha toda razão: por mais afável que fosse a vizinhança em que eles moravam, cada casa era uma ilha com seus próprios segredos.

– Você sabe de alguma coisa e não está querendo contar – disse Adam.

– Não sei de nada. E agora preciso voltar ao trabalho.

Kristin lhe deu as costas, e por muito pouco Adam não a puxou de volta pelo braço. Em vez disso, falou:

– Acho que a Corinne não estava grávida de verdade.

Kristin parou onde estava.

– Você sabia, não sabia? – perguntou Adam.

Ainda de costas, Kristin fez que não com a cabeça e disse:

– Corinne nunca me contou nada.

– Mas você sabia.

– Eu não sabia de nada – sussurrou ela. – Desculpe, preciso ir.

capítulo 19

RYAN ESTAVA PARADO na porta dos fundos, esperando por ele.

– Cadê a mamãe?

– Está fora – informou Adam.

– Como assim, está fora?

– Viajou.

– Pra onde?

– Um evento de professores. Não deve demorar.

Com um sussurro que beirava o pânico, Ryan disse:

– Preciso do meu uniforme, pai.

– Olhou na gaveta?

– Olhei! – O sussurro de antes deu lugar a um grito. – Você me perguntou a mesma coisa ontem! Já olhei na gaveta, já olhei no cesto da lavanderia, já olhei em tudo quanto é lugar!

– Na máquina de lavar? Na secadora?

– Em tudo quanto é lugar!

– Ok – disse Adam –, não precisa ficar nervoso.

– Mas eu preciso do meu uniforme! Se a gente aparece sem uniforme, o técnico Jauss manda a gente correr em volta do campo, depois deixa a gente de fora de um jogo!

– Não tem problema, vamos achar o seu uniforme.

– Você nunca acha nada! Eu preciso da mamãe! Por que ela não está respondendo as minhas mensagens?

– Está fora de área.

– Você não está entendendo. Você não...

– Não, Ryan. É *você* que não está entendendo.

Adam ouviu a própria voz retumbar casa adentro. Ryan se aquietou. Ele não.

– Você acha que sua mãe e eu existimos só pra servir você? É isso que você acha? Bem, companheiro, então está na hora de você ficar sabendo de uma coisinha: nós também somos seres humanos, sua mãe e eu. Também temos a nossa vida. Também temos as nossas próprias preocupações. Ficou surpreso, não ficou? Pois é. Não estamos aqui só pra vir correndo toda vez que você estalar os dedos. Entendeu agora?

Lágrimas logo brotaram nos olhos do menino. Adam ouviu passos e virou-se na direção deles. Thomas estava no alto da escada, fulminando-o com o olhar.

– Desculpe, filho. Eu não queria...

Ryan saiu correndo na direção da escada.

– Ryan!

Ele passou pelo irmão e bateu a porta do quarto. Thomas ficou onde estava, encarando o pai.

– Perdi a cabeça – disse Adam. – Acontece.

Thomas permaneceu mudo por um bom tempo. Mas depois disse:

– Pai?

– Oi.

– Cadê a mamãe?

Adam fechou os olhos e respondeu:

– Já falei. Sua mãe precisou viajar pra um encontro de professores.

– Ela acabou de chegar de um encontro de professores.

– Agora é outro.

– Onde?

– Em Atlantic City também.

Thomas balançou a cabeça, dizendo:

– Não.

– Como assim, "não"?

– Eu sei onde ela está – confessou Thomas. – E Atlantic City não fica nem perto.

capítulo 20

– Desça aqui, por favor – disse Adam.

Thomas hesitou um segundo antes de descer para a cozinha. Ryan ainda estava no quarto com a porta fechada. Melhor assim. Todos precisavam esfriar a cabeça. E para Adam o mais importante naquele momento era interpelar Thomas sobre o que ele acabara de dizer.

– Você sabe onde sua mãe está?

– Mais ou menos.

– Como assim? Ela ligou?

– Não.

– Mandou uma mensagem? Um e-mail?

– Não – repetiu Thomas. – Não é nada disso.

– Mas você não falou que ela estava em algum lugar que não ficava nem perto de Atlantic City?

– Falei.

– Como sabe disso?

Thomas baixou a cabeça. Havia vezes em que Adam via o filho se mexer de um jeito ou fazer algum gesto, e percebia nele um nítido eco de si mesmo. Não havia a menor dúvida de que o garoto era seu filho. As semelhanças eram grandes demais. Mas e Ryan? Adam nunca tivera esse tipo de dúvida com relação ao caçula, mas em algum lugar recôndito e escuro do coração, todos os pais cedo ou tarde se fazem essa pergunta. Jamais a externam em voz alta, por vezes sequer têm consciência de sua existência. Mas lá estava ela, adormecida num canto qualquer, e agora aquele sujeito estranho a havia despertado e puxado para a luz do dia.

Seria isso uma explicação plausível para o que acabara de acontecer na cozinha?

Ele havia perdido a cabeça com Ryan, o que era compreensível se fossem levadas em conta as circunstâncias e a irritante ladainha sobre o uniforme de lacrosse. Mas seria apenas isso?

– Thomas?

– A mamãe vai ficar furiosa.

– Não, não vai.

– Prometi a ela que nunca faria isso – disse Thomas. – Mas ela sempre responde quando eu mando alguma mensagem. Não estou entendendo o que está rolando. Então fiz uma coisa que não devia.

– Não se preocupe, filho – falou Adam, fazendo o possível para apagar da voz o desespero que o afligia por dentro. – Conte o que aconteceu.

Thomas bufou demoradamente, depois se recompôs, dizendo:

– Tá. Lembra aquela hora, antes de você sair, que eu perguntei pela mamãe?

– Sim.

– Sei lá... achei tudo meio esquisito. Primeiro você não quis dizer onde a mamãe estava, depois ela não respondeu as minhas mensagens... – Ele ergueu a cabeça. – Pai?

– Diga.

– Quando você disse que a mamãe estava num evento, você estava falando a verdade?

Adam pensou alguns segundos antes de responder.

– Não.

– Você sabe onde ela está?

– Não. A gente... a gente meio que brigou.

Thomas meneou a cabeça de um modo talvez um tanto adulto demais.

– Então ela se mandou pra fugir de você, é isso?

– Não sei, Thomas. É isso que estou tentando descobrir.

Thomas meneou a cabeça outra vez.

– Então é possível que ela não quisesse que eu contasse onde ela está.

Adam se recostou na cadeira, coçou o queixo, depois disse:

– É possível, sim.

Thomas pousou as mãos na mesa. Estava usando uma pulseira de silicone, dessas que as pessoas compram para ajudar alguma causa, embora na sua estivesse escrito CEDARFIELD LACROSSE. Ele agora usava a mão livre para puxar e soltar a tal pulseira.

– Mas esse é o problema – prosseguiu Adam. – Não sei direito o que está acontecendo com a sua mãe. Se ela entrou em contato com você e pediu que não me contasse onde está, eu até entenderia. Mas acho que não foi isso. Sua mãe não colocaria você ou o Ryan nessa situação.

– E não colocou – disse Thomas, ainda olhando para a pulseira.

– Ok.

– Mas antes disso ela já tinha pedido que eu prometesse nunca entrar numa parada aí.

– Que parada?
– Um aplicativo.
– Thomas?
O garoto ergueu o rosto.
– Não tenho a menor ideia do que você está falando – disse Adam.
– É que... a gente fez um acordo, a mamãe e eu.
– Que tipo de acordo?
– A gente prometeu usar esse aplicativo só em caso de emergência, nunca pra bisbilhotar a vida do outro.
– Que tipo de emergência?
– Tipo... se eu não aparecesse em casa ou se não conseguisse falar comigo numa urgência qualquer.
Adam novamente sentiu a cabeça rodar. Respirou fundo e procurou se recompor.
– Acho melhor você me explicar direitinho o que é esse aplicativo.
– É um rastreador de celular. Desses que a gente usa quando perde o telefone ou quando ele é roubado.
– Certo...
– Daí o aplicativo mostra num mapa onde está o aparelho. Todos os celulares já vêm com um aplicativo desse tipo, eu acho, mas o meu é um mais moderno. Então, se alguma coisa acontecesse comigo ou com o Ryan, ou se a mamãe não conseguisse falar com a gente, ela poderia abrir o aplicativo e saber exatamente onde a gente estava.
– A partir do telefone dela?
– Isso.
Adam estendeu a mão, dizendo:
– Deixa eu ver esse negócio.
Thomas hesitou.
– Esse é o problema. Prometi à mamãe que não ia usar.
– Mas usou, não usou?
Ele baixou os olhos e fez que sim com a cabeça.
– Você entrou no aplicativo e viu onde sua mãe está.
– Sim.
Pousando a mão no ombro do filho, Adam disse:
– Não estou bravo com você, Thomas. Mas realmente preciso ver esse aplicativo.
Thomas pegou o telefone, apertou alguns botões e entregou o aparelho

ao pai. Adam deparou com um mapa de Cedarfield. Três pontinhos piscavam sobre o mesmo lugar: um azul, outro verde e outro vermelho.

– Então estes pontinhos...

– São a gente – disse Thomas.

– A gente?

– Isso. Você, eu e o Ryan.

As têmporas de Adam começaram a latejar.

– Eu?

– Claro.

– Um destes pontinhos me representa?

– Sim. Você é o verde.

– Quer dizer então... – disse Adam, com a voz fraca e a boca seca. – Se a sua mãe quisesse saber onde eu estava...

Ele parou de repente; não havia necessidade de terminar a frase.

– Há quanto tempo vocês têm este aplicativo no telefone?

– Sei lá. Uns três ou quatro anos.

Adam precisou de alguns segundos para digerir a informação. Três ou quatro anos. Por três ou quatro anos Corinne podia simplesmente abrir um aplicativo no telefone para saber onde estavam os filhos e, sobretudo, o marido.

– Pai?

Ele sempre tivera certo orgulho da própria ignorância no que dizia respeito às tecnologias que nos últimos tempos vinham aprisionando as massas, obrigando as pessoas a se ignorar mutuamente, a obedecer a uma insaciável necessidade de atenção. Seu telefone não tinha, pelo menos até onde ele sabia, nenhum aplicativo desnecessário: nenhum joguinho, Twitter, Facebook, loja virtual, previsão do tempo, nada disso. Tinha apenas aqueles que já vinham instalados: e-mail, mensagens, bloco de anotações, etc. Ele havia pedido a Ryan que instalasse um desses aplicativos de GPS que levavam em conta as condições do trânsito para sugerir o melhor caminho entre dois pontos. E só.

– Mas... por que não tem nenhum pontinho representando a sua mãe?

– Você precisa afastar mais a imagem.

– Como?

Thomas pegou o telefone de volta, colocou dois dedos sobre a tela e os fechou um contra o outro. Em seguida devolveu o aparelho ao pai. Adam agora podia ver todo o estado de Nova Jersey e, a oeste, a Pensilvânia. Um pontinho laranja brilhava no canto esquerdo da tela. Adam bateu o dedo sobre ele, e a imagem voltou ao nível de zoom original.

Pittsburgh?

Certa vez Adam precisara ir de carro até Pittsburgh para pagar uma fiança e tirar seu cliente da cadeia. Levara mais de seis horas para chegar até lá.

– Por que este pontinho não está piscando? – perguntou ele ao filho.

– Porque não está ativo.

– Como assim?

Thomas engoliu o suspiro de tédio que sempre deixava escapar quando tinha de explicar ao pai alguma coisa de natureza tecnológica.

– Quando abri o aplicativo umas horas atrás ela ainda estava se deslocando. Mas depois, tipo uma hora atrás, o pontinho parou de piscar.

– Porque ela chegou a Pittsburgh?

– Acho que não. Porque se você clicar aqui... – Thomas se aproximou e tocou na tela, fazendo surgir a imagem de um celular com o nome de Corinne. – O ícone do nível de bateria é este aqui na direita, está vendo? Quando olhei da última vez, ela só tinha quatro por cento de bateria disponível. Agora não tem mais nada, por isso o pontinho parou de piscar.

– Mas ela ainda está aí, no lugar do pontinho?

– Não sei. Só sei que foi aí que a bateria da mamãe acabou.

– E não dá mais pra gente saber onde ela está?

– Só depois que a bateria for recarregada – disse Thomas. – Agora não adianta telefonar pra ela, nem mandar mensagens.

– Porque o telefone está sem bateria.

– Óbvio, pai.

– Mas se a gente continuar acompanhando isto aqui, vamos saber quando a bateria estiver carregada de novo, não vamos?

– Sim.

Pittsburgh. Que raios Corinne teria ido fazer em Pittsburgh? Até onde ele sabia, a mulher não conhecia ninguém por lá. Até onde sabia, ela nunca havia colocado os pés em Pittsburgh. Até onde podia lembrar, ela nunca havia falado nada sobre aquele lugar, nem comentado sobre algum amigo ou parente que tivesse se mudado para lá.

Ele aumentou o zoom sobre o pontinho laranja. O endereço era algum ponto da South Braddock Avenue. Ele abriu a imagem de satélite. Corinne estava ou havia passado por um pequeno centro comercial. Viam-se nele um supermercado, uma loja de conveniência, uma de calçados esportivos e uma de videogames. Talvez ela tivesse parado ali para comer ou comprar alguma coisa.

Ou talvez estivesse se encontrando com o estranho.

– Thomas?

– Oi.

– Meu telefone também tem este aplicativo?

– Claro. Se alguém pode ver você, então você também pode ver esse alguém.

– Então me mostra onde ele fica – pediu Adam, passando ao filho o próprio telefone.

Não foi preciso mais que um segundo para que Thomas encontrasse o ícone que procurava.

– Aqui está.

– Mas como é que eu nunca vi isso antes?

– Ele está agrupado com um monte de outros aplicativos na última página, coisas que provavelmente você nunca usa.

– Então... se eu entrar agora, posso ficar acompanhando o telefone da sua mãe?

– Como eu disse antes, agora ela está sem bateria.

– Mas e se ela recarregar?

– Daí, sim. Basta digitar a senha.

– Qual é a senha?

Thomas hesitou.

– Thomas?

– AmoMinhaFamilia – disse ele afinal. – Tudo junto, com maiúsculas no A, no M e no F.

capítulo 21

– QUEM É O CRAQUE do pedaço agora?

Bob Baime – Gaston, para Adam – acabara de marcar três pontos com um giro seguido de um belíssimo arremesso. Big Bob estava com tudo naquela noite. Um capeta na quadra. Bob, *el Diablo*.

O jogo era uma das partidas que duas vezes na semana um variado grupo de marmanjos, quase todos os pais locais, jogava na quadra da igreja Beth Lutheran. Os participantes eram bastante desiguais em termos de habilidade. Alguns eram ótimos (inclusive um deles já havia sido convocado logo na primeira rodada de seletivas pelo Boston Celtics antes de machucar o joelho e ser obrigado a desistir da carreira) e outros eram tão ruins que mal conseguiam ficar de pé.

Mas naquela noite não tinha pra mais ninguém: Bob Baime era o cara, o rei do pedaço, uma fábrica de cestas. O homem era um trator na quadra, usando sem nenhum pudor seus 120 quilos para tirar os adversários do caminho. A certa altura, derrubou no chão a grande estrela do jogo, isto é, o ex-Boston Celtics. O sujeito o fulminou com o olhar, mas Big Bob simplesmente o fulminou de volta.

O ex-Boston Celtics balançou a cabeça, levantou-se novamente e seguiu correndo pela quadra.

"Isso, babaca, pode correr. Senão vai levar porrada."

Senhoras e senhores... Big Bob Baime estava de volta. O tal ex-profissional com sua joelheira ridícula geralmente levava a melhor. Mas hoje não. Hoje era *el Diablo* quem estava dando as cartas. Caramba, como seu pai ficaria orgulhoso se estivesse ali para ver. Sim, o velho Sr. Baime, aquele que por boa parte da infância do filho o chamara fracote inútil, bicha e mocinha. O pai de Bob, um durão que metia medo até na própria sombra, fora diretor de educação física na Cedarfield High School por trinta anos. Não tinha sido fácil crescer sob as rédeas de um homem assim, mas no fim das contas a linha-dura havia produzido bons frutos.

Uma pena. Uma grande pena que o velho não tivesse vivido o bastante para ver o filho se tornar uma pessoa tão proeminente na sociedade. Fazia anos que Bob não morava mais na parte ruim da cidade, onde geralmente viviam os professores e assalariados que precisavam apertar os cintos para chegar ao fim do mês. Não, Bob havia comprado um casarão no bairro mais chique das redondezas. Ele e Melanie tinham Mercedes idênticas e toalhas com monogramas no banheiro. Eram respeitados por todo mundo. Bob fora convidado para ser sócio do exclusivíssimo clube de golfe de Cedarfield, onde seu pai havia colocado os pés uma única vez como convidado. O casal tinha três filhos, todos eles ótimos atletas, ainda que ultimamente Pete estivesse passando por uma má fase no lacrosse – inclusive correndo o risco de perder a bolsa de estudos agora que Thomas Price havia tomado seu lugar na equipe. Mesmo assim a vida tinha sido boa, de modo geral.

E agora voltaria a ser.

Pena que o velho não estivesse aqui para ver isso também. Pena que não tivesse visto o filho perder o emprego para depois ver exatamente quem era Bob Baime: um sobrevivente, um vencedor, um homem que não se deixava vergar pelas adversidades da vida. Faltava muito pouco para que ele virasse aquela página terrível da sua vida e voltasse a ser Big Bob, o provedor exemplar. Melanie, a mulher, veria também. Ex-capitã da torcida organizada da escola, ela costumava fitá-lo com um brilho no olhar que beirava a adoração, mas desde a mudança dos ventos, tornara-se uma megera de marca maior, acusando-o de ser perdulário e imprudente por ter gastado tanto dinheiro em ostentação em vez de se preocupar com a segurança e o futuro da família. Sim, os urubus andavam circulando por perto. O banco estava a dois passos de executar a hipoteca da casa. O sujeito responsável pelas reapropriações já andava de olho nas duas Mercedes do casal.

Mas e aí? Quem riria por último?

O pai de Jimmy Hoch, um dos melhores head hunters de Nova York, havia conseguido uma entrevista para ele naquela mesma manhã e, para encurtar a história, Bob Baime tinha arrasado. O entrevistador comeu na sua mão. Tudo bem, ele ainda não havia ligado de volta (vez ou outra Bob saía da quadra para conferir o celular), mas era uma questão de tempo. Não havia a menor dúvida de que ele conseguiria aquele emprego, talvez até fosse o caso de barganhar um salário melhor e, depois disso... bem, depois disso ele estaria oficialmente de volta. Mal via a hora de contar a Melanie como tinha sido a entrevista. Ela finalmente voltaria a ser a mulher de sempre, talvez até se dispusesse a vestir aquela camisolinha rosa de que ele tanto gostava.

Bob roubou a bola, enterrou-a no aro e marcou os pontos da vitória.

Pois é. Bob estava impossível. Era assim que ele adoraria estar naquela noite em que Adam Price o perturbara por conta da convocação de Jimmy Hoch para a equipe de lacrosse. Para falar a verdade, aqueles garotos eram três pernas de pau. O lugar correto de todos eles era no banco. Quem se importava que apenas um décimo de ponto separasse um do outro, um mísero décimo de ponto atribuído por um grupo de avaliadores entediados que prestavam atenção apenas nos bons jogadores? Não, ele não colocaria sua entrevista em risco por causa de uma bobagem daquelas. Não que isso fizesse alguma diferença. Ele e o pai de Jimmy não tinham firmado nenhum acordo. Por outro lado... na vida uma mão sempre lava a outra, certo? E o esporte é uma lição de vida, não é? Melhor que a garotada aprendesse logo como as coisas funcionavam.

O time de Bob estava prestes a entrar na quadra para mais um jogo quando o celular dele tocou.

Bob rapidamente pegou o aparelho e conferiu o identificador de chamadas com as mãos trêmulas:

GOLDMAN.

Era agora.

– Bob, você vem?

– Comecem sem mim, pessoal. Preciso atender esta ligação – disse Bob, e saiu para o corredor em busca de mais privacidade. Limpou a garganta e sorriu, pois, sorrindo de verdade, sua autoconfiança podia ser percebida até mesmo do outro lado de uma linha telefônica. – Alô?

– Sr. Baime?

– Ele mesmo.

– Aqui é Jerry Katz, da Goldman.

– Ah, sim. E aí, Jerry? Que bom que você ligou.

– Infelizmente a notícia não é boa, Sr. Baime.

Bob sentiu o coração gelar no peito. Jerry Katz passou a discorrer sobre a competitividade do mercado, sobre ter sido um grande prazer entrevistá-lo, mas aos poucos as palavras foram se embaralhando num ruído indistinto e quase inaudível. Jerry, aquele idiota, não parava de falar. Bob ainda se remoía por dentro quando novamente lhe veio à cabeça a imagem de Adam Price confrontando-o sobre a escalação de Jimmy Hoch. De repente percebeu que a atitude dele era esquisita por vários motivos. Em primeiro lugar, a escalação dos jogadores não lhe dizia respeito, uma vez que ele nem era um dos técnicos assistentes. Além do mais, o filho dele já havia sido convocado, portanto, que diferença fazia se Jimmy Hoch estava no time ou não?

Mas, pensando bem, o mais surpreendente de tudo era como Adam fora capaz de se recuperar tão rapidamente da notícia devastadora que acabara de receber no bar da American Legion.

Jerry ainda tagarelava do outro lado da linha. Bob ainda sorria feito um idiota. E foi como um total idiota que ele encerrou a ligação.

– De qualquer modo, obrigado por ter ligado – disse, e desligou.

– Ei, Bob, você vem ou não?

– Anda, cara, a gente precisa de você!

E de fato precisavam. Talvez, pensou Bob, isso explicasse o comportamento de Adam naquela outra noite. Do mesmo modo que ele agora voltaria à quadra para dar vazão à sua raiva, também era possível que Adam Price o tivesse confrontado sobre Jimmy Hoch apenas porque estivesse precisando de uma válvula de escape. Qual seria a reação dele caso ficasse sabendo de toda a verdade sobre a mulher? Não apenas aquilo que já sabia, mas a história completa?

Bem, pensou Bob, já trotando de volta para a quadra, muito em breve esta pergunta teria resposta.

capítulo 22

ERAM DUAS DA MADRUGADA quando Adam se lembrou de algo. Ou melhor, de alguém.

Suzanne Hope, de Nyack, Nova York.

Havia sido por ela que Corinne ficara sabendo do tal site BarrigaFalsa.com. Tudo começara aí: Corinne conhece Suzanne; Suzanne finge a gravidez; por algum motivo, Corinne resolve fazer o mesmo. Talvez. E então o estranho aparece.

Adam abriu o navegador de internet do telefone e no campo de busca digitou "Suzanne Hope Nyack Nova York", já imaginando que aquilo não daria em nada, que a mulher tinha dado um falso nome e uma falsa cidade para combinar com a falsa gravidez. No entanto, encontrou quase imediatamente o que estava buscando.

O site informava o telefone e o endereço de uma Suzanne Hope em Nyack e mencionava que a mulher estava na faixa dos 30 aos 35 anos. Adam estava prestes a anotar as informações quando se lembrou de algo que Ryan lhe ensinara algumas semanas antes: bastava apertar simultaneamente os dois botões do telefone para que a tela fosse fotografada. Assim ele fez. Depois de abrir o aplicativo de fotos e constatar que a imagem estava legível, largou o aparelho de lado e fez o que pôde para conseguir dormir.

A sala do velho Rinsky cheirava a desinfetante e mijo de gato. Estava lotada, embora não houvesse mais do que dez pessoas ali. O suficiente para o que Adam pretendia. Ele logo reconheceu o sujeito careca que geralmente assinava as matérias de esporte para o *Star-Ledger*. Lá também estava a repórter do *Record* do condado de Bergen da qual ele tanto gostava. Segundo Andy Gribble, o roqueiro que fazia as vezes de técnico jurídico do escritório, também estavam presentes os repórteres do *Asbury Park Press* e do *New Jersey Herald*. As grandes redes de televisão ainda não estavam interessadas, mas a estação local de Nova Jersey havia despachado uma equipe com câmera e tudo.

Perfeito.

Adam se aproximou de Rinsky e falou baixinho:

– Tem certeza de que quer fazer isto?

– Se eu tenho certeza? – perguntou o velho, arqueando uma das sobrancelhas. – Vou ter que me esforçar pra não mostrar quanto estou me divertindo.

Três dos repórteres se apertavam no sofá coberto de plástico; outro se espremia ao lado do piano. Um cuco no formato de uma casa de passarinho informava as horas por perto. Estatuetas de porcelana se espalhavam pela mesinha lateral. O tapete de retalhos havia sido reduzido pelo tempo a algo parecido com grama sintética.

Adam conferiu seu telefone uma última vez. Nenhuma mudança na situação de Corinne no GPS. Ou ela não tinha carregado a bateria ou... bem, agora não era hora para pensar nisso. Os repórteres o fitavam com um misto de ansiedade ("vamos ver o que esse cara tem pra dizer") e ceticismo ("isso é uma grande perda de tempo"). Adam deu um passo adiante. O Sr. Rinsky ficou onde estava. Sem nenhum preâmbulo, Adam disse:

– Em 1970, Michael J. Rinsky voltou para casa depois de ter servido seu país nos campos de batalha mais violentos do Vietnã. Voltou para cá, sua querida cidade natal, e se casou com a namoradinha dos tempos de escola, Eunice Schaeffer. Depois, com sua pensão de veterano, Mike Rinsky comprou uma casa.

Pausa de efeito.

– *Esta* casa.

Os repórteres iam fazendo suas anotações.

– Mike e Eunice tiveram três filhos, que foram criados justamente aqui. Mike foi trabalhar na polícia local, primeiro na Rádio Patrulha, depois galgando os degraus até chegar ao posto de chefe de polícia. Há muitos anos, ele e a mulher são membros importantes desta comunidade, ambos fazendo trabalho voluntário nos abrigos locais, na biblioteca municipal, nos programas de integração pelo esporte, nos desfiles de Quatro de Julho. Faz quase cinquenta anos que vêm contribuindo para o bem geral dos seus concidadãos, sempre com afinco e dedicação. Quando Mike terminava seu difícil expediente no distrito de polícia, buscava o merecido descanso aqui, nesta casa. Foi com as próprias mãos que ele consertou a caldeira do porão. Os filhos cresceram, formaram-se na escola, depois foram embora pra tocar a própria vida. Mike seguiu trabalhando e, por fim, depois de trinta anos, conseguiu liquidar a hipoteca da casa. Ele agora é o proprietário de direito deste imóvel, esta casa em que todos estamos agora.

Adam olhou às suas costas. Como se previamente combinado (bem, eles *haviam* combinado), o velho baixou os ombros, murchou o rosto e ergueu à sua frente um porta-retrato com uma foto de sua mulher Eunice.

– A certa altura – prosseguiu Adam –, Eunice Rinsky adoeceu. Não vamos entrar nos detalhes em respeito à privacidade dela, mas... o fato é que Eunice adora esta casa. É aqui que ela encontra a paz. Nos outros lugares ela se sente amedrontada. Sente-se segura apenas nesta casa em que ela e o marido criaram Mike Junior, Danny e Bill. E agora, depois de uma vida inteira de trabalho duro e sacrifícios, o governo quer tirar esta casa dela. A *sua* casa.

Com a intenção de dar aos repórteres a oportunidade de digerir toda a história, Adam interrompeu seu pequeno discurso para pegar uma garrafa de água e molhar a garganta. Esperou até que as anotações terminassem e depois, com uma ponta de revolta na voz, prosseguiu:

– O governo quer tirar Mike e Eunice da única casa que eles tiveram na vida para que uma empreiteira poderosa possa jogá-la no chão e construir no lugar mais uma Banana Republic. – Aquilo não era exatamente verdade, mas quase. – Este homem... – Adam apontou para o velho Rinsky, que vinha interpretando o papel com entusiasmo, de algum modo se mostrando ainda mais frágil do que de fato era. – Este patriota, este herói americano, ele não quer nada além do direito de continuar morando na casa que tanto suou para comprar. Mas o governo quer outra coisa. Pois eu pergunto aos senhores: é assim que fazemos as coisas neste país? Tiramos a casa dos trabalhadores para depois entregá-las de bandeja aos ricos? Jogamos na rua os nossos heróis de guerra, as nossas idosas doentes? Confiscamos as casas dessas pessoas que levaram uma vida inteira pra realizar o sonho da casa própria? Passamos um trator por cima do sonho delas apenas pra construir mais um shopping center?

Todos agora olhavam para o velho Rinsky. Até mesmo Adam já começava a ficar emocionado de verdade. Claro, ele havia deixado de fora algumas partes, sobretudo a generosa oferta que a prefeitura já fizera ao casal, muito maior do que o valor de mercado da casa. Mas aquele não era o momento de ser justo e imparcial. Cabia aos advogados tomar partido dos seus clientes – e cabia aos advogados da parte adversária fazer a mesma coisa. Advogados eram tendenciosos e pronto. Assim era o sistema.

Alguns repórteres tiraram fotos de Rinsky. Outros erguiam a mão para fazer as perguntas.

– Sr. Rinsky, o que o senhor tem a dizer sobre tudo isso? – foi a primeira pergunta deles.

O espertíssimo Rinsky se fez de perdido e confuso, em vez de revoltado. Encolheu os ombros, ergueu a foto da mulher e disse apenas:

– Eunice quer passar o resto de seus dias aqui.

"Temos um vencedor", pensou Adam.

Os adversários que corrigissem os fatos quanto quisessem, mas ninguém tiraria de Rinsky as manchetes dos próximos dias. A melhor história (era isso que a imprensa queria, a melhor história, não a verdadeira) pertencia a ele. O que daria uma manchete mais contundente? Uma grande corporação jogando na rua um herói de guerra e sua esposa doente ou um velho teimoso impedindo o progresso ao se recusar a se mudar para um lugar melhor?

Não havia dúvida.

Uma hora depois, já sem nenhum repórter presente, Gribbel sorriu e bateu no ombro de Adam, dizendo:

– É pra você. O prefeito Gush.

Adam atendeu o telefone.

– Pois não, Sr. Prefeito.

– Você acha que isso vai funcionar?

– O pessoal do *Today* acabou de ligar. Querem uma entrevista exclusiva com a gente no noticiário de amanhã. Falei que ainda não.

Tratava-se de um blefe, claro, mas um ótimo blefe.

– Você sabe qual é o ciclo de vida de uma notícia hoje em dia? – retrucou Gush. – Podemos esperar, não tem problema nenhum.

– Hum, acho que não – disse Adam.

– Por que não?

– Porque por enquanto estamos mantendo o caso estritamente no campo impessoal e corporativo. Mas a próxima cartada dará um passo adiante.

– Isto é...

– Isto é, vamos revelar que o prefeito da cidade, que está se esforçando tanto para surrupiar a casa de um casal de velhinhos, provavelmente tem contas a acertar com o policial que um dia o prendeu numa delegacia, ainda que por apenas algumas horas.

O prefeito ficou mudo, depois respondeu:

– Eu era um garoto.

– Os jornalistas vão adorar saber disso.

– Você não sabe com quem está se metendo, meu chapa.

– Acho que tenho uma ideia – rebateu Adam. – Gush?

– Sim?

– Construa o seu projeto em volta da casa. Dá pra fazer. Ah, e tenha um bom dia.

Na cozinha de Rinsky havia um recanto isolado com uma mesa originalmente reservada para o café da manhã da família. Era de lá que agora vinham os ruídos de um teclado de computador. Entrando no cômodo, Adam se espantou com a quantidade de máquinas que cercavam o velho. Dois computadores de monitor grande e uma impressora a laser ocupavam todo o espaço da mesa de fórmica. Uma das paredes era coberta de cortiça do teto ao chão. Nela estavam espetadas inúmeras fotografias, recortes de jornal e artigos impressos da internet. Rinsky equilibrava os óculos de leitura na ponta do nariz. O reflexo do monitor à sua frente escurecia o azul dos olhos.

– Caramba, o que é isto? – perguntou Adam.

– Um jeito de passar o tempo. – Rinsky se recostou na cadeira, tirando os óculos. – Um hobby.

– Navegando na internet?

– Não exatamente – respondeu o velho, e apontou para a parede de cortiça às suas costas. – Está vendo aquela foto ali?

A foto mostrava uma garota de olhos fechados que não parecia ter mais de 20 anos.

– Está morta? – perguntou ele.

– Desde 1984. O corpo foi encontrado em Madison, Wisconsin.

– Uma estudante?

– Duvido muito – disse Rinsky. – Uma estudante seria fácil de identificar. Esta aí nunca foi.

– Uma anônima?

– Isso. Eu e uns camaradas ficamos conversando on-line, trocando informações e tentando resolver o problema juntos.

– Casos antigos que não foram solucionados?

– A gente tenta, né? – respondeu ele, dando um falso sorriso de modéstia. – Como eu disse, é só um hobby. Pra ocupar a cabeça de um velho aposentado.

– Nesse caso... posso perguntar uma coisinha?

– Claro.

– Tem uma testemunha que eu estou precisando contatar. Sou daqueles que fazem questão de falar frente a frente com as pessoas.

– É sempre melhor – concordou Rinsky.

– Pois é, mas não sei se ela está em casa ou não, e não quero alertá-la nem pedir que ela venha ao meu encontro.

– Quer pegá-la de surpresa, certo?

– Certo.

– Qual é o nome dela?

– Suzanne Hope – falou Adam.

– Você tem o número de telefone?

– Tenho. O Andy descobriu pra mim na internet.

– Ok. Ela mora longe?

– A uns vinte minutos daqui.

– Então me dê o número – disse Rinsky, estendendo a mão e remexendo os dedos. – Vou lhe mostrar um velho truque dos policiais que poderá ser útil pra você no futuro. Mas agradeço se ele ficar entre nós.

Adam passou-lhe o número. Rinsky recolocou os óculos, tirou do gancho o telefone fixo (um daqueles aparelhos pretos que Adam não via desde a infância) e discou.

– Fique tranquilo – disse ele, enquanto a ligação completava. – Esse aparelho bloqueia a identificação de chamadas.

Segundos depois uma mulher atendeu:

– Alô?

– Suzanne Hope?

– Quem está falando?

– Aqui é da Acme, um serviço de limpeza de chaminés...

– Não estou interessada. Tirem meu número da lista.

Clique.

Rinsky encolheu os ombros e sorriu.

– Ela está em casa.

capítulo 23

ADAM LEVOU EXATAMENTE VINTE minutos para chegar. O prédio era bastante modesto, com fachadas de tijolo aparente e apartamentos que davam para um jardim malcuidado, desses em que geralmente moram jovens casais ainda guardando dinheiro para comprar sua primeira casa ou pais divorciados sem muita grana e/ou querendo morar perto dos filhos. Adam encontrou o apartamento 9B e bateu à porta.

– Quem é? – perguntou uma voz feminina.

Ela não abriu a porta.

– Suzanne Hope?

– O que você quer?

Adam não previra isso. Por algum estranho motivo imaginara que ela o convidaria para entrar e ele explicaria seus motivos para estar ali, embora ainda não soubesse ao certo que motivos seriam esses. Suzanne Hope era mais ou menos um tiro no escuro, um vínculo bastante tênue com aquilo que levara Corinne a fugir. Ele teria de proceder com cuidado se quisesse descobrir alguma coisa.

– Meu nome é Adam Price. Sou marido da Corinne.

Suzanne não respondeu. Adam insistiu:

– Lembra dela? Da Corinne?

– Ela não está aqui – informou a voz que ele imaginava pertencer a Suzanne Hope.

– Não pensei que estivesse – disse Adam.

No entanto, talvez ele viesse acalentando a esperança, por mais inconsciente que fosse, de que a mulher realmente pudesse estar ali.

– O que você quer?

– Podemos conversar um minuto?

– Sobre o quê?

– Sobre Corinne.

– Isso não é da minha conta.

Ficar berrando para uma porta era constrangedor para os dois, mas estava claro que Suzanne Hope ainda não se sentia segura o bastante para abri-la. Adam não queria correr o risco de forçar a barra e perder a chance de falar com a mulher.

– O que não é da sua conta?

– Você, Corinne e seja lá qual for o problema de vocês.

– O que faz você pensar que temos algum problema?

– Que outro motivo você teria pra estar aqui?

Boa pergunta. Ponto para ela.

– Por acaso você sabe onde Corinne está?

Mais adiante na rua, um carteiro olhava desconfiado para Adam. Nada mais natural. Com certeza já tinha visto muitos casais divorciados discutindo a relação através de uma porta fechada. Adam acenou com a cabeça na esperança de convencê-lo de que não se tratava de um barraco entre ex-marido e ex-mulher. Aparentemente não obteve muito sucesso.

– Por que eu saberia onde ela está? – devolveu a suposta Suzanne.

– Corinne sumiu – disse Adam. – Estou tentando encontrá-la.

Seguiu-se um demorado silêncio. Adam recuou dois passos e manteve as mãos plantadas na cintura, procurando mostrar-se o mais inofensivo possível. Dali a pouco uma fresta se abriu na porta. A corrente de segurança ainda estava presa, mas agora ele podia ver pelo menos um fio do rosto de Suzanne. Ainda tinha a esperança de poder entrar, sentar-se diante dela, conversar com ela, desarmá-la, envolvê-la, enfim, fazer o que fosse preciso para soltar a língua da mulher. Mas se a corrente a deixava mais segura, paciência.

– Quando foi a última vez que você viu minha esposa? – perguntou ele.

– Muito tempo atrás.

– Quanto?

Adam viu os olhos dela se moverem para a direita. Não acreditava muito na história segundo a qual podemos dizer se alguém está mentido pelo movimento dos olhos, mas sabia que, quando os olhos se deslocam para o alto e para a direita, isso geralmente indica que a pessoa está tentando *se lembrar* de algo, e quando se deslocam para a esquerda, isso significa que a pessoa está *inventando* alguma coisa. Naturalmente, como é o caso de todas as generalizações, não era possível dar muito crédito a nada disso. Afinal, quando uma pessoa está construindo algo, isso não quer dizer necessariamente que esteja mentindo. Se pedirmos a alguém para imaginar um cachorro verde, por exemplo, isso levará a uma construção visual que nada tem a ver com mentiras.

De qualquer modo, Adam não pensava que Suzanne estivesse mentindo.

– Uns dois ou três anos atrás – respondeu ela.

– Onde?

– Numa Starbucks.

– Então vocês não se veem desde...

– Desde que ela descobriu que eu estava mentindo sobre a gravidez. – Suzanne terminou por ele. – Exatamente.

Essa não era a resposta pela qual Adam vinha esperando.

– Nem um telefonema?

– Nem telefonema, nem e-mail, nem carta, nem nada. Sinto muito, mas não posso ajudá-lo.

O carteiro seguia com seu trabalho, ainda espiando Adam pelo canto dos olhos enquanto distribuía os envelopes.

– Corinne fez o mesmo que você, sabia disso?

– Do que está falando?

– Você sabe.

Através da fresta ele pôde ver Suzanne meneando a cabeça.

– Realmente ela me fez um monte de perguntas.

– Que tipo de perguntas?

– Onde eu tinha comprado a barriga de silicone, como eu tinha conseguido os ultrassons, coisas assim.

– Foi aí que você a mandou entrar no Barriga Falsa, não foi?

Suzanne apoiou a mão esquerda no batente da porta.

– Não "mandei" ela fazer nada – disse, agora com uma ponta de rispidez.

– Desculpe, não foi isso que eu quis dizer.

– Corinne me cobriu de perguntas e eu respondi, só isso. Mas... é verdade, cheguei a estranhar a curiosidade dela. Era como se fôssemos *farinha do mesmo saco.*

– Não entendi.

– Fiquei esperando que ela me julgasse pelo que eu tinha feito. A maioria das pessoas faria isso, não é? Acho até compreensível. Uma esquisitona feito eu, fingindo que estava grávida... Mas foi como se fôssemos irmãs, sabe? Corinne me compreendeu na mesma hora.

"Que lindo", pensou Adam, mas guardou para si o sarcasmo.

– Com o perdão da ousadia... – começou ele, meio que pisando em ovos – até que ponto você mentiu para a minha esposa?

– Como assim?

– Pra início de conversa – disse Adam, e apontou para a mão que Suzanne apoiava na porta –, não estou vendo nenhuma aliança no seu dedo.

– Uau, parabéns Sherlock.

– Afinal, você já foi casada um dia?

– Fui.

Adam não pôde deixar de notar a amargura com que ela havia respondido. Por um instante receou que a mulher batesse a porta na cara dele.

– Desculpe – disse ele. – Eu não queria...

– A culpa era dele.

– Culpa? Culpa do quê?

– A gente não podia ter filhos. Era de se esperar que Harold compensasse isso sendo um marido melhor. Afinal o problema era com ele. Ele tinha baixa contagem de esperma. Maus nadadores. Balas de festim. A culpa era dele, mas ao mesmo tempo não era, entende?

– Entendo – disse Adam. – Então quer dizer que você nunca chegou a engravidar?

– Nunca – confessou Suzanne, visivelmente emocionada.

– Você falou pra Corinne que tinha sofrido um aborto.

– Pensei que dizendo isso ela entenderia melhor o que eu tinha feito. Ou que pelo menos tivesse um pouco mais de compaixão. Mas eu queria tanto ter um filho que de repente a culpa até foi minha. O Harold percebia o que estava rolando. Talvez por isso tenha ficado assim, tão distante, tão frio. Ou talvez nunca tenha me amado de verdade, sei lá. Só sei que eu sempre quis ter filhos. Desde menina. Queria uma família grande... Minha irmã Sarah, que sempre falou que não queria filhos, hoje tem três. Nunca vou me esquecer de como ela ficava feliz durante a gravidez, de como brilhava. Acho que eu queria saber como era isso, entende? Sarah costumava dizer que a gravidez a fazia se sentir uma pessoa importante. Sempre tinha alguém pra perguntar pra quando era o bebê, pra desejar sorte, essas coisas. Daí um dia... fiz o que fiz.

– Inventou uma gravidez.

Suzanne fez que sim com a cabeça.

– Só como um teatrinho, só pra ver como era. A Sarah tinha toda razão. As pessoas abriam a porta pra mim. Ofereciam-se pra carregar minhas sacolas de mercado. Cediam o assento no ônibus. Perguntavam como eu estava passando e pareciam realmente interessadas na resposta. Tem gente que se vicia em drogas, não tem? Alguma coisa a ver com a liberação de dopamina, pelo que li. Pois é. Comigo foi a mesma coisa. Toda essa atenção das pessoas tinha o efeito de uma droga sobre mim. Eu podia sentir a dopamina correndo nas minhas veias.

– Você ainda faz isso? – perguntou Adam, mesmo sem saber ao certo se via nisso alguma importância.

Suzanne Hope havia conduzido Corinne até o tal site, disso ele já sabia. O mais provável era que não houvesse mais nada que pudesse ser extraído daquela conversa.

– Não – disse Suzanne. – Como a maioria dos drogados, parei quando cheguei ao fundo do poço.

– Você se incomodaria de dizer quando foi isso?

– Uns quatro meses atrás. Quando Harold descobriu tudo e me jogou fora como se eu fosse um lenço usado.

– Sinto muito – falou Adam.

– Não precisa. Foi até melhor assim. Agora estou fazendo terapia. Entendi que o problema era comigo. Era uma doença minha e de mais ninguém. E sei também que o Harold não me amava... talvez nunca tenha amado. De repente ficou ressentido depois de saber que não podia ter filhos. Isso é comum de acontecer com os homens estéreis: eles ficam inseguros com a própria masculinidade. Pode ter sido isso, sei lá. Seja como for, comecei a buscar carinho e atenção fora de casa. Meu casamento já não valia mais nada.

– Sinto muito – repetiu Adam.

– Deixe pra lá. Não foi pra isso que você veio aqui. Quer saber? Ainda bem que não paguei aquele dinheiro. Talvez aquele cara ter contado tudo pro Harold tenha sido a melhor coisa que me aconteceu.

Um calafrio brotou no estômago de Adam e percorreu todo o seu corpo. Sua voz parecia estar vindo de longe, de outro lugar, quando ele disse:

– Que cara?

– O quê?

– Você acabou de dizer que um cara contou tudo pro Harold.

– Ah, meu Deus... – Suzanne Hope finalmente abriu a porta e olhou para ele, angustiada. – Ele também procurou você.

capítulo 24

ADAM SENTOU-SE NO SOFÁ com Suzanne à sua frente. O apartamento dela era todo branco, com paredes e móveis brancos, mas ainda assim parecia escuro e deprimente. Apesar das janelas, o imóvel possuía pouca luminosidade. Embora não se vissem manchas nem poeira, o lugar parecia sujo. Os quadros eram genéricos demais até mesmo para um quarto de hotel.

– Foi assim que você ficou sabendo da falsa gravidez? – perguntou ela. – Aquele homem também procurou você?

Suzanne Hope estava com os cabelos presos no alto da cabeça com um prendedor mantendo no lugar o que ainda sobrava de um coque. Uma infinidade de pulseiras adornava o braço direito à maneira das ciganas, tilintando sempre que ela se mexia. Os olhos grandes e largos piscavam muito; na juventude, deviam ser olhos de uma moça vivaz e atenta ao mundo, mas agora eram os de uma mulher que esperava um golpe a qualquer momento.

Ainda sentindo calafrios, Adam se inclinou para a frente e disse:

– Você falou que não pagou o dinheiro.

– Certo.

– Me conte direito o que aconteceu.

Suzanne se levantou, dizendo:

– Quer tomar um vinho?

– Não, obrigado.

– É, provavelmente eu não deveria beber também.

– O que aconteceu, Suzanne? – insistiu Adam, e viu a mulher lançar um olhar na direção da cozinha.

Lembrou-se então de uma velha regra dos interrogatórios, senão da vida: o álcool reduz as inibições, solta a língua das pessoas. E por mais que os cientistas negassem, ele acreditava que o álcool também tinha o efeito de um soro da verdade. Portanto, se ele aceitasse a oferta de Suzanne, provavelmente teria mais facilidade para fazê-la falar.

– Talvez só uma tacinha.

– Tinto ou branco?

– Tanto faz.

Suzanne saiu saltitando na direção da cozinha com uma alegria que não condizia com a tristeza geral do lugar. Abrindo a geladeira, ela disse:

– Trabalho meio expediente como caixa da Kohl's. Gosto de lá. Ganho descontos como funcionária e as pessoas são legais. – Tirou duas taças do armário e começou a servi-las. – Aí um dia saí pra almoçar numa das mesas de piquenique que tem atrás da loja. Um cara com boné de beisebol estava esperando por mim.

Boné de beisebol. Adam engoliu em seco.

– Como ele era? – perguntou.

– Jovem, branquelo, magrinho. Meio nerd. Sei que parece estranho, sobretudo levando em conta o que aconteceu depois, mas ele tinha um jeitinho assim... gentil, sabe? Parecia um amigo. Tinha um sorriso que de início me tranquilizou.

Suzanne foi servindo o vinho nas taças.

– O que aconteceu depois? – perguntou Adam.

– Daí então, do nada, ele perguntou se meu marido sabia. Levei um susto, claro, fiquei sem saber o que dizer, daí ele repetiu: "Seu marido sabe que você fingiu a gravidez?"

Suzanne ergueu uma das taças e deu um gole demorado. Adam se levantou e foi ao encontro dela. Recebeu a taça oferecida, fez o brinde esperado e pediu que Suzanne proseguisse.

– Ele perguntou se o Harold sabia da minha mentira. Perguntei quem ele era, mas o estranho não disse. Falou apenas que era um desconhecido que revelava a verdade, alguma maluquice assim. Falou que podia provar que eu estava me fingindo de grávida. Primeiro perguntei se ele tinha me visto na Bookends ou na Starbucks, como a Corinne. Mas eu nunca tinha visto aquele cara antes e... Sei lá, alguma coisa no seu modo de falar... Uma coisa não batia com a outra.

Suzanne bebeu mais um gole do vinho. Adam também. Tinha gosto de peixe, ele pensou.

– Daí ele disse que queria cinco mil dólares. Que se eu pagasse e parasse de fingir que estava grávida, ele sumiria pra sempre. Mas que se eu continuasse com a farsa... Foi essa a palavra que ele usou: *farsa*... Daí ele contaria tudo pro meu marido. Também prometeu que nunca mais voltaria a pedir dinheiro.

– E o quê você disse?

– Primeiro perguntei como eu podia confiar nele. Se pagasse os cinco mil dólares, como poderia ter certeza de que não apareceria depois querendo mais?

– E o que ele respondeu?

– Deu um sorrisinho e falou: "Não é isso que a gente faz, esse não é o nosso *modus operandi*." Sabe o que é mais estranho? Eu acreditei no cara. Talvez por causa do sorriso, sei lá. Mas tive a nítida impressão de que ele estava sendo sincero.

– Mas não deu o dinheiro, não é?

– Como você sabe disso? Ah, eu mesma contei, não foi? Engraçado. Primeiro fiquei pensando: como é que eu vou fazer pra arrumar uma grana dessas? Mas depois, quando parei pra pensar melhor, falei: O que foi que eu fiz de tão errado assim? Menti para um monte de desconhecidos, só isso. Não fingi nada pro Harold, certo?

Apesar do gosto de peixe, Adam deu mais um gole no vinho.

– Certo.

– Sei lá. De repente o que eu queria era ver se o cara estava blefando ou não. Talvez não estivesse nem aí pra ele. Ou talvez... talvez, no fundo, eu quisesse mesmo que ele contasse pro Harold. A verdade liberta, não é isso que as pessoas dizem? Talvez fosse isto que eu buscava inconscientemente desde o início: que o Harold entendesse minha atitude como um pedido de socorro e passasse a me dar mais atenção.

– Mas não foi o que aconteceu – completou Adam.

– Nem de longe – disse Suzanne. – Não sei como nem quando o cara falou com Harold. Mas falou. Passou pra ele o link do site, para que ele pudesse ver tudo que eu tinha comprado on-line. O Harold ficou puto. Achei que isso fosse abrir os olhos dele pro que estava acontecendo comigo, pro meu sofrimento, mas o que aconteceu foi justamente o contrário. Ele ficou mais inseguro ainda quanto à virilidade dele, essa bobagem toda de ser um homem de verdade, etc., etc. É complicado, sabe? Os homens acham que a obrigação deles é espalhar a semente da vida, e quando essa semente não é boa... eles piram. Seu orgulho de macho é ferido. Uma grande bobagem.

Suzanne deu mais um gole e, fitando Adam diretamente nos olhos, disse:

– Mas fiquei surpresa com uma coisa.

– Que coisa?

– Que Corinne tenha feito a mesma escolha. O mais natural seria que ela tivesse dado o dinheiro para ele.

– Por que você acha isso?

Suzanne encolheu os ombros.

– Porque ela amava você. Tinha muita coisa a perder.

capítulo 25

SERIA TÃO SIMPLES ASSIM?

Seria possível que tudo não passasse de um golpe de chantagem que havia desandado? O estranho tinha procurado Suzanne e exigido dinheiro em troca do seu silêncio. Ela se recusara a pagar. Em seguida ele contara para o marido dela sobre a falsa gravidez.

Será que isso acontecera com Corinne também?

Por um lado, fazia todo sentido. Suzanne e Harold Hope haviam sido chantageados. Por que isso não poderia acontecer com ele e Corinne? Era assim funcionavam as chantagens: o sujeito pedia dinheiro, não recebia, então contava tudo o que sabia. No entanto, quanto mais Adam refletia sobre o que acabara de ouvir, mais tinha a sensação de que algo não batia. Não sabia dizer exatamente o quê. Por algum motivo, alguma coisa não cheirava bem naquela tese mais óbvia da chantagem.

Corinne era uma mulher inteligente. Preocupava-se com as coisas, planejava-se para enfrentá-las. Se tivesse sido chantageada pelo estranho e decidido não pagar o que ele estava pedindo, ela teria se preparado para o que viria depois. No entanto, ao ser confrontada sobre a falsa gravidez, ficara atrapalhada, sem saber o que dizer. Simplesmente tentara ganhar tempo. Não restava a menor dúvida de que fora pega de surpresa.

Por quê? Pressupondo-se que havia mesmo ocorrido uma chantagem, o mínimo que ela poderia esperar era que o chantagista cumprisse com sua palavra caso não recebesse o dinheiro, certo?

Além disso, ela havia fugido! Isso não fazia o menor sentido. De uma hora para outra Corinne caíra na estrada sem ao menos avisar o marido, à escola e, o mais inacreditável, sem falar com os próprios filhos.

Isso não era do seu feitio.

Tinha algo a mais acontecendo ali.

Adam tentou recordar a noite em que fora abordado pelo estranho no bar do American Legion Hall. Lembrou-se da loura que estava com o sujeito no carro. Lembrou-se também do modo tranquilo e solícito com que ele falara. O cara não parecera exatamente feliz ao revelar o segredo de Corinne, tampouco dera sinais de que era algum psicopata, mas também não tinha a pinta de um respeitável homem de negócios.

Eram essas as perguntas que Adam se fazia enquanto voltava para casa. Pela milésima vez conferiu o aplicativo de GPS na esperança de que Corinne já tivesse recarregado a bateria após a passagem por Pittsburgh. Novamente cogitou se aquele era o destino final da mulher ou apenas uma cidade de passagem. Quase podia apostar na segunda hipótese. E também podia apostar que em algum ponto do caminho ela se lembrou de que poderia ser localizada pelo aplicativo; nesse caso, ou teria desligado o telefone ou encontrado um meio de desativar o GPS.

Mas se Corinne havia simplesmente passado por Pittsburgh, para onde teria ido depois?

Adam não fazia a menor ideia. Sabia, no entanto, que algo estava *muito* errado. O mais esquisito naquilo tudo era o fato de Corinne ter pedido que ele se mantivesse afastado. O que ele deveria fazer? Obedecer à vontade dela? Cruzar os braços e ver onde aquilo ia dar? Ou o risco era grande demais? Deveria chamar a polícia, afinal?

Adam não sabia dizer para que lado do muro devia pular, pois ambos tinham os seus problemas, e... Um segundo depois, essa questão não tinha mais a menor relevância: quando dobrou a esquina de casa, três homens esperavam na calçada junto ao meio-fio. Cal Gottesman, que empurrava os óculos nariz para cima, Tripp Evans e Bob Baime.

Mas que p...?

Por um instante, não mais que uma fração de segundo, Adam imaginou o pior: algo de muito horrível acontecera a Corinne. Mas não, nesse caso não seriam aqueles três que viriam lhe dar a notícia. Seria Len Gilman, o delegado local, que também tinha dois filhos nas equipes de lacrosse.

Como se alguém tivesse lido seus pensamentos, um carro de patrulha do Distrito Policial de Cedarfield despontou na rua nesse mesmo instante e parou ao lado dos três homens na calçada. Len Gilman estava ao volante.

Adam sentiu um frio na espinha.

Rapidamente estacionou e saltou para a rua. As pernas pareciam feitas de borracha. Com o coração retumbando no peito, disparou ao encontro do delegado, que a essa altura também já havia descido do carro. Os quatro homens o fitaram com seriedade.

– Precisamos conversar – disse Len Gilman.

capítulo 26

JOHANNA GRIFFIN, A CHEFE de polícia da cidade de Beachwood, Ohio, jamais havia posto os pés numa cena de crime. Vira sua quota de cadáveres, claro. Muitas pessoas chamavam a polícia quando alguém morria de causas naturais. O mesmo no caso dos suicídios e das overdoses. Portanto, Johanna conhecia a morte de perto, inclusive em algumas das suas modalidades mais terríveis. Ao longo dos anos vira muitos acidentes de carro horrorosos. Dois meses antes, por exemplo, um caminhão havia atravessado a pista na contramão e batido de frente com um Ford Fiesta, decapitando o motorista do carro e esmagando o crânio da mulher a seu lado como um copinho de isopor.

O que desconcertava Johanna não era o sangue, nem o horror dos acidentes, nem mesmo a morte em si. O que a deixava desconcertada eram os assassinatos.

Até mesmo a palavra era desconcertante: *assassinato*. Bastava dizê-la em voz alta para que ela sentisse arrepios. Nada se comparava a isso. Uma coisa era perder a vida para uma doença ou um acidente. Outra bem diferente era tê-la intencionalmente ceifada por outro ser humano. Matar uma pessoa era mais do que um crime. Era uma obscenidade. Era brincar de Deus da maneira menos divina possível.

No entanto, até mesmo com isso Johanna seria capaz de conviver.

Quando viu o cadáver, ela procurou manter a respiração estável, mas não conseguiu. Arfava visivelmente quando baixou os olhos para o corpo de Heidi Dann, que parecia fitá-la de volta com os olhos petrificados. Uma primeira bala havia aberto um buraco na testa da boa senhora. Uma segunda (ou teria sido o contrário?) destruíra a patela de um dos joelhos. O sangue empapava o tapete persa que Heidi comprara por uma ninharia das mãos de um sujeito chamado Ravi, que os vendia na carroceria de sua caminhonete no estacionamento do supermercado. Mais de uma vez Johanna se vira obrigada a afugentar o ambulante, mas Ravi, que presenteava sua clientela com ótimas ofertas e um simpático sorriso, sempre acabava voltando.

Norbert Pendergrast, o novato que agora ocupava o posto de seu assistente, fazia o possível para disfarçar o próprio entusiasmo. Postando-se ao lado de Johanna, ele disse:

– A polícia do condado já deve estar chegando. Vão tirar este caso da gente, não vão?

Sim, era exatamente o que eles fariam. Johanna já esperava por isso. Naquela área, a polícia local se incumbia basicamente das infrações de trânsito, das habilitações e, vez ou outra, de algum desentendimento familiar. Crimes maiores, como os homicídios, eram investigados pela polícia do condado. Portanto não demoraria muito para que os figurões chegassem com seus cassetetes em punho para tirá-la de campo e deixar bem claro quem estava no comando. Não que fosse o caso de fazer disso um drama, mas poxa, aquela era a *sua* cidade. Johanna havia crescido ali. Conhecia aquele lugar pelo avesso. E conhecia as pessoas. Sabia, por exemplo, que Heidi Dann gostava de dançar, era uma exímia jogadora de bridge e tinha uma risada solta, contagiante. Sabia que Heidi gostava de pintar as unhas com cores bizarras, que os seus programas de televisão favoritos eram *Mary Tyler Moore* e *Breaking Bad* e que ela havia pagado quatrocentos dólares pelo tapete no qual agora jazia morta e ensanguentada.

– Norbert?

– Diga.

– Onde está o Marty? – perguntou Johanna.

– Quem?

– O marido.

Norbert apontou para a cozinha às suas costas.

Johanna puxou a calça para cima (não importava o que ela fizesse, as calças do uniforme policial nunca tinham o caimento que deviam ter) e só então passou da sala à cozinha. Marty ergueu o rosto imediatamente, como se fosse uma marionete obedecendo às cordas de um titereiro.

– Johanna?

– Sinto muito, Marty – disse ela, com a voz oca de um fantasma.

– Não estou conseguindo entender...

– Melhor irmos devagar, um passo de cada vez. – Johanna puxou a cadeira à frente dele, a que pertencia a Heidi, e se sentou. – Preciso fazer umas perguntas, tudo bem?

Marty passaria um bom tempo encabeçando a lista de suspeitos. Ele não havia matado ninguém. Johanna sabia disso, mas seria inútil tentar explicar, porque, na verdade... ela sabia porque sabia e ponto final. Os policiais do condado dariam muitas risadas dizendo que o posto de principais responsáveis nesses casos são os maridos. Por ela, tudo bem. Afinal, quem poderia dizer? Talvez eles estivessem certos (não estavam), mas fosse como fosse, esse era o rumo que a investigação deles tomaria. Ela tentaria outros caminhos.

Marty meneou a cabeça feito um zumbi, dizendo:

– Vai, pergunta.

– Quer dizer então que você simplesmente chegou em casa e...

– Isso. Eu estava numa convenção em Columbus.

Não havia nenhuma necessidade de averiguar a informação. Os outros cuidariam disso.

– E depois, o que aconteceu?

– Estacionei o carro lá fora, abri a porta e chamei pela Heidi... Sabia que ela estava em casa porque o carro dela também estava. – A voz do homem parecia vir de muito longe. – Entrei no escritório e... – O rosto dele se retorceu num esgar que não parecia humano.

Fossem outras as circunstâncias, Johanna daria a ele o tempo necessário para digerir sua dor, mas os imbecis do condado chegariam dali a pouco.

– Marty?

Ele procurou se recompor.

– Você deu pela falta de alguma coisa?

– O quê, por exemplo?

– Alguma coisa foi roubada da casa?

– Acho que não. Pelo menos não reparei. Pra falar a verdade, nem olhei.

Johanna sabia que dificilmente se tratava de um caso de latrocínio, de roubo seguido de morte. Para início de conversa, os objetos da casa não tinham muito valor. Além disso, o anel de noivado, um anel de brilhante que fora herança da avó de Heidi – a coisa mais preciosa que ela possuía – ainda estava lá, no dedo da morta. Um ladrão certamente teria levado o anel.

– Marty?

– Sim?

– Quem é a primeira pessoa que vem à sua cabeça?

– Não entendi.

– Quem você acha que fez isso?

Marty refletiu um instante. Repetiu a careta de antes, depois disse:

– Você conhece a minha Heidi, Johanna. – "Conhece." Ele ainda estava usando o tempo presente. – Quem poderia querer mal a uma pessoa como ela?

– Pense, Marty.

– Já pensei! – disse Marty, depois deixou escapar um grunhido de desespero. – Santo Deus... Eu preciso avisar a Kimberly e os meninos. Como é que um pai dá uma notícia dessas para os filhos?

– Posso ajudar, se você quiser.

Marty se agarrou àquela oferta como a um bote salva-vidas.

– Você faria isso por mim?

O homem era um bom sujeito, pensou Johanna, mas nem de longe havia sido bom o bastante para alguém como Heidi. Ela era especial. Era o tipo de pessoa que fazia todos à sua volta se sentirem especiais também. Um anjo.

– Os meninos adoram você – prosseguiu Marty. – A Heidi também adorava. Ia querer que fosse você.

Com os olhos fixos na folha em branco do bloco de anotações à sua frente, Johanna perguntou:

– Aconteceu alguma coisa diferente nos últimos dias?

– Tipo... alguma coisa parecida com isso?

– Qualquer coisa. Heidi não recebeu nenhum telefonema estranho? Não discutiu com alguém na rua? Não xingou alguém no trânsito? Não chamou a atenção de alguém que furou uma fila? Qualquer coisa nesse sentido.

Marty lentamente balançou a cabeça.

– Vamos, Marty, pense.

– Nada – disse ele, e ergueu a cabeça, consternado. – Infelizmente nada.

– O que está acontecendo aqui? – disse alguém à porta da cozinha.

Na mesma hora Johanna se deu conta de que seu tempo havia chegado ao fim. Levantou-se e foi ao encontro dos dois oficiais da polícia do condado. Encarando-a como alguém que estava ali para roubar a prataria da casa, um deles foi logo dizendo que assumiria o caso dali em diante.

Johanna se despediu e saiu. Não tinha nenhuma objeção. Pelo contrário, sabia que os homens do condado eram mais experientes, e queria justiça para Heidi. Eles que fizessem o que tinham de fazer. Mas ela também faria o que tinha de fazer, quanto a isso não havia a menor dúvida.

Ai de quem viesse lhe dizer o contrário.

capítulo 27

– SEUS FILHOS ESTÃO EM CASA? – perguntou Len Gilman.

Adam fez que não com a cabeça. Fisicamente, Len Gilman não parecia um policial, mas seus modos rudes faziam jus ao estereótipo. Para Adam, o cara lembrava um daqueles motoqueiros de gangue que ainda usavam roupas de couro e se reuniam em bares de beira de estrada. Os bigodes brancos tinham o formato de um guidom com manchas de nicotina nas pontas. As camisas eram quase sempre de mangas curtas, mesmo as de uniforme, e os braços eram peludos o bastante para serem confundidos com os de um urso.

Por um instante ninguém se mexeu. Eram apenas cinco homens da cidade reunidos na rua numa noite de quinta-feira. Mas aquilo não fazia sentido nenhum – e talvez fosse melhor assim, pensou Adam.

Se Len Gilman estivesse ali como policial para dar uma notícia trágica qualquer, por que teria trazido Tripp, Gaston e Cal junto?

– Acho melhor a gente conversar lá dentro – disse ele.

– Conversar sobre o quê? – perguntou Adam.

– Melhor falarmos com mais privacidade.

Adam ficou tentado a dizer que havia privacidade suficiente naquela calçada onde ninguém podia ouvi-los, mas Len já ia caminhando na direção da casa, e no fundo Adam não queria mais postergar aquela conversa. Os outros três ficaram esperando para ver o que ele faria. Gaston baixava os olhos para o gramado à sua frente. Cal parecia agitado, mas esse era o seu jeito de sempre. Tripp fazia cara de paisagem.

Adam foi atrás de Len e os outros o seguiram. À porta, Len abriu espaço para que Adam pudesse destrancá-la. Jersey, a cadela, veio correndo ao encontro deles, arranhando as tábuas corridas do piso com as unhas afiadas, mas talvez porque intuísse algo, recepcionou os visitantes de maneira breve e morna, depois voltou para seu canto na cozinha. Adam não se deu ao trabalho de cumprir com as formalidades. Não convidou ninguém a sentar nem ofereceu bebidas. Por iniciativa própria, Len Gilman avançou pela sala como se fosse o dono do lugar ou apenas como um policial seguro da própria autoridade.

– O que está acontecendo? – perguntou Adam.

Len falou em nome do grupo:

– Onde está a Corinne?

Dois sentimentos acometeram Adam ao mesmo tempo. Em primeiro lugar, alívio. Se algo de ruim tivesse acontecido a Corinne, Len saberia. Portanto, fosse lá o que estivesse acontecendo, ainda que fosse algum problema bem complicado, não se tratava da pior das hipóteses. Em segundo lugar, apreensão. Corinne provavelmente estava bem. Então, pela intempestividade daquela visita coletiva e pelo tom de voz de Len, tudo levava a crer que o problema era mesmo complicado.

– Corinne não está em casa – respondeu ele.

– É, a gente está vendo. Você se incomoda de nos dizer onde ela está? – Len Gilman mantinha os olhos fixos em Adam. Os outros, mudos, estavam visivelmente incomodados. – Por que a gente não senta?

Adam precisou se segurar para não dizer que naquela casa era ele quem convidava os outros a sentar. Preferiu ver o desenrolar da situação, achando que isso seria mais produtivo. Len exalou um suspiro e se sentou na poltrona geralmente reservada ao dono da casa. Tratava-se claramente de uma demonstração de poder. De novo, Adam preferiu não esquentar a cabeça. Os outros três se acomodaram no sofá feito os macacos sábios que tapam os olhos, os ouvidos e a boca. Adam permaneceu de pé.

– Afinal, que porra está acontecendo? – perguntou ele mais uma vez.

Alisando os bigodes como se eles fossem um bichinho de estimação, Len disse:

– Antes de qualquer outra coisa quero deixar bem claro que estou aqui como amigo e vizinho, não como chefe de polícia.

– Fico feliz em saber.

Len ignorou o sarcasmo.

– Portanto, é como amigo e vizinho que vou dizer: estamos procurando Corinne.

– E é como amigo e vizinho, mas sobretudo como um marido preocupado, que eu pergunto: por quê?

Len Gilman assentiu com a cabeça, procurando ganhar tempo, tentando encontrar a melhor maneira de conduzir a conversa.

– Sei que Tripp passou por aqui ontem à noite.

– Sim, passou.

– Contou que tivemos uma reunião do conselho de lacrosse – afirmou Len.

Ele estava tirando da manga aquela velha cartada dos policiais que se calavam na esperança de que o interrogado dissesse algo revelador. Adam conhecia o truque desde os seus velhos tempos de defensoria pública. Sabia, portanto, que aqueles que permaneciam mudos na tentativa de vencer o policial pelo cansaço geralmente estavam escondendo algo. Ele não tinha nada a esconder. E queria acabar logo com aquilo. Então disse:

– Sim, contou.

– Corinne faltou à reunião. Simplesmente não apareceu.

– E daí? Ela agora precisa de uma justificativa por escrito dos responsáveis pra faltar a uma reunião?

– Sem piadinhas, Adam, por favor.

Len tinha razão. Ele precisava se controlar.

– Você também faz parte do conselho, Len? – perguntou Adam.

– Sou um membro geral.

– Isto significa...?

Len sorriu e encolheu os ombros.

– Não faço a menor ideia! Tripp é o presidente. Bob é o vice. E Cal é o secretário.

– Eu sei, eu sei, e puxa... estou muito impressionado – disse Adam, e novamente censurou a si mesmo pelo tom de escárnio. Não era hora para isso. – Mas até agora não sei por que todos vocês estão atrás da Corinne.

– E nós não sabemos por que não conseguimos falar com ela – devolveu Len, espalmando as grandes mãos. – É um mistério, não é? Já mandamos e-mails, já ligamos para o celular dela, já ligamos pra cá... Até me dei ao trabalho de passar na escola em que ela trabalha, sabia disso?

Adam engoliu a resposta que queria dar.

– Corinne não estava lá – prosseguiu Len. – Não apareceu para trabalhar, e sem nenhuma justificativa dos responsáveis. Então fui falar com o Tom. – Tom Gorman era o diretor da escola. Ele morava na cidade e tinha três filhos. – Ele disse que o índice de assiduidade da Corinne é melhor do que o de qualquer outro professor do município. Também estava preocupado com o sumiço dela.

– Len?

– Sim?

– Será que você pode parar de encher linguiça e dizer logo por que vocês estão tão aflitos pra encontrar minha mulher?

Len olhou para os três macacos no sofá. O rosto de Bob era uma escultura na rocha. Cal se ocupava com a limpeza dos óculos. Portanto só restava Tripp Evans. Ele limpou a garganta, depois disse:

– É que... encontramos algumas irregularidades nas finanças do lacrosse.

Buuum!

Ou talvez tenha sido o contrário disso. O silêncio na casa ficou ainda maior. Adam podia ouvir o próprio coração martelando no peito. Encontrou uma cadeira atrás de si e lentamente sentou nela.

– Do que vocês estão falando? – perguntou, embora já tivesse uma boa ideia do que havia acontecido.

Agora foi Bob quem tomou a palavra.

– Do que você acha que estamos falando? – ele meio que cuspiu. – Houve um desfalque na nossa conta.

Cal meneou a cabeça, mas apenas para ter algo que fazer.

– Por favor, senhores, não vamos colocar o carro na frente dos bois – interveio Len, bancando o Sr. Sensato. – Por enquanto queremos apenas falar com a Corinne. Como eu disse antes, Adam, estou aqui como amigo e vizinho, e talvez como membro do conselho também. É por isso que estamos todos aqui. Somos amigos da Corinne. E seu também. Queremos manter essa história só entre nós.

A macacada sinalizou em concordância.

– O que exatamente você está querendo dizer? – perguntou Adam.

Len se inclinou para a frente como se fosse confidenciar algo aos parceiros de um conluio.

– O que estou querendo dizer – respondeu ele – é que se os nossos livros forem regularizados, a coisa morre entre nós. Assunto encerrado. Nenhuma pergunta será feita. Se o desfalque desaparecer, ou seja, se a contabilidade fechar de novo, bem... pouco importa os comos e porquês. Vida que segue.

Adam novamente emudeceu. Empresas e corporações eram todas iguais. O bem geral era o que elas sempre diziam visar. Um monte de mentiras e engodos. Por mais apreensivo e atordoado que estivesse, Adam não pôde deixar de sentir certa repulsa diante do que acabara de ouvir. Sabia, no entanto, que precisava ser cauteloso. Len já havia repetido mil vezes que estava ali como amigo e vizinho, mas antes de qualquer outra coisa ele era um policial. Não estava ali para um cafezinho cordial. Estava ali para colher informações. Todo cuidado seria pouco.

– Esse... desfalque – disse Adam. – De quanto estamos falando?

– De muito – disse Len Gilman.

– Algo na ordem de...

– Sinto muito, mas essa informação é confidencial.

– Vocês não podem estar achando que a Corinne seria capaz de...

– Neste momento – interrompeu Len –, queremos apenas falar com ela.

Adam não disse nada.

– Onde está Corinne, Adam?

Ele não podia contar nada, claro. Sequer podia tentar explicar. Então usou sua cabeça de advogado para raciocinar: quantas vezes já não havia aconselhado a seus clientes que ficassem calados? Quantas sentenças a seu favor já não havia conseguido porque algum idiota havia falado mais do que devia?

– Adam?

– Acho melhor vocês irem embora agora.

capítulo 28

DAN MOLINO TENTOU NÃO chorar quando viu seu filho Kenny se posicionar para a largada do tiro de quarenta jardas.

Kenny estava no último ano do ensino médio e era uma das grandes promessas do futebol no estado de Nova Jersey. Tivera um excelente desempenho naquela temporada, conquistando a atenção e o respeito dos principais olheiros das equipes universitárias, e agora se aquecia para a última prova da bateria mista de testes. Da arquibancada, Dan assistia a tudo com aquela adrenalina habitual dos pais, aquele "barato" que só eles conhecem, e por pouco seu coração não veio à boca quando o filho, um touro de 130 quilos, encaixou os pés nos blocos de partida. Dan também era um homem grande (quase 1,90 metro, mais de 100 quilos) e na juventude também jogara futebol na posição de linebacker da seleção estadual, mas era um tanto lento e baixo para chegar à primeira divisão. Lá se iam 25 anos desde que ele começara o próprio negócio no ramo das entregas domiciliares, prestando serviços para inúmeras lojas de móveis. Ele agora possuía dois caminhões e uma equipe de nove funcionários, e seus clientes eram sobretudo as lojas de bairro, não as grandes cadeias que tinham uma frota de entrega própria, mas aquelas lojas menores que ao longo dos anos iam passando de pai para filho, cada vez mais raras no mercado, engolidas pelos gigantes do ramo do mesmo jeito que ele, Dan, vinha sendo engolido pelos serviços de entrega rápida, como o FedEx.

Ainda assim ele não podia reclamar. Recentemente, por medidas de economia, algumas das grandes cadeias de lojas de colchão haviam decidido reduzir sua frota e optar pelos entregadores locais, em geral mais baratos. Para Dan, isso significava um dinheirinho a mais, e se ele não estava nadando em dinheiro, também não se afogava em dívidas. Tinha com sua mulher, Carly, uma excelente casa perto do lago em Sparta e três filhos adolescentes. Ronald, o mais novo, estava com 12 anos. Karen, com 14, cursava o nono ano e se encontrava naquela fase em que os hormônios começam a ferver e os garotos, a rodear. Dan rezava para não ter um infarto. E por fim havia Kenny, o primogênito que estava prestes a sair da escola e se preparava para ingressar, por meio do futebol, numa boa universidade. Alabama e Ohio State já vinham demonstrando interesse.

O importante agora era que o garoto arrebentasse naquelas quarenta jardas.

Observando o filho, Dan sentiu os olhos marejarem. Como sempre. Chegava a ser ridículo que ele simplesmente não conseguisse se controlar. Via-se obrigado a usar óculos escuros nos jogos para que ninguém o visse chorando, mas não havia como usá-los em ambientes fechados ou nas ocasiões em que Kenny recebia algum prêmio, como no jantar em que a liga o havia nomeado o melhor jogador do ano. Lá estava ele, e de repente *bum!*, lá estavam elas também, as lágrimas, uma ou outra conseguindo escapar rosto abaixo. Se alguém se aproximava para fazer algum comentário, ele inventava um resfriado ou uma alergia qualquer, torcendo para que acreditassem. Carly adorava esse lado do marido, abraçando-o com força sempre que o flagrava chorando, chamando-o de "meu ursinho sensível". Por pior que fossem seus pecados na vida, por mais numerosas que fossem as burrices cometidas, Dan Molino havia marcado um gol de placa ao conquistar como parceira uma mulher tão especial quanto Carly Applegate.

Para ele, no entanto, Carly talvez pudesse ter tido um destino melhor. Eddie Thompson era apaixonado por ela na juventude. A família dele havia entrado na febre das franquias McDonald's e hoje eram todos milionários. Volta e meia Eddie e sua mulher Melinda eram retratados nas colunas sociais, patrocinando alguma causa filantrópica ou algo do gênero. Carly nunca dizia nada, mas Dan sabia que isso a incomodava. Ou talvez o problema fosse mesmo só com ele e suas inseguranças de marido, ele nem sabia mais. Sabia apenas que ficava com os olhos marejados sempre que via um dos filhos fazendo algo especial, como jogar futebol ou faturar prêmios. Era um manteiga derretida e procurava esconder isso de todos, mas Carly o conhecia pelo avesso e o amava assim mesmo.

Dan estava usando seus óculos escuros naquele dia também. Sob o escrutínio dos muitos olheiros presentes, Kenny havia se saído muito bem nas provas de salto vertical, habilidade de passes e resistência física, mas ainda faltava a mais importante de todas: a corrida de quarenta jardas. Um bom resultado nessa última etapa valeria uma bolsa de estudos numa grande universidade: Ohio State, Penn State, Alabama ou talvez até (e aí já seria um sonho) Notre Dame. O olheiro da Notre Dame estava lá, e Dan notara a atenção que o cara vinha prestando em Kenny.

Apenas uma última prova. Se Kenny conseguisse uma marca inferior a 5.2 segundos, teria grandes chances de ser selecionado. Era isto que as pessoas diziam: os que não batiam essa marca, por melhor que tivessem se saído nas outras provas, não passavam na peneira dos olheiros. Eles queriam 5.2 ou menos. Ah, se Kenny conseguisse isso... Ah, se ele alcançasse sua melhor marca naquela prova...

– Você provavelmente já sabe, não sabe?

A voz desconhecida o assustou por um segundo, mas Dan deduziu que não estavam falando com ele. Olhou de relance para trás e só então viu que o sujeito o fitava diretamente. Um rapaz miúdo. Não baixo, apenas miúdo. Mãos pequenas, braços finos, um porte quase frágil. Chamava atenção porque era um peixe fora d'água naquele ambiente. Nada tinha a ver com o futebol. Magrelo demais. Nerd demais. Boné de beisebol enterrado na cabeça. E aquele sorriso doce, simpático.

– Está falando comigo?

– Sim.

– É que agora estou meio ocupado.

O sujeito continuou sorrindo e Dan voltou sua atenção para a pista de atletismo. Faltava pouco para a largada das quarenta jardas. Àquela altura já seria de se esperar que ele estivesse com os olhos marejados, mas, por algum motivo, não estava.

Dan arriscou mais uma olhadela na direção do sujeito às suas costas. Ele ainda sorria e o encarava.

– Qual é a sua, hein, rapaz?

– Nada urgente, Dan. Podemos deixar pra depois da corrida.

– Deixar o quê pra depois da corrida? E como é que você sabe meu...?

– *Shhh*. Vamos ver como ele se sai.

Na pista, o árbitro gritou:

– Às suas marcas... preparar...

Assim que ouviu o tiro da largada, Dan se virou para acompanhar a prova. Kenny havia feito uma ótima saída e agora disparava raia afora como um trem desgovernado. Dan sorria de orelha a orelha, pensando: coitado de quem tentasse se colocar no caminho do garoto; seria pisoteado feito um inseto.

A prova passou num piscar de olhos, mas Dan teve a sensação de que ela tinha durado bem mais. Um dos seus novos motoristas, um garoto que trabalhava para pagar os estudos, havia lhe mostrado um artigo que dizia que o tempo aparentemente passava mais devagar quando estamos vivendo uma experiência nova. Bem, ver o filho num momento tão importante da vida não deixava de ser uma experiência nova. Talvez por isso os segundos tivessem custado tanto a passar. E quando passaram, não haviam sido mais do que 5.02, a melhor marca de Kenny em toda a sua vida, o suficiente para colocá-lo numa universidade em que ele próprio jamais poderia ter estudado. As lágrimas não tardariam a chegar.

Mas não chegaram.

– Um excelente resultado – disse o estranho. – Você deve estar muito orgulhoso.

– Pode apostar que sim.

Dan virou-se para encará-lo. Aquele era um dos momentos mais emocionantes da sua vida, senão *o* mais emocionante, e o estranho inconveniente não dava o menor sinal de que pretendia deixá-lo em paz. Não, aquilo não podia ficar assim.

– Por acaso nos conhecemos?

– Não.

– Você é olheiro?

O estranho sorriu e disse:

– E eu lá tenho cara de olheiro, Dan?

– Como você sabe meu nome?

– Sei de muita coisa – disse o sujeito, erguendo um envelope pardo.

– O que é isso?

– Você sabe, não sabe?

– Não tenho a menor ideia do que...

– O mais inacreditável de tudo é que ninguém tenha comentado sobre isso com você antes.

– Comentado sobre o quê?

– Poxa, olhe pro seu filho, cara.

Dan novamente se virou para a pista. Com um sorriso escancarado no rosto, Kenny buscava nas arquibancadas o olhar coruja do pai. Agora, sim, os olhos de Dan umedeceram. Ele acenou para o filho e, orgulhoso, recebeu de volta o aceno daquele menino que nunca lhe dava o menor trabalho, que nunca saía para farrear à noite, que não bebia, não fumava maconha nem se misturava com os maus elementos, e que em vez de tudo isso preferia ficar em casa na companhia do pai, vendo um jogo ou um filme na TV.

– Ano passado ele pesava o quê? Uns 105 quilos? – indagou o estranho. – Ganhou quase 30 quilos e ninguém notou?

Dan franziu o cenho, irritado, mas ao mesmo tempo apreensivo.

– Isso tem nome, seu babaca. Chama-se puberdade. E disciplina de treinamento.

– Não, Dan. O nome disso é anabolizante. Esteroide.

Dan ficou de pé e por pouco não espetou o nariz no rosto franzino e sorridente do sujeito.

– O que foi que você disse? – berrou ele.

– Não vou repetir, Dan. Está tudo aqui neste envelope. Seu filho comprou drogas no mercado negro da internet. Por acaso você já ouviu falar de um site chamado Silk Road? De uma moeda virtual chamada Bitcoin? Não sei se o Kenny fez tudo isso com o seu consentimento ou se pagou do próprio bolso, mas você sabe de tudo, não sabe?

Dan permaneceu imóvel e mudo.

– O que você acha que esses olheiros vão dizer quando estas informações se tornarem públicas?

– Você está blefando. Inventou tudo isso. Não passa de um grande...

– Dez mil dólares, Dan.

– O quê?

– Não vou entrar em detalhes agora. Neste envelope você encontrará provas de tudo o que estou dizendo. Kenny começou com Winstrol, depois foi acrescentando outras substâncias, como Anadrol e Deca Durabolin. Está tudo no envelope: a frequência com que ele comprava as drogas, os meios de pagamento... Tem até o endereço IP do computador da sua casa. Faz dois anos que seu filho vem consumindo essas porcarias, Dan. Portanto... todas aquelas vitórias, todos aqueles troféus, aquela pontuação que ele acumulou até aqui, tudo isso descerá pelo ralo se a verdade vier à tona. Toda aquela gente que vem dar os parabéns quando você entra no pub, todos os que torcem pelo garoto e o admiram pelo belo trabalho que você fez como pai... O que essas pessoas vão pensar quando descobrirem que o moleque trapaceou? O que elas vão pensar da Carly?

Fincando o dedo no peito do sujeito, Dan rosnou:

– Você está me ameaçando?

– Não, Dan. Estou pedindo 10 mil dólares. Um único pagamento. Você sabe que eu poderia pedir muito mais. Sabe como custa caro pagar uma universidade hoje em dia. Portanto, deve se considerar um homem de sorte.

Foi então que Dan ouviu à sua direita aquela voz que sempre o deixava irremediavelmente emocionado:

– Pai?

Kenny vinha correndo a seu encontro, estampando no rosto uma expressão de alegria e esperança. Por um instante Dan não fez mais do que encará-lo, incapaz de se mexer.

– Agora preciso ir – disse o estranho. – Como eu disse antes, todas as informações estão neste envelope. Dê uma olhada quando chegar em casa. O que vai acontecer amanhã, Dan, só depende de você. Mas por enquanto... – Apontando para Kenny, ele arrematou: – Por enquanto sugiro que aproveite e comemore com seu filho este momento tão especial.

capítulo 29

O AMERICAN LEGION HALL FICAVA próximo ao centro relativamente movimentado de Cedarfield, portanto era um ótimo local para deixar o carro quando não havia mais vagas para estacionar na rua. Numa medida para combater essa prática, as autoridades do clube haviam contratado como "guarda" do estacionamento um cidadão local chamado John Bonner. Bonner crescera na cidade (inclusive fora capitão da equipe de basquete no último ano de colégio), mas em algum momento começara a desenvolver problemas psiquiátricos, que, posteriormente, se instalaram por completo na cabeça do homem. Ele agora era o que havia de mais próximo a um sem-teto naquela comunidade abastada. Bonner passava as noites num hospital psiquiátrico e durante o dia zanzava pela cidade resmungando coisas para si mesmo, geralmente sobre alguma conspiração envolvendo o prefeito e o general da Guerra Civil Stonewall Jackson. Penalizados com a situação, alguns dos seus ex-colegas de colégio haviam tomado a iniciativa de ajudá-lo e Rex Davis, o presidente da American Legion, tivera a ideia de empregá-lo no estacionamento para tirá-lo das ruas.

Adam sabia que o homem levava o posto a sério. Sério até demais. Com uma tendência natural para o TOC, Bonner sempre carregava consigo um gordo caderno em que não só rabiscava suas maluquices inteligíveis como também mantinha um rigoroso registro com a marca, a cor e a placa de cada veículo que entrava nos domínios do seu adorado estacionamento. Quando alguém deixava o carro ali para outra coisa que não fosse algum afazer nas dependências do clube, ou ele advertia o motorista, por vezes com um incontido prazer, ou deliberadamente fazia vista grosa, deixando que o transgressor fosse para onde bem entendesse para depois avisar seu velho amigo e presidente do clube Rex Davis – que por coincidência também era proprietário de um serviço de reboque.

Por trás de tudo sempre havia uma falcatrua.

Bonner olhou desconfiado quando Adam entrou com seu carro no estacionamento. Como sempre, vestia um paletó azul-marinho com uma infinidade de botões que lhe dava o aspecto de figurante de um filme sobre a Guerra Civil americana. Sob o paletó, uma camisa xadrez vermelha e branca que mais parecia uma toalha de cantina italiana, e sob a bainha esgarçada das calcas, um par de All Stars sem cadarços.

Àquela altura Adam já havia concluído que não podia mais ficar de braços cruzados esperando pela volta de Corinne. Eram muitas as mentiras e os mistérios, mas fosse lá o que tivesse acontecido nos últimos dias, tudo havia começado ali, no bar do American Legion Hall, quando o estranho o abordara para falar daquele maldito site.

– Oi, Bonner.

Bonner talvez o tivesse reconhecido, talvez não.

– Oi – devolveu ele com cautela.

Adam desligou o carro, desceu e disse:

– Estou com um probleminha, cara.

Bonner arqueou as sobrancelhas, que de tão cabeludas lembravam dois porquinhos-da-índia.

– Probleminha?

– Será que você pode me ajudar?

– Você gosta de asinha de frango com molho Buffalo?

– Adoro! – respondeu Adam.

Supostamente Bonner havia sido um gênio antes de perder a sanidade mental; por outro lado, isso era o que sempre diziam quando alguém tinha problemas psiquiátricos.

– Quer que eu compre umas pra você no Bub's? – sugeriu Adam.

Com uma careta de nojo, Bonner disse:

– O Bub's é uma merda!

– Ok, foi mal.

– Ah, vai embora – disse Bonner, abanando uma das mãos. – Você não sabe de nada, cara.

– Desculpa, vai. Olha, Bonner... realmente estou precisando da sua ajuda.

– Muita gente precisa da minha ajuda. Mas eu sou um só, sabia? Não posso estar em todos os lugares o tempo todo.

– Eu sei. Mas pode estar aqui, não pode?

– Hein?

– Aqui, neste estacionamento! Você pode me ajudar com um problema que aconteceu bem aqui.

Bonner baixou as sobrancelhas cabeludas a ponto de esconder os olhos com elas.

– Um problema? No meu estacionamento?

– Sim. É que... estive aqui outro dia.

– Pra reunião de escalação do lacrosse – disse Bonner. – Eu sei.

A ótima memória de Bonner poderia ter surpreendido Adam, mas, por algum motivo, não surpreendeu.

– Pois é. Então: arranharam a lateral do meu carro naquela noite. Foi um carro com placa de fora.

– O quê?

– Fizeram um puta estrago.

– No meu estacionamento?

– Sim. Um pessoal de fora. Dois jovens, eu acho. Estavam num Honda Accord.

Bonner ficou vermelho, tamanha era a sua revolta.

– Você anotou a placa?

– Não. Por isso vim aqui pedir a sua ajuda. Porque sem o número da placa eu não posso registrar uma queixa. Eram mais ou menos 22h15 quando eles saíram.

– Ah, sim, eu me lembro deles. – Bonner abriu seu caderno e começou a folheá-lo. – Na segunda-feira, certo?

– Certo.

Ele foi passando as páginas, cada vez mais afobado e furioso. Olhando discretamente, Adam podia ver a letra minúscula que preenchia todas as folhas de cima a baixo, de lado a lado. De repente, Bonner parou com o caderno aberto.

– E aí, achou?

Um sorriso foi se abrindo lentamente no rosto do homem.

– Escute, Adam...

– O que foi?

Dando um sorriso malicioso e arqueando as sobrancelhas cabeludas, Bonner perguntou:

– Você tem 200 pratas aí com você?

– Duzentas pratas? Por quê?

– Porque você está mentindo pra mim.

Fingindo perplexidade, Adam rebateu:

– Mentindo? Eu?

Bonner fechou seu caderno bruscamente.

– O negócio é o seguinte, meu amigo: eu estava aqui. Teria ouvido se alguém tivesse batido no seu carro.

Adam já ia contra-argumentar quando Bonner ergueu a mão, impedindo-o.

– E antes que você venha me dizer que eu podia estar cochilando, que estou ficando surdo ou qualquer outra merda dessas, não sou cego: estou vendo o seu carro bem ali, e não tem nenhum arranhão nele. E antes que venha me dizer que estava no carro da sua mulher ou qualquer porra parecida – Bonner ergueu o caderno e abriu mais um dos seus sorrisos maldosos –, tenho tudo anotadinho aqui, nos mínimos detalhes.

Touché. Adam havia sido pego na mentira por um maluco.

– Então você só pode estar querendo saber a placa daquele cara por outro motivo – prosseguiu Bonner. – Ele estava com uma lourinha bonitinha. Eu me lembro bem. Você e aqueles outros palhaços eu já vi um milhão de vezes, mas aqueles dois eu nunca tinha visto antes. Não eram daqui. Então fiquei me perguntando que diabos podiam estar fazendo no meu estacionamento.

Bonner abriu outro sorriso antes de completar:

– Agora eu sei.

Adam pensou em um monte de coisas diferentes para dizer, mas acabou optando pelo mais simples:

– Você disse... 200 dólares?

– É um preço justo. Ah, e eu não aceito cheque. Nem moeda.

capítulo 30

– O CARRO ERA ALUGADO – disse Rinsky.

Eles estavam na cozinha do velho, no canto onde ele tinha seu moderno escritório. Rinsky trajava bege da cabeça aos pés: calças de veludo cotelê bege, camisa de algodão bege, colete bege. Eunice tomava seu chá à mesa, vestida para uma festa no jardim. A maquiagem parecia ter sido aplicada por uma arma de paintball. "Bom dia, Norman", ela dissera ao ver Adam chegar. Antes que Adam pudesse corrigi-la, Rinsky se adiantara a ele, pedindo que não dissesse nada. "Melhor pra autoestima dela, entende?"

– Alguma ideia de quem alugou esse carro na segunda-feira? – perguntou Adam.

– Está tudo aqui – respondeu Rinsky, os olhos grudados na tela do computador. – O nome fornecido na locadora foi Lauren Barna. Mas é um pseudônimo. Fazendo minhas pesquisas, descobri que o nome verdadeiro é Ingrid Prisby. Ela mora em Austin, Texas.

Ele tirou os óculos e deixou que eles pendessem da correntinha junto ao peito. Virando-se para Adam, perguntou:

– Isso lhe diz alguma coisa?

– Não.

– Talvez demore um pouco, mas posso levantar a ficha dessa tal Ingrid se você quiser.

– Seria ótimo.

– Então deixe comigo.

E agora? Ia fazer o quê? Ele não poderia simplesmente pegar um avião e ir para Austin. E mesmo que tivesse o número de telefone da mulher, o que diria? "Oi, aqui é Adam Price. Você e seu amigo de boné me procuraram outro dia pra contar um segredo da minha mulher..."

– Adam?

Adam ergueu o rosto para o velho, que cruzava as mãos sobre a barriga.

– Você não precisa me contar o que está acontecendo. Sabe disso, não sabe?

– Sei.

– Mas só para deixar claro: qualquer coisa que quiser me contar... não vai sair desta casa. Você também sabe disso, não é?

– Desculpe, mas você é quem tem o privilégio da confidencialidade aqui, não eu – brincou Adam.

– Sim, mas sou um velho gagá. Tenho uma péssima memória.

– Duvido muito.

Rinsky sorriu e disse:

– Como quiser.

– Não, não. Na verdade, seria ótimo saber o que você pensa disso tudo. Se não for muito incômodo, claro.

– Sou todo ouvidos.

Adam não sabia ao certo até onde devia se abrir com Rinsky, mas o velho foi se revelando um ouvinte tão atento que, ao dar por si, Adam já havia contado a história toda, desde a conversa com o estranho no bar até a visita dos amigos na noite anterior.

Seguiu-se então um silêncio entre os dois. Eunice ainda tomava seu chá, alheia a ambos.

– Você acha que devo procurar a polícia? – perguntou Adam afinal.

Rinsky franziu a testa e refletiu um instante.

– Você já trabalhou na promotoria, não é? – disse ele.

– Já.

– Então sabe como é.

Adam fez que sim com a cabeça.

– Você é o marido – disse Rinsky, como se isso explicasse tudo. – Acabou de saber que foi traído pela mulher de modo horrível. E agora ela está desaparecida. Então me diga, Sr. Promotor, o que acha disso?

– O marido fez alguma coisa com a mulher.

– Essa seria a primeira hipótese. A segunda seria que sua mulher... como é mesmo o nome dela?

– Corinne.

– Isso, Corinne. A segunda hipótese seria que sua mulher roubou o dinheiro desta associação para fugir de você. Além disso você teria de contar ao tal delegado amigo seu que ela fingiu que estava grávida. Por acaso ele é casado?

– É.

– Então a fofoca vai se espalhar pela cidade em dois minutos. Não que isso tenha alguma importância diante da gravidade dos fatos. Mas a verdade é a seguinte: ou a polícia vai achar que você matou sua mulher ou que ela é uma ladra.

Rinsky apenas confirmou tudo aquilo que Adam já havia imaginado.

– Então, o que eu faço?

Rinsky voltou a apoiar os óculos no nariz.

– Deixa eu ver a tal mensagem que sua mulher enviou antes de sumir.

Adam encontrou a mensagem no celular, entregou o aparelho ao velho e ficou olhando por cima dos ombros dele enquanto Rinksy lia o texto em voz alta:

ACHO QUE A GENTE PRECISA DAR UM TEMPO. CUIDE DAS CRIANÇAS. NÃO TENTE ENTRAR EM CONTATO COMIGO. ESTÁ TUDO BEM.

E depois:

SÓ ALGUNS DIAS, POR FAVOR.

Rinsky encolheu os ombros e tirou os óculos.

– O que você pode fazer? Até onde sabe, sua mulher está precisando de um tempo sozinha. Pediu que você não entrasse em contato. Então é isso que você está fazendo.

– Mas não posso simplesmente cruzar os braços e não fazer nada.

– Não, não pode. Mas se a polícia perguntar, é isso que você vai responder.

– Mas por que a polícia perguntaria alguma coisa?

– Sei lá. Por enquanto você está fazendo tudo o que está a seu alcance. Conseguiu a placa do carro, veio falar comigo. Agiu corretamente em ambos os casos. Acredito que Corinne deva reaparecer daqui a pouco. De qualquer modo, você tem razão: precisamos tentar encontrá-la primeiro. Vou levantar a ficha dessa Ingrid Prisby. De repente a gente encontra alguma pista.

– Perfeito. Fico muito agradecido, Rinsky.

– Adam?

– Hum.

– É provável que Corinne tenha mesmo roubado esse dinheiro. Você sabe disso, não sabe?

– Se roubou, ela devia ter um motivo muito forte.

– Porque precisava fugir. Ou pagar o tal chantagista.

– Ou alguma outra coisa que talvez ainda não nos tenha ocorrido.

– Seja o que for – disse Rinsky –, você não deve dizer à polícia nada que possa incriminar sua mulher.

– Pois é, eu sei.

– Ela estava em Pittsburgh, não foi isso que você disse?

– Sim, foi o que vi no aplicativo de GPS.

– Você conhece alguém por lá?

– Não, ninguém.

Adam olhou para Eunice. Ela sorriu e ergueu a taça de chá como se propusesse um brinde. Para um observador de fora, tratava-se de uma cena doméstica perfeitamente normal, mas para quem sabia do estado mental da mulher...

Adam subitamente se lembrou de algo.

– O que foi? – perguntou Rinsky.

– Na manhã do dia em que ela sumiu, eu desci pra cozinha. Os meninos estavam tomando café na mesa, mas Corinne estava no quintal, falando no telefone. Quando me viu, desligou rapidinho.

– Você sabe com quem ela estava falando?

– Não faço a menor ideia, mas posso tentar rastrear pela internet.

O velho Rinsky se levantou e sinalizou para que Adam assumisse o comando do computador. Adam se acomodou na cadeira, abriu o site da operadora de celular e digitou o número do telefone. Sabia a senha de cor, não porque tivesse uma ótima memória, mas porque ele e Corinne sempre usavam a mesma senha para quase tudo. A palavra que usavam era BARISTA, em maiúsculas. Por quê? Porque estavam num café quando precisaram escolher juntos uma senha qualquer pela primeira vez, e, procurando inspiração em algo à sua volta, viram o barista do outro lado do balcão. Pronto, lá estava a senha que queriam. A palavra era perfeita porque não tinha absolutamente nenhuma conexão com eles. Quando precisavam de uma senha maior, usavam BARISTABARISTA. Quando precisavam incluir números, usavam BARISTA77.

Simples assim.

Adam acertara a senha na segunda tentativa: BARISTA77.

Clicando nos diversos links, ele examinou primeiro a lista de chamadas realizadas na esperança de que Corinne tivesse telefonado para alguém nas últimas horas ou na véspera. Mas não havia nenhuma ligação. Na realidade, a última havia sido justamente aquela interrompida às pressas no quintal, realizada às 7h53 da manhã de seu sumiço.

A chamada tinha durado apenas três minutos. Na ocasião, Adam pressionara a mulher, querendo saber com quem ela estava falando, mas Corinne se recusara a responder. Agora, no entanto...

Ele não conseguia tirar os olhos do número listado no computador.

– Sabe de onde é? – perguntou o velho Rinsky.

– Sim, sei.

capítulo 31

KUNTZ DESOVOU SUAS DUAS armas nas águas do rio Hudson. Não estava nem aí. Tinha muitas outras.

Em seguida pegou o metrô para a Rua 168, desceu na Broadway e caminhou três quarteirões até o hospital antes conhecido apenas como Columbia Presbyterian. O lugar agora se chamava Morgan Stanley Children's Hospital of New York-Presbyterian.

Morgan Stanley. Isso mesmo. Quando alguém pensa em medicina pediátrica o primeiro nome que lhe vem à cabeça é o do gigante das finanças internacionais Morgan Stanley.

Assim é o dinheiro. Ele é aquilo que o dinheiro faz.

Kuntz nem se deu ao trabalho de mostrar os documentos. Os seguranças à entrada já estavam cansados de vê-lo ali. Além disso, sabiam que ele havia pertencido à Polícia de Nova York. Alguns, talvez a maioria, inclusive conheciam o motivo que o obrigara a deixar a corporação. Todos os jornais haviam noticiado. Os imbecis da mídia o haviam crucificado (exigindo não só que lhe tirassem o emprego e o ganha-pão como também o condenassem por homicídio), mas o pessoal das ruas tomara seu partido. Esses sabiam que Kuntz estava sendo crucificado.

Sabiam a verdade.

O caso fora amplamente noticiado. Um negro parrudo não queria ir preso. Ele havia sido flagrado furtando algo numa mercearia da Rua 93 e, ao ser confrontado pelo proprietário da loja, um coreano, derrubara o sujeito no chão e cravara nele um chute violento. Kuntz e seu parceiro de patrulha, Scooter, haviam cercado o meliante, que xingava aos quatro ventos e dizia que só pegara um maço de cigarros. Simples assim. Dois policiais bem ali e ele, que tinha acabado de cometer um crime, agindo como se nada tivesse acontecido.

Então Kuntz o jogara no chão.

Como poderia saber dos problemas de saúde do sujeito? Francamente. O que um policial deveria fazer? Deixar um bandido escapar daquele jeito? O que um policial faz com um malandro que não lhe dá ouvidos? Pede licença, depois derruba o cara com toda delicadeza do mundo? Coloca em risco a própria vida? A vida do seu parceiro?

Quem era o imbecil que fazia aquelas regras?

Resumo da ópera: o sujeito morrera e os retardados da mídia haviam tido um orgasmo. A primeira a atirar a pedra fora uma emissora de TV a cabo, que chamara Kuntz de "assassino racista". Al Sharpton convocara as passeatas, o circo de sempre. Pouco importava que Kuntz tivesse uma ficha exemplar, repleta de condecorações por coragem em ação. Pouco importava o trabalho voluntário que ele fazia com as crianças negras do Harlem. Pouco importava que ele tivesse os próprios problemas, inclusive um filho de 10 anos com câncer nos ossos. Dessas coisas ninguém queria saber.

Ele agora era um assassino racista, tão execrável quanto toda a escória que já havia mandado para trás das grades.

Kuntz entrou no elevador e apertou o botão do décimo primeiro andar. Acenou rapidamente para as enfermeiras atrás do balcão e foi direto para o quarto 715. Sentada na cadeira de sempre, Barb ergueu a cabeça ao vê-lo entrar e o cumprimentou com um sorriso cansado. Olheiras escuras pesavam em seu rosto. Os cabelos também pareciam cansados. Mas quando ela sorria, ele não tinha olhos para mais nada.

O menino estava dormindo.

– Oi – disse Kuntz baixinho.

– Oi – Barb sussurrou de volta.

– Como está o Robby?

Barb simplesmente encolheu os ombros. Kuntz se aproximou da cama e baixou os olhos para o filho. Vê-lo naquele estado o deixava arrasado e ao mesmo tempo lhe dava forças para continuar.

– Por que você não vai pra casa e descansa um pouco? – disse ele à mulher.

– Mais tarde – respondeu ela. – Sente aqui, converse comigo.

Diz-se com frequência que a mídia é parasita, mas poucas vezes isso é tão verdadeiro quanto no caso de John Kuntz. A imprensa havia se juntado para destruí-lo. Ele perdera o emprego. Perdera todos os benefícios trabalhistas, inclusive a aposentadoria. Mas o pior de tudo era que agora ele não tinha mais condições de dar ao filho o melhor tratamento possível. Isso era o que mais doía. Independentemente do emprego que um pai tivesse (policial, bombeiro, professor), sua obrigação era prover a família. Não seria um pai de verdade quem simplesmente cruzasse os braços enquanto via o filho agonizar numa cama de hospital.

Pois bem. John Kuntz estava no fundo do poço quando finalmente encontrou sua salvação.

Não é sempre assim que acontece?

Um amigo de um amigo o colocara em contato com Larry Powers, um rapaz recém-formado numa das melhores universidades do país. Powers havia criado um novo aplicativo de celular que facilitava a localização de voluntários cristãos dispostos a fazer pequenos trabalhos domésticos. Caridade na Construção – a ideia era basicamente essa. Kuntz não estava nem um pouco preocupado com os aspectos comerciais da coisa. Sua função era cuidar da segurança dos funcionários e das informações sigilosas, e era muito bom nisso.

A empresa, tal como lhe haviam explicado, era uma *startup*, de modo que o salário inicial não era lá grande coisa. Mas era melhor do que nada. Era um emprego. Era um meio de manter a cabeça erguida. E o principal era a promessa do negócio em si. Kuntz tinha a opção de compra das ações da empresa. Um risco, claro, mas era assim que se faziam as grandes fortunas. Esse seria o pote de ouro no fim do arco-íris (um pote não, uma piscina) caso as coisas dessem certo.

E deram.

O aplicativo acabara se revelando um grande e inesperado sucesso, e agora, três anos depois, o Bank of America se dispusera a subscrever o lançamento inicial das ações no mercado. Isso significava que, se dali em diante as coisas fossem apenas ok (sequer precisavam ir melhor do que isso), ao cabo de dois meses, quando essas ações fossem introduzidas no mercado, John Kuntz teria nas mãos um patrimônio avaliado em aproximadamente 17 milhões de dólares.

Isso mesmo. *De-zes-se-te* milhões de dólares.

Com um dinheiro desses, quem precisava de redenção? Quem precisava de desforra? Com esse dinheiro ele poderia dar ao filho os melhores médicos do mundo, com tratamento domiciliar e tudo mais que havia de bom. Poderia mandar os outros dois, Kari e Harry para as melhores escolas, para as melhores viagens, talvez até financiar o negócio que um dia eles quisessem ter. Para Barb ele contrataria alguém que a ajudasse nos serviços domésticos, talvez até a levasse para uma viagem de férias. Provavelmente para as Bahamas. Barb adorava quando via algum anúncio do Hotel Atlantis, e já fazia seis anos desde que viajaram juntos pela última vez, num cruzeiro de apenas três dias pelo Caribe.

Dezessete milhões de dólares. Todos os seus sonhos estavam prestes a ser realizados.

O problema era que agora, mais uma vez, alguém estava tentando tirar tudo dele.

Dele e de sua família.

capítulo 32

ADAM PASSOU PELO METLIFE Stadium, sede oficial tanto dos New York Giants quanto dos New York Jets, e seguiu mais uns quinhentos metros até estacionar o carro diante de um prédio comercial. Como tudo mais por ali, o tal prédio havia sido construído numa área que antes fora um pântano. O cheiro era típico de Nova Jersey, motivo de tantas injúrias contra a cidade. O odor era uma mistura de pântano (óbvio), com material químico usado na drenagem, mais um toque final de fumaça velha.

Em suma, um fedor inominável.

O prédio datava dos anos 1970. A cor predominante era o marrom, e o revestimento do chão era de um material emborrachado que poderia simplesmente ter sido encaixado ali depois. Adam bateu à porta de uma das salas, próxima a um deque de carregamento.

Foi Tripp Evans quem atendeu.

– Adam? – disse ele, surpreso.

– Por que minha mulher telefonou pra você? – perguntou Adam, sem rodeios.

Era estranho ver Tripp fora de seu elemento natural. Na cidade ele era uma figura popular e querida, sobretudo nos mundinhos em que circulava. Ali ele parecia um homem absolutamente comum. Adam conhecia um pouco da história dele. Corinne ainda morava em Cedarfield quando o pai de Tripp abriu o próprio negócio, uma loja de material esportivo chamada Evans Sporting Goods, onde agora ficava a farmácia Rite Aid no centro da cidade. Por trinta anos havia sido lá que a garotada comprava a tralha de que precisava para o basquete, o beisebol, etc., bem como as tradicionais jaquetas do esporte estudantil. Duas filiais logo foram abertas nas cidades vizinhas. Depois de se formar na universidade, Tripp voltara a Cedarfield para comandar o marketing das lojas. Distribuía panfletos aos domingos, contratava algum atleta profissional para assinar autógrafos e conversar com a clientela, enfim, tempo de vacas gordas.

Mas, como no caso de quase todas as pequenas empresas, as vacas gordas foram para o brejo.

As grandes redes chegaram para ficar e pouco a pouco desbancaram a concorrência. Mas ao contrário do resto da família, que passara por maus bocados, Tripp sobrevivera mais ou menos ileso. Com sua experiência em marketing, conseguira emprego num grande escritório de publicidade de Nova York e, ao cabo de alguns anos, mudara-se de Manhattan para abrir seu próprio escritório ali, como dizia Bruce Springsteen, nos pântanos de Nova Jersey.

– Quer sentar em algum lugar e conversar? – perguntou a Adam.

– Tudo bem.

– Tem uma lanchonete logo ali. Podemos ir a pé.

Adam ia protestar, pois não estava nem um pouco a fim de uma caminhada, mas Tripp já avançava na calçada.

Ele estava usando uma daquelas camisas sociais brancas de manga curta, transparente o bastante para deixar à mostra a camiseta de gola V que ele vestia por baixo. As calças, também sociais, eram daquele marrom típico dos diretores de escola. Os sapatos eram grandes demais para os pés, não exatamente ortopédicos, mas daqueles modelos mais baratos que tentavam se fazer passar por formais. Adam estava acostumado a vê-lo em trajes bem mais informais de técnico auxiliar: camisa polo com a insígnia do lacrosse de Cedarfield, calças cáqui, boné de aba reta, apito pendurado ao pescoço.

A diferença era gritante.

A tal lanchonete era, na realidade, uma espelunca de aspecto sujo onde o tempo parecia não ter passado e as garçonetes ainda espetavam seus lápis no coque dos cabelos. Adam e Tripp pediram apenas um café comum. Até porque o lugar não era daqueles que serviam *lattes* e *macchiatos*.

Pousando as mãos na mesa engordurada, Tripp disse:

– Então, pode me dizer o que está acontecendo?

– Minha mulher ligou pra você.

– Como sabe disso?

– Pesquisei o histórico de chamadas.

As sobrancelhas de Tripp se arquearam ligeiramente.

– Você pesquisou o... Está falando sério?

– Por que ela ligou pra você?

– Por que você acha? – devolveu Tripp.

– Foi por causa dessa história do dinheiro roubado?

– Claro que foi por causa dessa história do dinheiro roubado. O que mais poderia ser?

Tripp ficou esperando por uma resposta que não veio.

– Então, o que foi que ela disse? – perguntou Adam.

A garçonete veio à mesa e largou as xícaras diante deles com um baque tão forte que parte do café foi parar no pires.

– Ela disse que precisava de mais tempo. Falei que não dava, que eu já tinha segurado o pessoal o máximo possível.

– Como assim?

– Os outros membros do conselho já estavam ficando impacientes. Alguns queriam partir para o confronto direto. Outros queriam registrar uma queixa formal na polícia.

– Então... há quanto tempo vem rolando essa história toda?

– A investigação?

– Sim.

Tripp despejou um pouco de açúcar em seu café.

– Mais ou menos um mês – respondeu ele.

– Um mês?

– Sim.

– Mas por que você não falou nada comigo?

– Pensei em falar. Naquela noite da convocação, quando você perdeu as estribeiras com o Bob... pensei que já soubesse.

– Não fazia nem ideia.

– Pois é. Agora eu sei.

– Porra, Tripp, você podia ter me falado!

– Sim, podia, não fosse por uma coisa.

– O quê?

– Corinne pediu que eu não lhe contasse nada.

Adam permaneceu mudo por um instante. Depois disse:

– Peraí. Deixa eu ver se estou entendendo direito...

– É isso mesmo que você entendeu, Adam. Corinne sabia que a gente estava atrás dela por causa do desfalque e deixou bem claro que não queria que você soubesse de nada.

Adam emudeceu novamente.

– Mas... – disse, por fim. – O que foi que Corinne disse quando ligou pra você naquela manhã?

– Ela queria mais tempo.

– E você deu?

– Não. Falei que o tempo dela tinha se esgotado. Eu não tinha mais como segurar o conselho.

– Quando você diz "conselho"...

– Todo mundo. Sobretudo Bob, Cal e Len.

– E o que foi que Corinne respondeu?

– Ela pediu, ou melhor, implorou que eu lhe desse pelo menos mais uma semana. Falou que podia provar que era completamente inocente, mas que precisava de mais tempo.

– Você acreditou nela?

– Quer saber a verdade?

– Por favor.

– Não. Àquela altura eu já não acreditava mais.

– Ficou achando o quê?

– Que ela estava tentando arrumar um jeito de repor o dinheiro. Corinne sabia que a gente não queria registrar uma queixa, apenas reaver a grana. Então foi isto: fiquei pensando que ela estava falando com parentes ou amigos na tentativa de levantar essa quantia.

– Mas por que ela não queria a minha ajuda?

Tripp não respondeu, apenas bebeu um gole do café.

– Tripp?

– Isso eu não sei – disse ele, afinal.

– Nada disso faz sentido.

Mais uma vez, Tripp preferiu não dizer nada.

– Há quanto tempo você conhece minha mulher?

– Você sabe. Corinne e eu crescemos juntos em Cedarfield. Ela era da mesma turma da Becky na escola, dois anos atrás de mim.

– Então você sabe que ela jamais faria uma coisa dessas.

Tripp baixou os olhos para sua xícara.

– Foi isso que eu pensei durante um bom tempo.

– E o que fez você mudar de ideia?

– Você já foi da promotoria, Adam. Sabe como são as coisas. Não creio que a Corinne tenha tido a intenção de roubar desde o início. Mas você sabe como é. Quando a gente ouve falar daquela adorável velhinha que começou a roubar do dízimo da igreja, ou, vá lá, do conselheiro que começou a meter a mão nas finanças do seu time, não é como se eles tivessem planejado fazer isso, certo? Mas essas coisas... elas começam de mansinho e depois...

– Não com a Corinne.

– Nem com ela nem com ninguém. É isso que a gente costuma pensar. Sempre levamos um susto, não é?

Adam podia ver que Tripp estava prestes a desfiar uma longa ladainha filosófica. Pensou em cortar o assunto, mas depois achou melhor deixar o cara divagar. Quanto mais o deixasse falar, maiores seriam suas chances de descobrir alguma coisa.

– Digamos, por exemplo... – prosseguiu Tripp – um dia você trabalha até mais tarde pra terminar o seu planejamento de treinos de lacrosse. Está ali, quebrando a cabeça, talvez até numa lanchonete que nem esta aqui. Daí você pede um café, igualzinho a este que a gente está tomando, e depois percebe que esqueceu a carteira no carro. Daí você diz: o que é que tem? É só um café e o mais justo é que o time pague por ele, certo? Uma despesa legítima, é ou não é?

Adam não respondeu.

– Então, dali a uma semana, um juiz não aparece pra apitar um jogo em uma cidade vizinha e você perde três horas do seu dia pra substituir o cara. Aí você pensa: o mínimo que o time pode fazer é pagar a gasolina da viagem. E também o jantar, já que o jogo foi até mais tarde e você está longe de casa. Outro dia você precisa pagar as pizzas dos técnicos quando todos eles perdem o jantar por causa de uma reunião de conselho que terminou tarde demais. Por que não? Quem não faria a mesma coisa no seu lugar? Por que seu bolso deve sofrer, já que o seu trabalho é inteiramente voluntário?

Mais uma vez Adam permaneceu em silêncio.

– E assim a coisa vai. É assim que começa. Daí um dia a prestação do carro está atrasada e... e o seu time está lá com aquela puta sobra de caixa. Por causa do duro que você mesmo deu. Então você pega um dinheiro emprestado. Tranquilo, você vai pagar de volta, ninguém vai sair prejudicado. Ninguém. É isso que você diz a si mesmo e tenta se convencer de que é a verdade.

Dito isso, Tripp se calou e ficou olhando para Adam.

– Você não pode estar falando sério.

– Sério como um infarto, meu amigo.

Tripp olhou para o relógio, depois jogou algumas notas sobre a mesa e se levantou.

– Vai saber... De repente está todo mundo enganado em relação à Corinne.

– *Você* está enganado.

– Espero que sim, Adam.

– Ela pediu mais tempo. Será que você não poderia...

Tripp suspirou e puxou as calças para cima.

– Posso tentar – foi só o que ele disse.

capítulo 33

AUDREY FINE FINALMENTE DISSE algo relevante, e foi isso que levou Johanna Griffin, a chefe de polícia, à sua primeira pista concreta.

Johanna estava certa quanto aos caras da polícia do condado. Como se tivessem um par de antolhos na cabeça, eles não conseguiam enxergar outro responsável pelo assassinato de Heidi Dann que não Marty, o marido. Nada os detinha, nem mesmo o álibi inquestionável que o infeliz possuía para o momento do crime. Desde o início eles haviam pressuposto a contratação de um matador de aluguel e agora vinham investigando todas as chamadas telefônicas, mensagens e e-mails de Marty. Paralelamente interrogavam funcionários da ITT Floor Care, a empresa onde ele trabalhava, querendo saber do comportamento recente de Marty, das pessoas com quem ele havia falado, dos lugares que costumava frequentar para almoçar ou beber, esse tipo de coisa, na esperança de encontrar algum vínculo entre o suspeito e um possível matador de aluguel.

A pista, no entanto, estava em outro lugar. Não nos almoços de Marty, mas nos da própria Heidi.

Johanna sabia dos almoços que Heidi tinha semanalmente com as amigas. Inclusive já havia participado de alguns. De início vira aquilo como uma perda de tempo, um luxo ao qual apenas os privilegiados podiam se dar. Havia um pouco disso, sim, mas não era *só* isso. Que mal poderia haver no fato de que aquelas mulheres quisessem se reunir para se aproximar umas das outras? Que mal havia em demorar um pouco mais no almoço para conversar com as amigas sobre assuntos que não fossem apenas família ou trabalho?

Naquela semana o almoço havia sido no Red Lobster, e estavam presentes Audrey Fine, Katey Brannum, Stephanie Keiles e, claro, a própria Heidi. Ninguém havia notado nada de estranho. Todas disseram que Heidi, apenas 24 horas antes de ser morta em casa, havia se comportado do seu modo exuberante de sempre. Aquelas três mulheres estavam arrasadas. Diziam ter perdido a melhor amiga, a melhor confidente, a mais forte do grupo.

Johanna sentia a mesma coisa. Sim, Heidi era uma pessoa especial. Ao lado dela não havia quem não se sentisse mais otimista, mais confiante no mundo e em si mesmo. Era inconcebível que uma mísera bala pudesse subtrair do mundo um espírito tão iluminado.

Pois bem. Depois de falar com todas aquelas mulheres e praticamente continuar no mesmo lugar, Johanna já se preparava para sair à procura de outras pistas que pudessem escapar ao radar da polícia do condado quando Audrey se lembrou de algo:

– Heidi conversou com um jovem casal no estacionamento do restaurante.

A revelação a surpreendera no meio de uma lembrança. Vinte anos antes, após muitas tentativas frustradas, Johanna finalmente conseguira engravidar por meio de uma fertilização *in vitro*. Heidi estava a seu lado quando a ginecologista lhe dera a notícia, e ela também fora a primeira pessoa a quem Johanna pedira socorro algumas semanas mais tarde, quando perdeu o bebê. Heidi imediatamente pegara seu carro e fora ao encontro dela. Johanna se acomodara no banco do passageiro e ali ficaram as duas, chorando juntas por um bom tempo. Johanna jamais se esqueceria da figura da amiga com a cabeça debruçada no volante, os cabelos esparramados feito um leque, debulhando-se em lágrimas. De algum modo ela sabia. Ambas sabiam: dali em diante não haveria mais milagres. Aquela gravidez havia sido a última esperança de Johanna. Ela e Ricky jamais teriam um filho juntos.

– Espere aí – disse Johanna. – Que jovem casal?

– A gente se despediu na porta do restaurante, depois cada uma foi pro seu carro. Eu já ia saindo pra Orange Place quando uma caminhonete passou na minha frente tão rápido que achei que tinham levado a grade dianteira do meu carro. Depois olhei pelo retrovisor e vi a Heidi conversando com esse casal de jovens.

– Você pode descrever como eles eram?

– Não tenho muito pra dizer. A moça era loura e o rapaz estava com um boné de beisebol na cabeça. Deduzi que estavam pedindo alguma informação.

Audrey não se lembrava de mais nada. E por que se lembraria? Mas o mundo inteiro, sobretudo os estacionamentos das grandes cadeias de lojas e restaurantes, tinham câmeras de segurança. Obter uma ordem judicial demoraria muito, portanto Johanna apareceu no Red Lobster e falou com o chefe de segurança. O homem surpreendentemente lhe entregou um DVD com o trecho de vídeo gravado, pedindo-lhe apenas que o devolvesse assim que possível.

– Regras da casa – disse ele.

– Tudo bem – concordou Johanna.

Na delegacia de Beachwood havia um aparelho de DVD. Johanna correu com ele para seu gabinete, fechou a porta e inseriu o disco. A imagem logo surgiu no monitor. O tal chefe de segurança sabia mesmo o que estava fazendo. Ainda não haviam passado dois segundos quando Heidi surgiu no canto direito da tela. Johanna sentiu um aperto no peito ao ver a amiga ainda viva, equilibrando-se nos saltos do sapato. Aquilo tornava a tragédia ainda mais real.

Heidi estava morta. Nada a traria de volta.

A gravação não tinha áudio. Heidi seguiu caminhando. De repente parou e ergueu a cabeça. À sua frente estavam um rapaz de boné e uma moça loura. Realmente pareciam jovens. Mais tarde, depois que revisse a gravação pela terceira ou quarta vez, ela tentaria ver mais detalhes da fisionomia de ambos, mas não tinha muitas esperanças: daquele ângulo não havia muito o que se ver. Quando chegasse a hora ela encaminharia o vídeo para o pessoal do condado de modo que os geniozinhos e técnicos de que eles dispunham por lá tentassem extrair o que fosse possível daquelas imagens.

Mas ainda não.

Num primeiro momento, observando as imagens sem nenhum som, tinha-se a impressão de que o casal estava mesmo pedindo alguma informação. Quem passasse ao lado deles pensaria a mesma coisa. No entanto, quanto mais iam correndo os segundos, maior era o frio que Johanna sentia na barriga. Em primeiro lugar, aquela conversa estava demorando demais para um simples pedido de informações. Mais que isso, Johanna conhecia sua amiga. Conhecia os trejeitos dela, a linguagem corporal. Podia ver que algo ali não estava normal. Quase podia jurar que, a certa altura, os joelhos de Heidi haviam bambeado.

Instantes depois o jovem casal entrou de volta no carro e foi embora, mas por um minuto quase inteiro Heidi permaneceu onde estava, imóvel no estacionamento, desconcertada, perdida. Em razão do ângulo da filmagem, Johanna não pôde ver o rosto da amiga quando enfim ela entrou em seu carro. Os segundos foram passando. Dez, vinte, trinta. E foi então que algo se moveu lá dentro de modo familiar. Johanna apertou as pálpebras para enxergar melhor. Por um momento ficou confusa, mas depois percebeu.

Os cabelos de Heidi se espalhavam feito um leque no volante.

– Ah, não...

Heidi baixara a cabeça do mesmo modo que fizera vinte anos antes, ao saber que Johanna havia perdido o bebê. Estava chorando – quanto a isso não havia a menor dúvida.

– Que diabo fizeram com você? – perguntou Johanna a si mesma.

Em seguida voltou a gravação até o momento em que o carro do casal saía do estacionamento. No ponto certo, apertou o botão de pausa, pegou o telefone, discou um número e disse:

– Oi, Norbert, sou eu. Preciso que você levante a ficha de um número de placa agora mesmo.

capítulo 34

THOMAS ESPERAVA PELO PAI na cozinha.

– Alguma notícia da mamãe?

Adam esperava que os filhos não estivessem em casa quando ele chegasse. Depois de passar todo o trajeto pensando no que fazer, ele finalmente tinha uma ideia. Precisaria fazer mais algumas pesquisas no computador.

– Sua mãe deve estar chegando qualquer dia desses – respondeu Adam. E depois, para mudar de assunto: – Cadê seu irmão?

– Na aula de bateria. Ele vai a pé quando sai da escola, mas a mamãe vai buscar depois.

– A que horas?

– Daqui a 45 minutos.

Adam assentiu e disse:

– É aquele lugar na Goffle Road, não é?

– É.

– Tudo bem, então. Escute... preciso trabalhar um pouquinho agora, mas depois a gente pode pegar seu irmão e jantar no Café Amici, o que você acha?

– Estou indo pra academia treinar com o Justin.

– Agora?

– É.

– Mas você não comeu nada.

– Como alguma coisa quando voltar. – Tomas fez uma pausa. – Pai...

– O que foi?

Lá estavam os dois na cozinha, pai e filho, o filho quase um homem feito. Mais uns três centímetros e Thomas passaria Adam em altura, e do jeito que vinha malhando e treinando, não demoraria muito para que levasse a melhor num possível confronto. Apenas seis meses antes, Tomas havia desafiado o pai para uma partida de basquete e, pela primeira vez, Adam teve que suar a camisa para conseguir uma apertada vitória de 11 a 8. Adam agora receava que num novo desafio o placar fosse outro. Ficou se perguntando como se sentiria no dia que isso acontecesse.

– Estou preocupado – disse Thomas.

– Não precisa – devolveu Adam, mais como uma reação automática de pai do que uma resposta sincera.

– Por que a mamãe sumiu desse jeito?

– Já disse. Olha, Thomas, você já tem idade bastante pra entender. Eu e sua mãe nos amamos, mas às vezes a gente precisa mesmo dar um tempo, ficar um pouco longe um do outro.

– Um do outro eu entendo. Mas não dos filhos.

– Hum... sim e não. Às vezes a gente precisa ficar longe de tudo.

– Pai...

– Diga.

– Não estou engolindo essa história – disse Thomas. – Não sou dono da verdade nem nada, mas... Entendo que você e a mamãe tenham a sua própria vida. Sei que a vida dos pais não gira só em torno dos filhos... Tudo bem que a mamãe precise de um tempo pra... esfriar a cabeça, organizar as ideias, sei lá. Acontece que mãe é mãe, entende? Ela não sumiria assim sem falar nada com a gente. Mesmo que tenha viajado de última hora, ela teria dado um jeito de entrar em contato. Responderia as nossas mensagens. Diria que era pra gente não se preocupar. Mamãe pode ser um monte de coisas, mas em primeiro lugar, desculpe, ela é a nossa mãe.

Adam ficou sem saber o que dizer, então falou a primeira bobagem que lhe veio à cabeça:

– Tudo vai ficar bem.

– O que você quer dizer com isso?

– Sua mãe pediu que eu tomasse conta de vocês e que desse a ela alguns dias. Também pediu que eu não entrasse em contato.

– Por quê?

– Não sei, filho.

– Estou começando a ficar com medo – confessou Thomas, agora não mais como o homem quase feito que era, mas como um menino assustado.

Thomas tinha toda razão. Antes de qualquer outra coisa, Corinne era mãe de dois filhos. E ele era o pai. Portanto seu papel naquele momento era tranquilizar os meninos, protegê-los.

– Não se preocupe, filho. Vai dar tudo certo.

Thomas balançou a cabeça, a maturidade voltando tão solitário quanto tinha ido embora.

– Não vai, não, pai – disse ele.

Em seguida virou o rosto, secou os olhos e foi saindo na direção da porta.

– O Justin está me esperando.

Adam já ia chamando o filho de volta, mas pensou melhor e desistiu. Ele não tinha nenhuma palavra de consolo para oferecer, e talvez encontrar um amigo fosse o melhor para distrair a cabeça do garoto. Embora o único conforto possível, ele sabia, fosse a volta de Corinne. Ou seja, ele precisava investigar mais, descobrir o que estava acontecendo, encontrar algumas respostas concretas para dar aos filhos. Então deixou que Thomas saísse e foi para o computador. Ainda tinha algum tempo até o término da aula de Ryan.

Pela milésima vez se perguntou se deveria ou não procurar a polícia. Não temia que o vissem como suspeito, mas sabia por experiência própria que a polícia lidava apenas com fatos. E os fatos eram: Um – ele e Corinne haviam brigado. Dois – Corinne enviara uma mensagem pedindo um tempo, implorando que ele não entrasse em contato.

A polícia precisaria de um fato três?

Adam se sentou diante do computador. Na casa do velho Rinsky ele examinara por alto o histórico das chamadas recentes do celular de Corinne. Agora queria fazer um exame mais detalhado dos números discados e recebidos tanto para ligações quanto para mensagens. Seria possível que o estranho ou a tal Ingrid Prisby tivesse ligado ou enviado alguma mensagem de texto para Corinne? A hipótese parecia remota, afinal o sujeito havia surgido do nada naquela noite, sem nenhum aviso prévio. Por outro lado, nada impedia que alguma pista se escondesse nos registros do celular dela.

Não demorou para que Adam se desse conta de que não descobriria nada ali. A julgar pelas chamadas recentes, a vida de Corinne era um livro aberto. Não havia nelas nenhuma surpresa. Quase todos os números ele conhecia de cor – ligações e mensagens para ele, para os meninos, para as amigas, para outros professores, para membros do conselho do lacrosse. Basicamente isso. Os poucos números desconhecidos eram de restaurantes, lavanderias, coisas desse tipo.

Pista nenhuma.

Adam se deu alguns segundos para pensar no que fazer. Sim, Corinne era mesmo um livro aberto. Pelo menos era isso que demonstrava do seu histórico telefônico recente.

Mas a palavra-chave ali era: "recente".

Adam se lembrou do susto que levara ao investigar os extratos de cartão de crédito de dois anos antes e encontrar neles um débito realizado em nome de uma empresa chamada Novelty Funsy.

Pois bem, ao que tudo indicava, no passado o livro de Corinne não era tão aberto assim.

Algo havia levado àquela compra, mas o que poderia ser? Ninguém acorda um dia e resolve fingir que está grávida. Alguma coisa tinha acontecido. Ela com certeza tinha ligado para alguém. Ou alguém tinha ligado para ela. Ou enviado uma mensagem.

Alguma coisa.

Adam levou alguns minutos para encontrar os registros telefônicos daquela época. Sabia que Corinne realizara sua primeira compra no BarrigaFalsa.com no mês de fevereiro. Então começou por aí. Foi correndo os olhos pelos números, rolando a tela para cima, não para baixo, vendo os registros anteriores à data.

De início encontrou apenas o de sempre: ligações e mensagens para ele, os meninos, as amigas, outros professores...

Mas seu coração veio à boca quando ele deparou com um número ao mesmo tempo conhecido e inesperado.

capítulo 35

SALLY PERRYMAN ESTAVA SENTADA sozinha ao fim do balcão, bebericando sua cerveja enquanto lia o *The New York Post*. Usava uma blusa branca e uma saia-lápis cinza. Os cabelos estavam presos num rabo de cavalo. Ela havia deixado o casaco sobre o banco vizinho, guardando o lugar para Adam. Pressentindo a chegada dele, tirou o casaco sem ao menos erguer os olhos do jornal. Ele se sentou ao seu lado.

– Quanto tempo – disse Sally, ainda sem tirar os olhos do papel.

– Pois é – disse Adam. – E o trabalho, como vai?

– Corrido. Muitos clientes.

Só então ela se virou para fitá-lo, e ele sentiu um frio no estômago.

– Mas não foi para perguntar do meu trabalho que você ligou.

– Não, não foi.

Esse era um daqueles momentos em que o barulho externo vai se dissipando aos poucos e o resto do mundo se reduz a um mero pano de fundo até que de repente não há mais nada nem ninguém em torno de você.

– Adam?

– Sim.

– Não estou a fim de suspense. Diga logo o que você quer.

– Por acaso minha mulher ligou para você?

Foi a vez de Sally sentir o frio no estômago.

– Quando? – perguntou ela.

– Alguma vez.

Ela baixou os olhos para a cerveja e disse:

– Sim. Uma vez.

Eles estavam num desses bares barulhentos, que cheiram a fritura e têm um milhão de aparelhos de TV espalhados pelo ambiente, muitas vezes mostrando dois eventos esportivos simultaneamente. O atendente se aproximou e se apresentou de forma extravagante. Adam pediu uma cerveja para se ver livre dele.

– Quando foi isso? – perguntou ele.

– Uns dois anos atrás, eu acho. Durante o caso.

– Você nunca me disse nada.

– Foi só uma vez.

– Mesmo assim.
– Que diferença isso faz agora, Adam?
– O que foi que ela disse?
– Falou que sabia que você tinha ido à minha casa.
Adam quase perguntou como ela poderia saber disso, mas logo se lembrou: o aplicativo de localização que Corinne instalara em todos os celulares da família. Podia saber onde os filhos estavam a qualquer momento. E o marido também.
– Que mais ela disse?
– Quis saber o que você tinha ido fazer lá.
– E o que você respondeu?
– Que era coisa de trabalho.
– Falou que não havia nada entre nós, certo?
– E não havia mesmo, Adam. Estávamos obcecados por aquele caso – disse Sally Perryman. E depois: – Mas havia quase algo.
– Quase não conta.
Um sorriso triste despontou nos lábios dela.
– Acho que pra sua mulher conta, sim.
– Ela acreditou em você?
Sally encolheu os ombros e disse:
– Não sei. Nunca mais nos falamos.
Por um momento Adam não fez mais do que olhar para a mulher a seu lado. Não sabia ao certo o que dizer a ela e, quando abriu a boca para gaguejar alguma coisa, foi interrompido por Sally, que ergueu a mão e disse:
– Não.
Ela tinha razão. Melhor não dizer nada.
Então ele se levantou e saiu.

capítulo 36

Assim que entrou na garagem o estranho pensou, como sempre fazia quando pisava ali, nas diversas empresas famosas que haviam começado exatamente daquela forma. Steve Jobs e Steve Wozniak haviam começado a Apple (por que não chamaram a empresa de The Steves?) ao vender cinquenta unidades do novo computador concebido por Wozniak, o Apple I, numa garagem de Cupertino, na Califórnia. Jeff Bezos começara sua livraria on-line, a Amazon, numa garagem de Bellevue, Washington. Google, Disney, Mattel, Hewlett-Packard, Harley-Davidson... todos esses gigantes haviam nascido – se você acreditar nas lendas – em minúsculas garagens iguais a tantas outras em todo o país.

– Alguma notícia de Dan Molino? – perguntou o estranho.

Havia três pessoas na garagem, todas sentadas diante de poderosos computadores com telas enormes. Quatro roteadores wi-fi se enfileiravam numa prateleira ao lado das latas de tinta que o pai de Eduardo havia deixado ali mais de uma década antes. Eduardo, que de longe era o mais preparado de todos no aspecto tecnológico do que eles faziam, havia configurado um sistema de tal modo que o sinal não só transitava pelo mundo inteiro, tornando-os tão anônimos quanto possível no universo da internet, como também possibilitava que mudassem automaticamente de hospedeiro sempre que um deles tinha sua localização detectada por terceiros. Na realidade, o estranho não entendia nada daquilo. Não precisava entender.

– Ele pagou – disse Eduardo.

Eduardo tinha cabelos encaracolados que sempre precisavam de um corte e uma barba por fazer que lhe conferiam um aspecto eternamente sujo. Era um hacker tradicional que se motivava tanto pelas caçadas quanto pelo dinheiro e pela indignação moral.

Ao lado dele estava Gabrielle, mãe solteira de dois filhos e, aos 44 anos, de longe a mais velha de todos. Duas décadas antes Gabrielle começara a vida como operadora de telessexo. A ideia era manter os marmanjos na linha pelo maior tempo possível a um custo de quase 4 dólares por minuto. Mais recentemente, numa iniciativa semelhante para um site de encontros na internet, ela havia interpretado diferentes versões de uma dona de casa fogosa com a missão de ir cozinhando os novos clientes (isto é, os novos idiotas) e prometendo sexo até que o período gratuito de teste expirasse e os caras se dispusessem a sacar o cartão de crédito para fazer uma assinatura anual do tal site.

Merton, de apenas 19 anos, era o mais recente integrante da turma. Magrinho, tinha o corpo quase inteiramente coberto de tatuagens, cabeça raspada a máquina zero, um belo par de olhos azuis e pouquíssimo juízo. Sempre usava uma calça jeans com a cintura caindo pela metade do traseiro e, escapando do bolso, uma corrente que tanto poderia ser um cadeado de bicicleta quanto um brinquedinho sadomasoquista. Costumava limpar as unhas com a lâmina de um canivete e gastava o tempo livre trabalhando como voluntário para um tele-evangelista que fazia suas pregações numa arena de doze mil lugares.

Merton virou-se para o estranho.

– Você parece desapontado.

– Ele vai se safar.

– E daí? Provavelmente oitenta por cento daqueles garotos tomam algum tipo de bomba para entrar no esporte profissional.

Eduardo concordou.

– A gente se mantém fiel aos nossos princípios, Chris.

– É, eu sei – disse o estranho.

– Aliás, são os *seus* princípios.

O estranho, que na realidade se chamava Chris Taylor, assentiu. Chris era o fundador do movimento, ainda que Eduardo fosse o dono da garagem. Eduardo fora o primeiro a entrar no barco. A iniciativa começara como uma simples brincadeira com o intuito de corrigir o que havia de errado no mundo. No entanto, não demorou para que Chris enxergasse naquilo uma oportunidade não só de fazer o bem mas também de embolsar algum dinheiro. Mas, para que isso fosse possível, para que um objetivo não sobrepujasse o outro, era preciso que eles se mantivessem fiéis aos princípios centrais do movimento.

– Então, qual é o problema? – perguntou Gabrielle.

– O que faz você pensar que tem algum problema? – devolveu Chris.

– Você só aparece aqui quando tem algum pepino.

O que não deixava de ser verdade.

Recostando-se na cadeira, Eduardo disse:

– Algum problema com Dan Molino e o filho dele?

– Sim e não.

– A gente recebeu a grana – disse Merton. – Não pode ter sido tão mau assim.

– Sim, mas tive de fazer tudo sozinho.

– E daí?

– E daí que era para Ingrid estar lá comigo.

Todos se entreolharam. Foi Gabrielle quem quebrou o silêncio:

– Provavelmente ela achou que uma mulher fosse chamar muita atenção numa seletiva de futebol.

– Pode ser – disse Chris. – Alguma notícia dela?

Eduardo e Gabrielle negaram com a cabeça. Merton ficou de pé e disse:

– Peraí. Quando foi que você falou com ela pela última vez?

– Quando a gente foi falar com a Heidi Dann, em Ohio.

– E o combinado era que vocês se encontrassem no campo de futebol?

– Pelo menos foi isso que ela disse. A gente seguiu o protocolo direitinho. Viajamos separados. Não fizemos nenhum tipo de contato.

Eduardo voltou a digitar, dizendo:

– Só um minuto, Chris. Vou só dar uma olhada num negócio aqui.

Chris. Era até esquisito ouvir alguém chamá-lo pelo nome. Nas últimas semanas ele havia sido um anônimo, um desconhecido. Ninguém pronunciava o nome dele, nem mesmo Ingrid. Essa era a grande ironia. As pessoas que eles abordavam haviam pensado que era possível permanecer anônimas, e jamais pararam para pensar que isso simplesmente não existia.

Mas para Chris, o estranho, existia, sim.

– Segundo o roteiro – disse Eduardo, ainda virado para o computador –, era pra Ingrid ter devolvido o carro alugado ontem, na Filadélfia. Deixa eu ver se... – Ele buscou a informação de que precisava. – Bosta.

– O que foi?

– O carro não foi devolvido.

A tensão foi geral.

– Então vamos ter que ligar pra ela – sugeriu Merton.

– Arriscado demais – opinou Eduardo. – Se pegaram a Ingrid, o celular dela pode ter caído em mãos erradas.

– Não tem outro jeito – disse Chris. – Vamos ter que quebrar o protocolo.

– Mas com todo cuidado – acrescentou Gabrielle.

Eduardo enfim assentiu e falou:

– Então vou ligar pelo Viber e rotear a conexão por dois IPs na Bulgária. Cinco minutos, no máximo.

Bastaram três.

O telefone chamou. Uma vez, duas vezes... e, na terceira, atenderam. Mas a voz não era a de Ingrid.

– Quem é? – perguntou uma voz masculina.

Eduardo desligou imediatamente. Os quatro permaneceram mudos por um tempo. Foi Chris Taylor quem disse, afinal:

– Estamos ferrados.

capítulo 37

ELES NÃO HAVIAM FEITO nada de errado.

Sally Perryman fora designada como principal representante num caso complicado envolvendo imigrantes gregos, que eram proprietários de um restaurante em Harrison. Fazia quarenta anos que os gregos tinham naquele endereço um rentável negócio e ali vinham sendo muito felizes, até que um grupo de investidores construiu na mesma rua um arranha-céu de salas comerciais, levando as autoridades municipais a concluir que a tal rua precisava ser alargada para dar vazão ao trânsito intensificado. Isso significava jogar o restaurante dos gregos no chão. Adam e Sally tinham como adversários o governo, os banqueiros e, no fim das contas, um pernicioso esquema de corrupção.

Há ocasiões em que mal conseguimos esperar para pular da cama de manhã e ir logo para o trabalho. Detestamos quando o dia acaba. Não pensamos em outra coisa. Comemos, bebemos e dormimos pensando no caso que temos nas mãos. Os envolvidos ficam próximos uns dos outros, unidos naquela mesma luta, naquela mesma esperança de vitória. Pois bem. Essa era uma dessas ocasiões.

Adam e Sally haviam ficado próximos um do outro.

Muito próximos.

Mas fisicamente não havia acontecido nada, nem mesmo um beijo. Eles não haviam cruzado nenhuma fronteira. Haviam chegado muito perto dela – talvez até pisado em cima –, mas não a haviam atravessado. Adam percebera que, se estamos diante de uma fronteira dessas, hesitantes, vendo uma vida do lado de lá e outra do lado de cá, chega um momento em que precisamos nos decidir: ou atravessamos para o outro lado de vez ou deixamos a coisa morrer. No caso dele e Sally Perryman, algo havia morrido. Dois meses após o término do caso, Sally conseguiu um posto melhor em outro escritório de advocacia em Livingston.

Fim de jogo.

Mas Corinne havia telefonado para Sally.

Por quê? A resposta parecia extremamente óbvia. Adam procurou analisar o conjunto, levantar teorias e hipóteses que pudessem explicar o que havia acontecido com Corinne. Algumas das peças do quebra-cabeça já começavam a se encaixar, e a imagem que se formava não era nem um pouco agradável.

Já passava da meia-noite. Os meninos estavam dormindo. Na casa agora reinava um clima de luto. Por um lado Adam queria que os filhos desabafassem e externassem suas preocupações, mas, por outro, e esse era bem maior que o primeiro, achava mais conveniente que eles aguentassem firme e continuassem bloqueando os próprios sentimentos por mais alguns dias, até que Corinne voltasse para casa. No fim das contas, apenas a volta dela poderia trazer de volta a normalidade de antes.

Ele precisava encontrar Corinne.

O velho Rinsky já havia lhe passado as informações que conseguira levantar sobre Ingrid Prisby. Por enquanto não havia nada relevante. A moça morava em Austin, formara-se oito anos antes na Universidade Rice de Houston e já havia trabalhado em dois sites. Rinsky conseguira o telefone da casa dela, mas a ligação caíra na secretária eletrônica. O ex-policial também havia fornecido o telefone e o endereço da mãe da moça. Adam cogitou ligar para a mulher, mas ficou sem saber o que dizer. Então decidiu deixar para o dia seguinte. Além disso, já era tarde.

Mas o que faria agora?

Ingrid Prisby tinha um perfil no Facebook, então talvez fosse possível encontrar alguma pista ali. Adam também tinha, mas raramente entrava no site. Ele e a mulher decidiram ingressar nas redes sociais alguns anos antes, levados pela vontade de Corinne de reencontrar velhos amigos. O passado não tinha muitos atrativos para Adam, mas ele havia entrado na onda. Mal havia tocado na sua página depois de acrescentar uma foto de perfil. Corinne ficou empolgada no início, mas ainda não tinha o hábito de entrar no Facebook mais do que duas ou três vezes por semana.

Mas como saber com certeza?

Adam lembrou-se então daquele dia em que ele e Corinne haviam criado juntos os seus respectivos perfis para depois "solicitar a amizade" de parentes e vizinhos. Adam examinara as fotos postadas por alguns de seus ex-colegas de faculdade: a sorridente família na praia, as ceias de Natal, os jogos dos filhos, as férias de esqui em Aspen, a mulher bronzeada abraçando o marido radiante, esse tipo de coisa.

– Todo mundo parece tão feliz – dissera ele, na época.

– Ah, você também?

– Eu também o quê?

– Acha que todo mundo parece feliz no Facebook. É como uma compilação dos grandes sucessos de cada um – dissera ela com alguma irritação. – A realidade não é assim, Adam.

– Não falei que era. Falei que as pessoas *parecem* felizes. E é exatamente isso que eu estava querendo dizer. Se você julgar o mundo pelo que vê no Facebook, fica se perguntando: por que será que tanta gente precisa tomar Prozac?

Corinne se calara depois disso. Adam rira e dera o assunto por encerrado, mas agora, anos depois, reexaminando os fatos através das poderosas lentes do retrospecto, eram muitas as coisas que ele enxergava de modo mais feio ou mais sombrio.

Ele passou quase uma hora inteira na página de Ingrid Prisby. Antes de tudo procurou saber qual era o status de relacionamento dela. Se tivesse alguma sorte, ela seria esposa ou namorada do estranho, mas Ingrid se dizia solteira. Em seguida ele foi correndo os olhos sobre cada um dos 188 amigos na esperança de encontrar entre eles o sujeito do bar ou o rosto conhecido de alguém de seu próprio passado ou do passado de Corinne. De novo, nada. Na linha do tempo de Ingrid não havia nada que apontasse para o sujeito ou para golpes de falsa gravidez. Por fim Adam tentou analisar as fotos sob um prisma mais crítico. A moça parecia ter uma energia positiva. Ingrid Prisby parecia feliz nas fotos de festa, sempre com um copo na mão ou sorrindo, mas parecia muito mais feliz nessas fotos do que naquelas em que fazia trabalho voluntário. E esses trabalhos eram muitos: Cruz Vermelha, distribuição de sopa para os sem-teto, assistência social às Forças Armadas, profissionalização de adolescentes. Adam ainda notou outra coisa: todas as fotos eram em grupo. Não havia nenhuma em que ela aparecesse sozinha, tampouco havia selfies.

No entanto, nada disso contribuía para a localização de Corinne.

Apesar da hora, Adam prosseguiu com suas conjeturas. Em primeiro lugar, qual seria a relação entre Ingrid e o estranho? Eles tinham que estar ligados de alguma maneira. Ele pensou em Suzanne Hope, que havia sido chantageada por causa da falsa gravidez. Talvez o mesmo tivesse acontecido com Corinne. Nenhuma das duas pagara o dinheiro exigido.

Suzanne com certeza não, ela mesma tinha dito. Mas Corinne poderia ter pagado. Adam se recostou na cadeira e refletiu um pouco mais sobre isso. Se ela tivesse mesmo desviado o dinheiro do lacrosse (ele ainda acreditava que não), talvez ela o tivesse feito com o objetivo de se livrar dos chantagistas.

Mas nada garantia que os desgraçados cumpririam a palavra e manteriam a boca fechada depois de receber a grana.

Seria isso?

Não havia como saber. O mais importante naquele momento era tentar encontrar uma resposta para a pergunta inicial: como Ingrid e o estranho poderiam ter se conhecido? As possibilidades eram muitas, então Adam achou por bem listá-las em ordem decrescente de probabilidade.

A mais provável de todas: o trabalho. Ingrid havia trabalhado para empresas de internet. Quem estivesse por trás daquilo devia ter algo a ver com o site BarrigaFalsa.com ou era algum especialista da web (um hacker?), ou as duas coisas ao mesmo tempo.

A segunda mais provável: eles haviam se conhecido na faculdade. Ambos aparentavam ter a idade certa para que tivessem se conhecido no campus e mantido a amizade desde então. Portanto era possível que a resposta estivesse nos registros da Universidade Rice.

A terceira mais provável: ambos eram de Austin, Texas.

Haveria algum sentido nisso tudo? Adam não sabia dizer. Mesmo assim ele voltou à lista de amigos da moça e novamente foi examinando um a um, dessa vez procurando por alguém que também trabalhasse com negócios on-line. Eram muitos, e ele foi abrindo cada um dos perfis. Alguns tinham acesso bloqueado ou restrito, mas a maioria das pessoas não entrava no Facebook com o intuito de esconder alguma coisa. O tempo foi passando. Em seguida Adam começou a examinar os amigos dos amigos de Ingrid que também trabalhavam na internet, e até mesmo os amigos desses amigos. Examinou seus perfis e históricos profissionais, e já eram 4h48 da madrugada (segundo informava o reloginho do computador) quando ele finalmente encontrou a mina de ouro.

A primeira pista viera do site BarrigaFalsa. No link CONTATO, a empresa listava um endereço de Revere, Massachusetts. Pesquisando no Google, Adam descobriu que se tratava de uma espécie de empresa holding chamada Downing Place, que operava diversos negócios on-line.

Ele agora tinha um caminho a seguir.

Novamente rastreando os amigos de Ingrid, encontrou entre eles um sujeito que citava o tal conglomerado como seu empregador. O perfil dele não oferecia nada de interessante, mas na lista de amigos havia duas pessoas que também trabalhavam para a Downing. Adam foi investigando a página de ambos até que chegou à de uma mulher chamada Gabrielle Dunbar.

Pelo que constava nos dados pessoais, Gabrielle fizera o ensino médio na Fair Lawn High School e se formara em administração de empresas no Ocean County College de Nova Jersey. Ela não listava seu atual emprego (tampouco os do passado; nada sobre Downing Place ou qualquer outro site) e nos últimos oito meses não havia postado rigorosamente nada em sua linha do tempo. No entanto, o que chamara a atenção de Adam era o fato de que ela não só tinha três "amigos" que trabalhavam para a Downing Place como também morava em Revere, Massachusetts.

Portanto ele começou a vasculhar a página de Gabrielle Dunbar. E foi em um dos álbuns, com o título de FOTOS DO CELULAR, que ele encontrou uma foto legendada como FESTA DE NATAL, uma dessas em que as pessoas rapidamente se agrupam para serem fotografadas na festa da firma, cedo o bastante para que todos ainda estejam sóbrios e possam postar o resultado sem nenhum risco de vexame. O local da festa era um restaurante ou um bar com lambris nas paredes. Umas vinte ou trinta pessoas posavam juntas, umas com os olhos avermelhados pelo flash, outras com o rosto avermelhado pelo álcool.

E no canto esquerdo, com uma garrafa de cerveja na mão, sem olhar para a câmera e aparentemente alheio à foto que estava sendo tirada, lá estava ele: o estranho.

capítulo 38

JOHANNA GRIFFIN POSSUÍA DOIS cachorros da raça bichon havanês chamados Starsky e Hutch. Num primeiro momento ela havia resistido em adquiri-los. Bichons eram considerados "cachorrinhos de madame", e ela, que crescera com um dogue alemão, achava que cachorros pequenos não passavam de semirroedores. Mas Ricky havia insistido e, quem diria, não é que ele tinha razão? Johanna tivera cachorros a vida toda, e aqueles dois eram as coisinhas mais fofas do mundo.

De modo geral ela levava Starsky e Hutch para passear logo cedo pela manhã. Orgulhava-se de sua capacidade de dormir apesar de todos os horrores que a atormentavam durante o dia. Deixava-os do outro lado da porta do quarto, essa era a regra. Que arrancasse os cabelos de preocupação na sala ou na cozinha, mas assim que pisava no quarto ela apertava um botão e pronto, desligava-se de todos os problemas.

No entanto, duas coisas vinham perturbando seu precioso sono ultimamente. A primeira era Ricky. Talvez porque ele estivesse mais gordinho – ou mais velho – seus roncos, antes toleráveis, haviam se tornado tão insistentes e ruidosos quanto os guinchos de uma serra elétrica. Ele já tentara diversas técnicas (clipes nasais, travesseiros altos, até remédios), mas nada adiantava. A coisa chegara a tal ponto que eles cogitaram dormir em quartos separados, mas, para Johanna, esse era o princípio do fim de um casamento. Restava-lhe aguentar firme até que uma solução caísse do céu.

A segunda, claro, era Heidi.

A amiga andava fazendo visitas em seus sonhos. Mas não daquelas de filme de terror em que as pessoas aparecem com o rosto ensanguentado e olhos revirados, clamando por vingança. Nada disso. Eram sonhos vívidos, desses que parecem reais. Heidi surgia em algum momento, rindo como sempre, e as duas seguiam se divertindo juntas até o ponto em que Johanna se lembrava de que Heidi estava morta, e aí o pânico se instalava. O sonho começava a acabar e Johanna estendia os braços na tentativa de agarrar a amiga, querendo mantê-la ali, como se apenas com a força do pensamento fosse possível reverter o assassinato e trazer Heidi de volta à vida.

Johanna acordava com o rosto molhado de lágrimas.

Portanto, nos últimos tempos ela passara a sair com os cachorros já tarde da noite. Tentava saborear a quietude, mas, apesar da iluminação dos postes, as ruas eram escuras demais e ela temia pisar em falso num buraco qualquer na calçada. Lembrava-se do pai, que nunca havia conseguido se recuperar inteiramente de um tombo que levara aos 74 anos. Tombos assim aconteciam toda hora, e por esse motivo ela caminhava com os olhos sempre grudados no chão. Nesta noite em particular, passando por um trecho ainda mais escuro, ela sacou o celular e utilizou o aplicativo da lanterna.

Ainda estava com o aparelho na mão quando ele vibrou entre seus dedos. Naquela hora só poderia ser o Ricky. Provavelmente ele havia acordado e queria saber a que horas ela voltaria ou decidira juntar-se a ela na caminhada para se exercitar um pouco. O que seria ótimo para os dois. Fazia pouco que ela havia saído e não custaria nada dar meia-volta com os cachorros para buscá-lo.

Ela segurou as duas guias com a mão esquerda e levou o telefone ao ouvido sem se dar o trabalho de conferir quem estava ligando.

– Alô?

– Chefe?

– Norbert, é você?

– Sim. Desculpa ligar a essa hora, mas...

– O que foi?

– Investiguei aquele número de placa que você me passou. Demorei um pouco, mas parece que se trata de um carro que foi alugado por uma mulher. O nome real é Ingrid Prisby.

Silêncio.

– E aí? – perguntou Johanna.

– E aí que a coisa é feia, chefe. Muito, muito feia.

capítulo 39

Já havia amanhecido quando Adam ligou para Andy Gribbel.

– Alô – rosnou Andy com uma voz cavernosa.

– Desculpa, eu não queria ter acordado você.

– São seis da manhã, cara.

– Desculpa.

– Ontem rolou um show da banda, depois uma festinha com um monte gatas, sabe como é.

– Eu sei. Mas escute: você entende alguma coisa de Facebook?

– Tá brincando? Claro que sim. A banda tem uma *fan page*. A gente tem tipo... uns oitenta fãs.

– Ótimo. Então vou lhe encaminhar um link com uma foto de quatro pessoas. Veja se consegue descobrir o endereço delas, pelo menos de uma, depois veja o que consegue levantar sobre a foto: onde foi tirada, quem mais está nela, qualquer coisa.

– Prioridade?

– Pra ontem.

– Fechado. Mas olha: ontem a gente arrebentou numa versão de "The Night Chicago Died". Não teve uma pessoa que não tenha derramado pelo menos uma lágrima.

– Você não faz ideia de quanto isso significa pra mim neste momento – debochou Adam.

– Cara, essa merda de foto é tão importante assim?

– Mais do que você imagina.

– Então deixa comigo. Fui.

Adam desligou o telefone e se levantou da cama. Acordou os filhos às sete, depois tomou uma ducha quente, demorada e revigorante. Vestiu-se, conferiu as horas e deduziu que os garotos já deviam ter descido para a cozinha.

– Ryan? Thomas?

Foi Thomas quem respondeu:

– A gente já acordou, pai.

Dali a pouco o celular de Adam tocou. Era Gribbel.

– Alô?

– Você deu uma puta sorte.

– Com o quê exatamente?

– Aquele link que você mandou. Da tal Gabrielle Dunbar.

– Sim, e daí?

– Ela não mora mais em Revere. Voltou pra cidade natal.

– Pra Fair Lawn?

– Isso mesmo – disse Gribbel. – Acabei de mandar uma mensagem com o endereço dela pra você.

Fair Lawn ficava a meia hora de Cedarfield.

– Obrigado, Andy.

– Bobagem. Você vai falar com ela ainda hoje?

– Vou.

– Se precisar de mim, estou às ordens.

– Valeu.

Adam desligou. Saindo ao corredor, ouviu ruídos no quarto de Ryan. Então se aproximou da porta, colou o ouvido nela e ficou arrasado quando percebeu os soluços do filho do outro lado. Com o coração em pedaços, respirou fundo, bateu de leve à porta e girou a maçaneta.

Sentado em sua cama, Ryan chorava feito a criança que de certa maneira ainda era. Adam permaneceu à porta, sua dor aumentada ainda mais pelo pouco que podia fazer para confortar o menino.

– Ryan?

As lágrimas faziam as pessoas parecerem menores, mais frágeis e mais vulneráveis. Apesar do peito que sacudia, Ryan conseguiu dizer:

– Estou com saudade da mamãe.

– Eu sei, amigão, eu sei...

Por um segundo Adam se deixou levar por um rompante de raiva: raiva por Corinne ter sumido daquela forma, sem dar nenhuma notícia, por ter fingido a maldita gravidez, por ter roubado dinheiro dos outros, por tudo. O problema nem era ele, mas os meninos. Fazer o que ela estava fazendo com os próprios filhos... Isso seria muito difícil de perdoar.

– Por que ela não está respondendo minhas mensagens? – lamuriou Ryan. – Por que não está aqui com a gente?

Adam estava prestes a repetir as balelas de sempre, como "sua mãe está muito ocupada", ou "daqui a pouco ela estará de volta", mas de repente se deu conta de que as mentiras só pioravam as coisas. Então optou pela verdade:

– Não sei, filho.

Por mais estranho que fosse, a resposta serviu para acalmar um pouco o menino. Os soluços não sumiram de vez, mas lentamente foram se espaçando até se tornarem um leve choramingar. Adam entrou no quarto e se sentou ao lado de Ryan. Pensou em abraçá-lo, mas por algum motivo achou que era melhor não. Então ficou como estava. Bastava mostrar que estava ali, presente, ao lado dele.

Dali a pouco foi Thomas quem surgiu à porta, e agora estavam os três reunidos no quarto – "meus meninos", como Corinne gostava de dizer, fazendo de Adam seu filho mais velho. Por um instante eles ficaram ali, sem dizer nada, e foi então que Adam se deu conta de algo muito simples, porém muito profundo: Corinne adorava a vida que tinha. Adorava a família. Adorava o mundo pelo qual havia lutado tanto para construir. Adorava morar na cidade em que crescera, naquele bairro, naquela casa que dividia com os filhos.

Então por que ela teria sumido daquele jeito?

De repente uma porta de carro bateu do lado de fora. Ryan imediatamente olhou para a janela. Adam instintivamente entrou no modo "pai protetor": correu para a janela e se posicionou diante dela na tentativa de bloquear a visão dos filhos. Em vão, porque os dois garotos correram também e se postaram ao lado dele. Ninguém gritou o que quer que fosse. Ninguém se assustou. Ninguém disse uma palavra.

Era um carro da polícia.

Um dos que estavam nele era Len Gilman, o que não fazia nenhum sentido, pois segundo se via na porta do carro, a viatura pertencia à polícia do condado de Essex, e Len era da polícia de Cedarfield. Ao volante estava um policial uniformizado.

– Pai? – murmurou Ryan.

"Corinne morreu", foi a primeira coisa que passou pela cabeça de Adam. O que mais ele poderia pensar? Sua mulher havia sumido de repente, não dera notícia para ninguém, e agora dois policiais (um deles amigo da família, e outro, policial do condado) apareciam à sua porta com um semblante sério. Que mais ele poderia deduzir disso? O mais provável era que Corinne tivesse sido encontrada morta numa vala qualquer e aqueles homens estivessem ali para notificar a família. O que mais ele poderia fazer além de buscar forças para juntar os cacos e consolar os filhos?

Rapidamente Adam se afastou da janela e desceu para a porta com os garotos na sua cola, primeiro Thomas, depois Ryan. Era como se houvesse entre eles um novo vínculo, três guerreiros preparando-se para receber a bomba que estava por vir. Adam já havia aberto uma fresta na porta quando Len Gilman tocou a campainha. Assustado, Len recuou um passo.

– Adam? – Só então ele viu os dois garotos. – Pensei que a essa hora eles já estariam no treino.

– Já estavam de saída – disse Adam.

– Ótimo. Então talvez seja melhor deixá-los ir, depois a gente...

– O que está acontecendo?

– Acho melhor conversarmos na delegacia – disse Len. E para tranquilizar os meninos, emendou: – Não se preocupem, rapazes, está tudo bem. Só preciso fazer umas perguntinhas para o pai de vocês.

Não era isso que Adam tinha em mente. Se as notícias fossem tão más quanto ele supunha, não faria nenhuma diferença se fossem dadas ali mesmo ou depois do treino. Os meninos ficariam arrasados da mesma maneira.

– Isso tem alguma coisa a ver com a Corinne? – perguntou ele.

– Não, creio que não.

– Você *crê*?

– Por favor, Adam – disse Len, agora mais próximo de uma súplica. – Mande os meninos para o treino e venha conosco.

capítulo 40

KUNTZ PASSARA A NOITE ao lado do filho no hospital, dormindo o quanto pôde numa cadeira que se desarmava para formar uma cama. Assim que a enfermeira o viu espichando braços e pernas ao acordar, falou:

- Não é lá muito confortável, não é?

- Onde foi que vocês compraram essa porcaria?

A enfermeira riu e se aproximou para checar os sinais vitais de Robby: temperatura, pulso, pressão. Faziam isso a cada quatro horas, estivesse ele acordado ou não. Robby já estava tão acostumado que nem sequer se mexeu. Um menino daquela idade jamais deveria se acostumar a uma coisa dessas. Jamais.

Kuntz sentou-se ao lado do filho e se deixou levar mais uma vez pelo horror da impotência. A enfermeira viu o desespero no rosto dele. Todas elas viam o desespero dos pais, mas eram calejadas o bastante para evitar a condescendência e as falsas promessas.

- Volto daqui a pouco.

Foi só o que ela disse, e Kuntz achou melhor assim. Ele conferiu as mensagens no celular. Entre elas havia muitas de Larry, todas urgentes. Tão logo Barb chegou, ele a beijou na testa e disse:

- Preciso sair um pouquinho. Trabalho.

Barb apenas assentiu com a cabeça, sem fazer nenhuma pergunta.

Kuntz pegou um táxi e foi para o apartamento de Larry Powers na Park Avenue. Foi a mulher dele, Laurie, quem atendeu a porta. Kuntz nunca entendeu como alguém era capaz de trair a esposa. Não deveria haver no mundo outra pessoa que um homem amasse mais do que a própria mulher. Se ele não a amasse desse jeito, bem, ele devia tocar sua vida adiante, mas nunca traí-la ou magoá-la.

Laurie Powers sempre tinha um sorriso nos lábios. Naquela manhã ela estava usando um cordão de pérolas sobre um vestido preto bastante simples, mas que parecia caro. Ou talvez fosse a própria Laurie que parecia "cara". Ela nascera em berço de ouro, herdeira de uma tradicional família europeia, e isso se via em seu porte, ainda que ela estivesse usando um trapo qualquer.

- Ele está esperando por você - disse ela. - Lá no escritório.

– Obrigado.

– John?

Kuntz virou-se para ela.

– Algum problema?

– Não, Sra. Powers. Nenhum problema.

– Pode me chamar de Laurie.

– Certo – disse Kuntz. – E você, Laurie?

– Eu o quê?

– Está bem?

Ela colocou os cabelos atrás das orelhas.

– Estou ótima. Mas o Larry... ele anda estranho ultimamente. E como sei que o seu trabalho é protegê-lo...

– Claro. Deixe comigo, Laurie. Pode ficar tranquila.

– Obrigada, John.

Era raro uma pessoa ter um "escritório" de verdade em casa. A maioria das pessoas normais tinha um quartinho que usava para esse fim, onde ficava o computador, os documentos, essas coisas. Mas Larry Powers tinha um escritório mesmo, e era particularmente opulento: tapetes persas, livros encadernados em couro, antiguidades. Não muito diferente daquele em que Bruce Wayne fingia trabalhar antes de se mandar para a Batcaverna.

Larry estava afundado numa poltrona de couro vinho com um copo de conhaque na mão. Via-se claramente que ele havia chorado.

– John?

Kuntz se aproximou e tirou o copo da mão dele. Olhando para a garrafa, viu que estava quase vazia.

– Você não devia beber dessa maneira.

– Por onde você andou?

– Estava cuidando do nosso problema.

O problema em questão era ao mesmo tempo simples e devastador. Em vista do aspecto religioso associado à empresa deles, o banco havia imposto algumas cláusulas de natureza moral, incluindo uma que tratava do adultério. Em suma, se viesse a público que Larry Powers frequentava o site SugarBaby e havia recorrido a ele para contratar os serviços sexuais de uma universitária, adeus lançamento de ações. Adeus, 17 milhões de dólares. Adeus médicos particulares para Robby. Adeus viagem às Bahamas com Barb.

Adeus tudo.

– Recebi um e-mail da Kimberly – disse Larry, e voltou a chorar.
– Dizendo o quê?
– A mãe dela foi assassinada.
– Ela contou isso pra você?
– Claro que contou. Porra, John, sei que você...
– Calado.
O tom na voz de John teve sobre Larry o efeito de um tapa na cara.
– Escute o que eu vou dizer.
– Não precisava ter sido assim, John. – Larry não obedeceu. – A gente podia começar de novo. Outras oportunidades iriam surgir. A gente ia ficar bem de qualquer jeito.
Kuntz simplesmente ficou olhando para ele. Ah, sim, claro. Outras oportunidades. Fácil pra ele dizer. O pai de Larry havia nascido no mercado financeiro, nadara em dinheiro a vida toda, mandara os filhos para as melhores universidades do país. Laurie nascera num berço de ouro europeu. Nenhum dos dois sequer podia imaginar como era a vida real.
– A gente podia ter...
– Pare de falar, Larry.
Dessa vez, Larry calou a boca.
– O que foi exatamente que a Kimberly lhe disse?
– Ela não *disse* nada, já falei. A gente nunca se fala por telefone. Foi por e-mail. Aliás, nem foi por e-mail. Foi pela minha conta no site.
– Ok, tudo bem. O que foi que ela escreveu?
– Que a mãe tinha sido morta. Ela acha que foi um caso de latrocínio.
– E provavelmente foi mesmo – disse Kuntz.
Silêncio.
Dali a pouco, Larry se empertigou na poltrona e disse:
– A Kimberly não é nenhuma ameaça. Ela nem sabe o meu nome verdadeiro.
Kuntz já havia analisado os prós e os contras de silenciar Kimberly em vez de Heidi, mas chegara à conclusão de que isso seria mais perigoso. A polícia não teria motivo nenhum para associar a morte de Heidi Dann à de Ingrid Prisby. As duas estavam separadas por mais de seiscentos quilômetros. Além disso, ele tivera o cuidado de usar duas armas diferentes. Mas se algo acontecesse de repente à filha de Heidi, isso chamaria muita atenção.
Larry afirmava que não tinha usado seu nome real com Kimberly, e o site fazia um ótimo trabalho no sentido de garantir o anonimato dos usuários.

Claro, nada impedia que Kimberly o reconhecesse caso visse uma foto dele nos jornais, mas eles já haviam decidido que Larry faria o papel do CEO tímido e deixaria para o presidente da empresa fazer todo o contato com a imprensa por ocasião do lançamento de ações. E na hipótese de que ela viesse a criar algum problema no futuro, bem, Kuntz, saberia o que fazer quando esse dia chegasse.

Larry ficou de pé e saiu cambaleando pelo cômodo.

– Como foi que essa gente ficou sabendo de mim? O site é anônimo.

– Mas você fez um pagamento quando se associou a ele, não fez?

– Claro que sim. Com o meu cartão de crédito.

– Então alguém teve acesso aos seus dados. Foi assim que eles descobriram.

– E aí contaram tudo para a mãe da Kimberly. Foi isso?

– Foi.

– Por quê?

– Por que você acha, Larry?

– Chantagem?

– Bingo.

– Então a gente paga e pronto!

Kuntz já havia considerado essa possibilidade, mas, primeiro, eles ainda nem haviam sido abordados pelos chantagistas nem nada e, segundo, um pagamento deixaria muitas pistas. Os chantagistas, sobretudo aqueles que pertenciam a uma vertente mais fundamentalista, não eram pessoas confiáveis. Ele ainda não dispunha de informações suficientes sobre a chantagem que vinham fazendo com Heidi Dann. Sabia apenas que ela ficara arrasada ao descobrir que a filha havia seguido um caminho questionável. Após uma pequena dose de coerção, Heidi contara sobre o casal que a havia abordado no estacionamento do Red Lobster, e bastara uma carteirada de ex-policial para que ele conseguisse arrancar do chefe de segurança do restaurante o vídeo em que o tal casal aparecia conversando com ela. Anotara a placa do carro, e o resto fora fácil.

Conseguira o nome de Lauren Berna na locadora e com isso chegara ao nome de Ingrid Prisby. Em seguida, examinando os lançamentos do cartão de crédito, localizara a moça num hotelzinho três estrelas nas imediações do rio Delaware, na fronteira dos estados da Pensilvânia e Nova Jersey.

– Então é só isso? – perguntou Larry. – Acabou?

– Ainda não.

– Não quero mais saber de sangue, pelo amor de Deus. Não estou nem aí pro lançamento de ações. Você não vai machucar mais ninguém.

– Você está machucando sua mulher.

– Hein?

– Se está traindo, está machucando, certo?

Larry abriu a boca para dizer algo, fechou-a em seguida e depois tentou novamente.

– Mas... mas... ela não está morta! Não dá pra comparar uma coisa com a outra.

– Claro que dá. Você está machucando uma pessoa que ama, mas fica aí, todo preocupado com essa gente que só quer o seu mal.

– Você está falando de homicídio, John!

– Não estou falando de nada, Larry. É você quem está. Ouvi dizer que a mãe da Kimberly morreu num caso de latrocínio. O que é ótimo, porque... se alguém fez alguma coisa contra ela, digamos, alguém que trabalhe pra você... essa pessoa poderia facilmente se safar com um acordo judicial e dizer que foi apenas contratado por um mandante. Se é que você me entende.

Larry não disse nada.

– Mais alguma sujeira que você quer que eu limpe, Larry?

– Não – respondeu ele, baixinho.

– Ótimo. Porque nada vai impedir que essas ações sejam lançadas, fui claro?

Larry fez que sim com a cabeça.

– Agora pare de beber, homem. Se liga.

capítulo 41

SEM NENHUMA PALAVRA DE protesto, com os dois policiais ainda à soleira da porta, Thomas e Ryan se prontificaram a sair. Pegaram suas coisas e se despediram do pai com uma inusitada formalidade. Len deu um tapinha no ombro de Ryan e disse, sorrindo:

– Seu pai está nos ajudando com um negócio, só isso.

Adam precisou fazer um esforço para não revirar os olhos. Disse aos filhos que daria notícias assim que soubesse o que aquilo significava, esperou que eles se afastassem, depois seguiu na direção do carro de patrulha. Ficou imaginando o que os vizinhos diriam, mas na verdade não estava nem um pouco preocupado com a opinião deles. Virando-se para Len Gilman, falou:

– Se isso tem alguma coisa a ver com a porcaria daquele dinheiro do lacrosse...

– Não tem – rebateu Len, incisivo.

Ninguém disse nada durante todo o trajeto. Adam estava no banco de trás; o outro policial, que não havia se apresentado, dirigia o carro com Len a seu lado. Adam imaginava que o destino deles fosse a delegacia de Cedarfield na Godwin Road, mas viu que estavam indo para Newark assim que o motorista subiu a rampa para a autoestrada. Seguiram por um tempo na Interestadual 280, depois saíram na altura da West Market Street, onde ficava o distrito policial do condado.

O motorista estacionou e Len desceu. Adam ficou procurando uma maçaneta até lembrar que nos carros da polícia não havia maçanetas nas portas traseiras. Só pôde descer quando Len abriu a porta pelo lado de fora. O motorista manobrou e se foi.

– Desde quando você trabalha pro condado? – perguntou Adam.

– Eles me pediram um favor.

– O que está rolando, Len?

– São só algumas perguntas, Adam. Mais que isso não posso dizer.

Len o conduziu através da porta e ao longo de um corredor até chegarem a uma sala de interrogatório.

– Sente-se.

– Len?

– Sim?

– Já estive do outro lado da mesa, então me faça um favor: não me deixe mofando nesta sala, ok? Isso não fará com que me fique mais disposto a colaborar.

– Entendido – disse Len, fechando a porta às suas costas.

Mas seu pedido não foi atendido, e Adam ficou esperando por quase uma hora. Já sem paciência, esmurrou a porta da saleta em que fora abandonado.

– É sério isso? – perguntou ele assim que Len apareceu.

– Não estamos fazendo nenhum jogo com você, Adam. Estamos apenas esperando uma pessoa.

– Quem?

– Só mais uns quinze minutos, está bem?

– Ok, mas preciso mijar.

– Não tem problema. Acompanho você até o...

– Não, Len, vim até aqui de livre e espontânea vontade. Posso muito bem ir ao banheiro sozinho.

Adam fez o que tinha de fazer, voltou para a saleta e ficou mexendo no celular. Novamente abriu as mensagens. Havia delegado para Andy Gribble todos os compromissos da manhã. Olhando para o endereço de Gabrielle Dunbar, notou que ela morava bem no centro de Fair Lawn. Seria ótimo se ela o levasse até o estranho.

A porta da sala de interrogatório finalmente se abriu. Len Gilman entrou primeiro, seguido de uma mulher a quem Adam dava uns 50 anos. Ela estava usando um terninho de um tom que na melhor das hipóteses poderia ser descrito como "verde hospitalar", e sob ele uma camisa de colarinho muito grande e muito pontudo. Os cabelos não tinham um corte preciso, aparentemente eram daqueles que não precisavam ser penteados após o banho, mas na nuca apresentavam um *mullet* que aos olhos de Adam ficava bem melhor num jogador de hóquei dos anos 1970.

– Desculpe por tê-lo feito esperar – ela foi logo dizendo.

Com certeza não era de Nova Jersey, a julgar pelo leve sotaque caipira. Os traços angulosos do rosto não destoariam num celeiro de fazenda ou numa festa junina.

– Meu nome é Johanna Griffin – acrescentou.

Adam apertou a mão enorme que ela estendeu, depois disse:

– O meu é Adam Price, mas suponho que você já saiba.

– Por favor, sente-se.

Eles estavam posicionados em lados opostos da mesa enquanto Len se recostava num canto mais afastado da sala, fazendo o possível para aparentar naturalidade.

– Obrigada por ter vindo – disse Johanna.

– Quem é você? – perguntou Adam.

– Perdão?

– Suponho que você tenha alguma patente ou...

– Sou chefe de polícia – respondeu ela. E segundos depois: – De Beachwood.

– Não conheço.

– Fica em Ohio. Perto de Cleveland.

Adam não esperava por isso. Calou-se e ficou esperando que a policial continuasse. Johanna Griffin abriu sua maleta sobre a mesa, tirou dela uma fotografia e passou-a para Adam.

– Conhece esta mulher? – interrogou ela.

Tratava-se do retrato de uma mulher séria contra um fundo indistinto, provavelmente tirada de uma carteira de motorista. Adam precisou de apenas um segundo, talvez dois, para reconhecer a loura. Ele a vira apenas uma vez, no escuro e de longe, ao volante do carro. Mas não havia dúvida de que era ela.

Mesmo assim ele hesitou.

– Sr. Price?

– Talvez eu saiba quem ela é.

– Talvez?

– Sim.

– Então... *talvez* ela seja quem?

Adam não soube ao certo o que responder. Então devolveu:

– Por que está me perguntando isso?

– É apenas uma pergunta.

– Sim, e eu sou apenas um advogado. Então responda: por que está me perguntando isso?

Johanna sorriu e perguntou:

– Então é assim que vamos jogar?

– Não estou jogando. Só estou querendo saber...

– O motivo da minha pergunta. Vamos chegar lá. – Johanna apontou para a fotografia. – Então: conhece ou não conhece esta mulher?

– Nunca nos falamos.
– Ah, ótimo – disse Johanna.
– O que foi?
– Então o jogo agora é de semântica? – indagou Johanna em tom de deboche. – Diga logo: você conhece ou não conhece esta mulher?
– Acho que sim.
– Excelente. Então, quem ela é?
– Vocês não sabem?
– Não importa o que sabemos ou deixamos de saber, Adam. E, pra falar a verdade, nosso tempo é curto, então vamos direto ao ponto. O nome dela é Ingrid Prisby. Você pagou duzentos dólares a John Bonner, o vigia do estacionamento do American Legion Hall, para que ele lhe desse o número da placa de um carro. Depois rastreou esta placa com a ajuda de Michael Rinsky, um investigador de polícia aposentado. Vai nos dizer por que fez tudo isso?
Adam permaneceu em silêncio.
– Qual é o seu vínculo com Ingrid Prisby?
– Nenhum – respondeu ele com cautela. – Eu só queria perguntar uma coisa pra ela.
– Perguntar o quê?
A essa altura a cabeça de Adam já começava a rodar.
– Adam?
Ele não havia deixado de perceber que a mulher substituíra o "Sr. Price" por "Adam", adotando um tom muito mais informal. Olhando de relance, viu Len recostado à parede com os braços cruzados e uma expressão indecifrável no rosto.
– Tinha esperança de que ela me ajudasse com um assunto particular.
– Esqueça o particular, Adam. – Johanna tirou mais uma foto da maleta e perguntou: – E esta mulher aqui, conhece?
A nova foto era de uma mulher sorridente que aparentava ter a mesma idade que a policial.
Adam fez que não com a cabeça.
– Tem certeza?
– Tenho. Não conheço esta mulher.
– O nome dela é Heidi Dann – disse Johanna, com a voz um pouco embargada. – Isso lhe diz alguma coisa?
– Não.

Johanna cravou os olhos em Adam.

– Pense bem.

– Não preciso pensar. Nunca vi esta mulher. Nunca ouvi este nome.

– Onde está sua esposa?

A súbita mudança de assunto pegou Adam de surpresa.

– Adam?

– O que ela tem a ver com tudo isso?

– Você é cheio de perguntas, não é? – disparou Johanna, incisiva. – Isso já está ficando chato. Pelo que sei, sua mulher é suspeita de desviar muito dinheiro.

Adam olhou rapidamente para Len, que acompanhava a conversa tão impassível quanto antes.

– Então é por isso que estou aqui? Para ficar ouvindo falsas alegações sobre a minha esposa?

– Onde ela está?

Adam considerou qual seria seu próximo passo.

– Está viajando – respondeu, por fim.

– Para onde ela foi?

– Ela não falou. Que diabo está acontecendo aqui?

– Quero saber...

– Não estou nem aí pro que você quer saber. Por acaso estou detido?

– Não.

– Então posso me levantar e ir embora quando quiser, correto?

Johanna o fulminou com o olhar.

– Correto.

– Só queria deixar isso bem claro.

– Está claro o suficiente?

Adam se endireitou na cadeira, tentando fazer pressão.

– E agora você está perguntando sobre minha mulher. Então, ou você me diz de uma vez por todas o que está acontecendo ou...

Antes que ele terminasse a frase, Johanna Griffin tirou da maleta mais uma fotografia e colocou-a diante de Adam. Ele baixou os olhos para a foto e ficou chocado com o que viu. Por um momento ninguém disse nada, ninguém se mexeu. Seu mundo ameaçava ruir. Ele tentou se recompor, tentou dizer alguma coisa, mas não conseguiu articular muito bem as palavras.

– Esta aí é...

– Ingrid Prisby – Johanna terminou por ele. – Sim, Adam, esta é Ingrid Prisby, a mulher que você *talvez* conheça.

Ele mal conseguia respirar.

– Segundo o médico legista, a *causa mortis* foi uma bala no cérebro. Mas, antes disso... como você pode ver nesta foto... e se lhe interessa saber, achamos que o assassino usou um estilete para fazer tudo isso que você está vendo aí. Não sabemos quanto tempo ela sofreu.

Adam tentou desviar o olhar, mas também não conseguiu.

Johanna colocou mais uma fotografia à sua frente.

– Primeiro atiraram no joelho de Heidi Dann. Também não sabemos dizer quanto tempo ela sofreu, mas, depois... a mesma coisa: um tiro na cabeça.

Adam engoliu em seco, depois tentou formular uma pergunta:

– E vocês estão achando que...

– Não sabemos o que achar. Queremos apenas saber o que você sabe sobre isto.

– Eu não sei de nada – rebateu Adam, balançando a cabeça.

– É mesmo? – questionou Johanna. – Então vamos à cronologia dos fatos pra você. Ingrid Prisby, natural de Austin, Texas, voa de Houston para o aeroporto de Newark. Pernoita sozinha no Courtyard Marriott, que fica perto do aeroporto. Enquanto está aqui, aluga um carro e vai para o American Legion Hall de Cedarfield, acompanhada de um homem. Este homem conversa com você dentro do bar. Não sabemos o que foi dito, mas sabemos que algum tempo depois você pagou o atendente do estacionamento para que ele informasse a placa do carro alugado por Ingrid, certamente pra ir atrás dela e do sujeito que estava com ela e que falou com você. Depois, neste mesmo carro, Ingrid vai pra Beachwood, Ohio, onde tem uma conversa com esta mulher.

Com a mão ligeiramente trêmula, Johanna apontou para a foto de Heidi Dann.

– Algum tempo depois, esta mulher, Heidi Dann, recebe dois tiros: um no joelho e outro na cabeça. Na própria casa. Pouco depois... ainda não sabemos ao certo quanto, mas algo entre 12 e 24 horas depois, Ingrid Prisby é mutilada e morta num quarto de hotel em Columbia, Nova Jersey, a poucos quilômetros do Vale do Rio Delaware.

Johanna se recostou na cadeira e respirou fundo antes de prosseguir.

– Então, Adam, onde você se encaixa nessa história?

– Vocês não podem estar achando que...

Mas estavam.

Adam precisava de tempo. Precisava organizar os pensamentos, repassar os fatos, decidir o que fazer diante das circunstâncias.

– Por acaso esses fatos têm alguma ligação com o seu casamento? – perguntou Johanna.

Adam ergueu a cabeça, assustado.

– Como assim?

– Len me disse que alguns anos atrás você e Corinne andaram tendo alguns problemas...

Com a rapidez de uma águia, Adam girou a cabeça na direção de Len.

– Era o que se comentava na época... – disse ele, quase se defendendo.

– E desde quando a polícia dá ouvidos a fofocas?

– Não se trata de fofocas – prosseguiu Johanna. – Quem é Kristin Hoy?

– *O quê?* Kristin é amiga da minha mulher!

– E sua também, correto? Ultimamente vocês têm se falado com alguma frequência.

– Porque... – Adam se calou de repente.

– Porque...?

Informações demais, sendo reveladas rápido demais. Adam queria confiar na polícia, mas não conseguia. A polícia já havia formulado sua teoria, e ele sabia muito bem como eram as coisas: diante de uma teoria, era difícil fazer com que eles enxergassem os fatos reais em vez de distorcê-los para corroborar aquilo em que já acreditavam de antemão. O próprio Rinsky já o advertira para não procurar a polícia. Aquela história já havia se complicado demais. No entanto, desistir da ideia de encontrar Corinne por conta própria seria a melhor opção? Ele não sabia dizer.

– Adam?

– A gente tem conversado sobre minha mulher, só isso.

– Você e Kristin Hoy?

– Sim.

– O que exatamente vocês têm conversado?

– Sobre essa... viagem repentina da Corinne.

– Ah, sim, a viagem. Aquela que fez sua mulher abandonar o trabalho no meio do dia, nunca mais voltar, nem mesmo responder às mensagens dos filhos? É dessa viagem que você está falando?

– Corinne falou que estava precisando de um tempo – disse Adam. –

Mas suponho que vocês já tenham lido essa mensagem também, já que andaram bisbilhotando. Aliás, não se esqueçam de uma coisa: sou advogado, e algumas dessas comunicações que vocês interceptaram podem ser de natureza profissional, portanto...

– Muito conveniente.

– O quê?

– Essa mensagem que sua mulher mandou. Toda essa história do afastamento dela, o pedido que ela fez para que você não a procurasse. Uma bela maneira de ganhar tempo, não acha?

– Do que está falando?

– Qualquer um poderia ter mandado aquela mensagem. Inclusive você mesmo.

– E por que eu...?

Adam sequer conseguiu completar a frase.

– Ingrid Prisby estava com um homem no American Legion Hall – disse Johanna. – Quem era ele?

– Ele não revelou o nome.

– E o que ele queria com você?

– Algo que não tem nada a ver com isso.

– Claro que tem. Ele ameaçou você?

– Não.

– E sua relação com Corinne andava às mil maravilhas, certo?

– Eu não disse isso. Mas uma coisa não tem nada a ver com...

– E o seu encontro com Sally Perryman ontem à noite? Alguma coisa que você possa nos contar sobre isso?

Silêncio.

– Sally Perryman é mais uma... *amiga* da sua mulher?

Adam se deu um instante para respirar. Por um lado queria muito abrir o jogo com Johanna. Realmente queria. Mas, naquele momento, a chefe de polícia parecia ter como única missão de vida incriminar a ele e a Corinne. Ele tinha a intenção de colaborar, queria saber mais a respeito daqueles dois assassinatos, mas também sabia que era mais seguro manter a boca fechada. Naquela manhã ele havia formulado um plano: procurar Gabrielle Dunbar em Fair Lawn e arrancar dela o nome do estranho.

Além disso, a pequena viagem até lá lhe daria tempo para pensar melhor. Então Adam se levantou e disse:

– Preciso ir.

– Está brincando, não está?

– Não. Se quiserem minha ajuda, me deem algumas horas.

– Estamos falando que duas mulheres foram assassinadas.

– Eu sei – disse Adam, já à porta da sala. – Mas vocês estão olhando na direção errada.

– E qual seria a direção certa?

– O homem que estava com Ingrid no American Legion Hall.

– O que tem ele?

– Vocês sabem quem ele é?

Johanna olhou de relance para Len Gilman, depois para Adam.

– Não.

– Nenhuma ideia?

– Nenhuma ideia.

Adam assentiu e disse:

– Encontrem o cara. Ele é a chave de tudo isso.

capítulo 42

A CASA DE GABRIELLE DUNBAR provavelmente já tivera seu charme no passado, mas, com o decorrer dos anos, a península de Cape Cod, de início tão modesta, havia se transformado num ajuntamento de mansões padronizadas e sem nenhum tempero, quase todas com as mesmas "melhorias" arquitetônicas, com suas mansardas e seus torreões, que conferiam a todas a mesma aparência artificial.

Adam se aproximou da porta rebuscada e tocou a campainha, que produziu uma melodia pomposa. Para evitar que a polícia aparecesse e o levasse para casa, ele havia chamado um carro do aplicativo Uber para levá-lo até lá. Andy Gribble iria buscá-lo e levá-lo para o escritório em seguida. Adam acreditava que a conversa com Gabrielle certamente seria breve.

Ela atendeu a porta. Adam reconheceu-a das fotografias do Facebook. A mulher tinha cabelos tão pretos que pareciam azulados e tão lisos que pareciam ter sido passados a ferro. Gabrielle surgira à porta com um simpático sorriso no rosto, mas guardou-o de volta assim que viu Adam.

– Em que posso ajudá-lo? – perguntou ela, com a voz ligeiramente trêmula, sem abrir a porta de tela.

– Desculpe aparecer assim, sem avisar – disse Adam. – Meu nome é Adam Price.

Tentou entregar um cartão de visitas à mulher, mas a porta de tela permaneceu fechada e ele não teve escolha senão deixar o cartão na fresta.

– Sou advogado em Paramus.

Gabrielle não disse nada. Parecia ter perdido boa parte da cor do rosto.

– Estou trabalhando num caso de herança e...

Adam sacou o celular e ampliou uma foto para que ela pudesse ver melhor o rosto do estranho.

– A senhora conhece este homem?

Gabrielle Dunbar enfim pegou o cartão deixado na porta e permaneceu um tempo com os olhos grudados nele. Só então examinou a foto no celular. Depois de alguns segundos, balançou a cabeça e disse:

– Não, não conheço.

Ao que tudo indicava, a foto era de uma festa de escritório.

– Mas a senhora certamente há de...

– Preciso ir, estou ocupada.

O tremor na voz havia resvalado para algo próximo do pânico. Ela já ia fechando a porta quando Adam a interrompeu:

– Sra. Dunbar?

Ela hesitou.

Adam não sabia ao certo o que dizer. Ela estava claramente amedrontada. E isso só podia significar uma coisa: ela sabia de alguma coisa.

– Por favor– disse ele. – Preciso encontrar este homem.

– Já disse, não o conheço.

– Acho que conhece, sim.

– Saia da minha casa.

– Minha mulher está desaparecida.

– O quê?

– Minha mulher. Este homem aprontou alguma, e agora ela está desaparecida.

– Não sei do que o senhor está falando. Por favor, vá embora.

– Quem é ele? É só isso que eu preciso saber. O nome dele.

– Não sei quem é, já falei. Por favor, eu preciso ir agora. Não sei de nada.

Mais uma vez ela ameaçou fechar a porta.

– Não vou parar de procurar, pode dizer isso a ele. Não vou desistir enquanto não descobrir toda a verdade.

– Saia da minha casa ou vou chamar a polícia – ordenou Gabrielle, batendo a porta.

Por dez minutos Gabrielle Dunbar não fez mais do que andar de um lado a outro enquanto entoava a palavra *Om*. Tratava-se de um mantra em sânscrito que ela havia aprendido na ioga. No fim das aulas a professora pedia aos alunos que se deitassem na postura do cadáver, isto é, de barriga para cima, e depois fechassem os olhos para repetir o tal mantra por cinco minutos. De início Gabrielle achara aquilo meio ridículo, mas depois, lá pelo segundo ou terceiro minuto, começara a sentir as toxinas do estresse abandonarem seu corpo.

– *Ooommmm...*

O mantra não estava funcionando. Havia coisas que ela precisava fazer. Ainda faltavam algumas horas até que Missy e Paul voltassem da escola. Ótimo: assim ela teria tempo para se preparar e fazer as malas. Ela pegou o celular, abriu a lista de favoritos e ligou para o contato registrado como Babaca Mor. Dali a pouco seu ex-marido atendeu:

– Gabs?

O apelido ainda a deixava nervosa. Ninguém mais a chamava assim. No início do namoro, quando ele começara a chamá-la de "minha Gabs", ela achara aquilo muito fofo, porém, meses depois, já não suportava mais.

– Os meninos podem ficar com você? – perguntou.

Ele não se deu o trabalho de disfarçar a exasperação.

– Quando?

– Eu estava pensando em deixá-los na sua casa hoje à noite.

– Você está brincando, não é? Faz tempo que estou pedindo visitas adicionais e...

– Então, já que você quer ficar com eles, pode ficar hoje.

– Estou em Chicago a trabalho. Só volto amanhã.

Merda.

– E a Fulana?

– Você sabe muito bem o nome dela, Gabs. A Tami está aqui comigo.

Quando eles ainda eram casados, o Babaca Mor nunca a levava nas viagens de trabalho, provavelmente porque ia se encontrar com sua querida Tami ou qualquer outra da mesma laia.

– Tami – repediu Gabrielle. – Com coraçãozinho no lugar do *i*?

– Muito engraçado – censurou ele.

Mas não tinha graça nenhuma, e ela sabia disso. Não era o momento de perder tempo cutucando as feridas de um relacionamento malsucedido.

– Voltamos amanhã cedo – disse o Babaca.

– Então deixo eles com você amanhã.

– Por quanto tempo?

– Uns dias – disse ela. – Depois combinamos.

– Está tudo bem, Gabs?

– Tudo ótimo. Beijinhos na Tami.

Gabrielle desligou e olhou pela janela. No fundo, desde que Chris Taylor a abordara, ela sabia que esse dia acabaria chegando. O projeto parecia perfeito, unindo o útil ao agradável ou, mais especificamente, unindo a verdade a uma boa grana no bolso. Mas ela nunca havia se esquecido do óbvio: eles estavam brincando com fogo. As pessoas faziam qualquer coisa para proteger seus segredos.

Até mesmo matar.

– *Oooommmmm...*

De novo, o mantra não funcionou. Mesmo sabendo que estava sozinha em casa, trancou a porta e subiu para o quarto. Jogou-se na cama, encolheu-se em posição fetal e começou a chupar o polegar direito. Um vexame, mas quando os mantras falhavam, voltar ao útero materno quase sempre era uma boa opção. Apertando os joelhos contra o peito, ela se permitiu algumas lágrimas. Depois pegou o celular. Dispunha de uma rede particular para garantir a privacidade e a segurança das comunicações. Novamente ela leu o cartão de visitas: ADAM PRICE, ADVOGADO.

Ele a havia encontrado. E se ele a havia encontrado, o mais provável era que também tivesse encontrado Ingrid.

Certas pessoas não conseguiam suportar a verdade.

Gabrielle abriu a gaveta inferior da pequena cômoda a seu lado, tirou de lá uma Glock 19 Gen4 e a deixou em cima da cama. Um presente de Merton. Ele dissera que não havia arma melhor para mulheres. Levara-a até um clube de tiro em Randolph, ensinara-a a atirar. A pistola estava carregada, pronta para ser usada. Num primeiro momento ela havia ficado preocupada por ter uma arma carregada numa casa com crianças, porém, as ameaças que a cercavam eram maiores que os riscos.

Mas e agora? O que fazer?

A resposta, no entanto, era simples. Bastava seguir as normas. Ela tirou uma foto do cartão de Adam com seu iPhone. Anexou a imagem a um e-mail e digitou:

ELE SABE.

capítulo 43

ADAM SAIU CEDO DO TRABALHO e foi para a escola dos filhos, onde Thomas terminava o treino de lacrosse. Deixou o carro a uma quadra de distância, fora de vista, e ficou observando o jogo através da estrutura metálica das arquibancadas. Nunca havia acompanhado um treino antes, e provavelmente não saberia explicar direito caso alguém perguntasse o que ele estava fazendo ali. Queria apenas admirar o filho por alguns minutos. De repente lhe veio à cabeça o que Tripp Evans dissera no American Legion Hall, na noite em que todo aquele pesadelo começara: era uma grande sorte que eles pudessem viver numa cidade como Cedarfield e ter aquela "vida dos sonhos".

Tripp tinha razão, claro, mas não deixava de ser interessante esse hábito de chamar de "sonho" tudo aquilo que beira à perfeição. Sonhos são frágeis. Sonhos são breves. Um dia acordamos e, *puf*, lá se vão eles. Basta um minuto de distração para que o sonho vá recuando na fumaça até sumir para sempre, por mais que tentemos puxá-lo de volta. E naquele momento em particular, vendo o filho fazer o que tanto amava, Adam não pôde deixar de achar que, desde a visita do estranho, seu sonho de uma vida familiar perfeita estava com os dias contados.

O técnico soprou o apito e encerrou o treino. Os rapazes tiraram os respectivos capacetes e aos poucos foram saindo na direção do vestiário. Adam emergiu das arquibancadas e foi até o filho.

– Pai? – indagou Thomas, surpreso.

– Está tudo bem – Adam foi logo dizendo. E, segundos depois, para que o garoto não achasse que isso significava que Corinne havia voltado, emendou: – Quer dizer, tudo igual.

– O que está fazendo aqui?

– Saí mais cedo do trabalho. Achei que podia lhe dar uma carona.

– Mas antes preciso tomar uma ducha.

– Sem problema. Eu espero.

– Ok – disse Thomas, e correu para o banho.

Em seguida Adam mandou uma mensagem para o caçula, que fora direto da escola para a casa do seu amigo Max. Queria saber se podia buscá-lo dali a pouco, uma vez que já estava na rua. Não demorou para que Ryan respondesse que "tudo bem".

Uns dez minutos depois, já no carro, Thomas perguntou ao pai o que a polícia queria com ele.

– É muito difícil de explicar agora – respondeu Adam. – Não estou dizendo isso pra poupar você, mas por enquanto não tem outro jeito: você vai ter que me deixar cuidar dessa história sozinho.

– Mas tem alguma coisa a ver com a mamãe?

– Não sei.

Thomas não insistiu.

Ryan já esperava na calçada, diante da casa de Max. Assim que entrou no banco de trás, disse:

– Caramba, que cheiro horrível é esse?

– Meu equipamento de lacrosse – respondeu Thomas.

– Eca.

– É verdade – comentou Adam, baixando as janelas. – Então, filho, como foi a aula?

– Ótima – disse Ryan. E depois: – Alguma notícia da mamãe?

– Ainda não.

Refletindo um instante, Adam achou que deveria dizer algo mais. Talvez um pouco da verdade trouxesse algum consolo para os dois garotos.

– Mas a boa notícia é que agora a polícia está envolvida.

– O quê?

– Eles também estão procurando pela sua mãe.

– A polícia? – disse Ryan. – Por quê?

Adam deu de ombros, minimizando a seriedade do fato.

– É como o Thomas disse ontem à noite. Corinne não sumiria assim, sem dar nenhuma notícia. Não é o jeito dela. Então eles vão nos ajudar a encontrá-la.

Adam já se preparava para a avalanche de perguntas quando, dobrando a esquina de casa, avistou o mesmo que Ryan:

– Quem é aquela ali? – perguntou o menino.

Era Johanna Griffin, que esperava sentada na soleira da porta. Assim que viu Adam estacionar, ela ficou de pé, alisou os vincos do terninho verde hospitalar e, sorrindo, acenou com a mesma naturalidade de uma vizinha em busca de uma xícara de açúcar. Em seguida, ainda sorrindo, foi caminhando displicentemente na direção do carro.

– Olá, pessoal – disse.

Os três desceram do carro, Thomas e Ryan visivelmente desconfiados.

– Meu nome é Johanna – acrescentou ela, apertando a mão dos dois garotos.

Ambos olharam para o pai, procurando uma resposta.

– Ela é da polícia – comentou Adam.

– É verdade, mas não aqui – disse Johanna. – Em Beachwood, Ohio. Sou a Chefe Griffin, mas fora da minha jurisdição sou apenas Johanna. Prazer em conhecê-los, rapazes. – Virando-se para Adam, emendou: – Será que posso entrar um pouquinho?

O sorriso se mantinha firme no rosto, mas Adam sabia que se tratava de uma encenação. Provavelmente os garotos também.

– Ok.

Thomas abriu o porta-malas do carro e tirou o equipamento de lacrosse. Ryan jogou sobre as costas sua mochila ridiculamente pesada de livros. Os dois foram caminhando na direção da porta, e Adam atrasou o passo atrás deles, propositalmente deixando que se afastassem. Assim que se viu numa distância segura, virou-se para Johanna e perguntou:

– O que você veio fazer aqui?

– Encontramos o carro da sua mulher.

capítulo 44

ADAM E JOHANNA CONVERSAVAM na sala. Na cozinha, Thomas fervia água para cozinhar uma massa enquanto Ryan descongelava legumes no micro-ondas. Isso os manteria ocupados por um tempo.

– Então, onde foi que vocês encontraram o carro da Corinne? – perguntou Adam.

– Antes de tudo, preciso confessar uma coisa.

– Confessar?

– Aquilo que eu disse lá fora... sobre não ser policial aqui em Nova Jersey. Pra falar a verdade, acho que nem em Ohio sou uma policial de verdade. Não investigo homicídios. Isso é responsabilidade da polícia do condado. E mesmo que fosse minha, estou completamente fora da minha jurisdição aqui.

– Mas você foi enviada pra me interrogar.

– Não. Vim por conta própria. Conhecia um cara de Bergen, que conhecia um cara de Essex, e eles me fizeram a cortesia de levar você para ser interrogado.

– Por que está me contando tudo isso?

– Porque os caras do condado ficaram sabendo do que fiz e não gostaram nem um pouco. Então me tiraram do caso.

– Não estou entendendo. Se o caso não é seu, o que você veio fazer aqui, afinal?

– Uma das vítimas era minha amiga.

Adam enfim entendeu.

– A tal Heidi, certo?

– Certo.

– Eu sinto muito.

– Obrigada.

– Mas e aí? Onde estava o carro da Corinne?

– Um belo jeito de mudar de assunto – disse Johanna.

– Você veio aqui pra falar sobre isso, não veio?

– Pois é.

– E aí?

– O carro da sua mulher estava num hotel perto do aeroporto de Newark.

Adam fez uma careta, incrédulo.

– Isso não faz nenhum sentido – respondeu ele.

– Por que não?

Adam contou a ela sobre o aplicativo de GPS que Corinne tinha em seu telefone, indicando que ela estava em Pittsburgh.

– É possível que ela tenha pegado um avião para algum lugar e depois alugado um carro – comentou Johanna.

– Não sei para onde alguém poderia voar para depois ir de carro até Pittsburgh. E você falou que o carro estava no estacionamento de um hotel, certo?

– Sim, perto do aeroporto. Já ia ser rebocado quando foi identificado. Aliás, pedi ao cara do reboque que trouxesse o carro pra cá. Deve estar chegando em uma hora, mais ou menos.

– Não estou entendendo uma coisa.

– O quê?

– Se ela realmente pegou um avião, por que não deixou o carro no estacionamento do aeroporto? É isso que a gente sempre faz.

– Talvez pra você não descobrir o que ela tinha feito. Provavelmente deduziu que você procuraria o carro dela lá.

Adam balançou a cabeça, dizendo:

– Eu? Procurar pelo carro dela no estacionamento do aeroporto? Isso não faz sentido.

– Adam?

– Sim.

– Sei que você não tem nenhum motivo pra confiar em mim, mas... será que a gente pode bater um papo em off?

– Isso é conversa de repórter. Você não é repórter, é da polícia. Não existe isso de "papo em off".

– Então apenas escute o que tenho a dizer, ok? Adam, duas mulheres foram assassinadas. Não vou dizer quanto Heidi era especial, mas... olha, você precisa abrir o jogo comigo. Precisa me contar o que sabe.

Ela olhou nos olhos dele.

– Prometo a você, pela alma da minha amiga, que nada do que for dito aqui será usado contra você ou contra sua mulher. Meu único interesse é fazer justiça pela Heidi. Mais nada. Você entende?

Adam teve a sensação de que se retorcia numa saia justa.

– Mas eles podem obrigá-la a testemunhar.

– Podem tentar – falou Johanna, inclinando-se para a frente. – Por favor, Adam, me ajude.

Adam hesitou, mas apenas por um instante. No ponto em que as coisas estavam, não havia muita escolha. Johanna tinha razão. Duas mulheres estavam mortas, e talvez Corinne estivesse metida numa grande enrascada. Ele não dispunha de mais nenhuma pista concreta, apenas uma suspeita em relação a Gabrielle Dunbar.

– Antes de mais nada – disse ele –, me conte tudo que você sabe.

– Já contei quase tudo.

– Qual é a relação de Ingrid Prisby com sua amiga?

– Simples – respondeu Johanna. – Ingrid e aquele cara abordaram Heidi no estacionamento do Red Lobster. Eles conversaram, e no dia seguinte Heidi estava morta.

– Você suspeita desse sujeito que estava com a Ingrid?

– Aposto que ele pode nos ajudar a desvendar tudo isso – respondeu Johanna. – Eles também procuraram você, certo? No American Legion Hall?

– Só o cara.

– Ele disse como se chamava?

– Não. Falou apenas que era meu salvador, alguém que iria me libertar da prisão ou algo assim.

– E depois disso você tentou encontrá-lo. Ele e a moça. Conseguiu a placa do carro deles com o atendente do estacionamento e localizou os dois.

– Descobri o nome dela, só isso.

– Mas e então? O que foi que o tal estranho falou pra você no bar?

– Contou que Corinne tinha fingido uma gravidez.

Johanna piscou duas vezes.

– Como é que é?

Adam contou toda a história. Bastou abrir a boca para que as palavras e os fatos saíssem numa enxurrada. Terminado o relato, Johanna lhe fez uma pergunta ao mesmo tempo óbvia e surpreendente:

– Você acha que era verdade? Acha que a Corinne realmente fingiu que estava grávida?

– Acho.

Simples assim. Nenhuma hesitação. Pelo menos não mais. Muito provavelmente ele já sabia a verdade desde o início, isto é, desde que fora abordado pelo estranho, mas precisava juntar as peças do quebra-cabeça antes de poder admitir qualquer coisa para si mesmo.

– Por quê? – perguntou Johanna.

– Por que eu acho que era verdade?

– Não. Por que você acha que ela faria uma coisa dessas?

– Porque ela estava insegura em relação ao nosso casamento. Por minha culpa.

Johanna meneou a cabeça, dizendo:

– A tal Sally Perryman, imagino.

– Sim. Eu e Corinne estávamos meio afastados um do outro. Ela tinha medo de me perder. Ou perder tudo o que a gente construiu junto, sei lá.

– Talvez não.

– Como assim?

– Fale mais. O que estava acontecendo na sua vida quando Corinne recorreu àquele site?

Adam não via muito sentido em fazer daquela conversa um confessionário, mas também não via motivo para se fechar.

– Como eu disse antes, a gente andava distante. Aquela história de sempre. De repente tudo começa a girar em torno dos filhos e da logística familiar: quem vai fazer as compras do mês, quem vai lavar a louça, quem vai pagar as contas, esse tipo de coisa. Além disso, eu estava passando por uma crise de meia-idade, acho.

– Estava se sentindo desvalorizado, é isso?

– Sim, eu me sentia... sei lá, como se eu não fosse mais um homem de verdade. Era o provedor, o pai, mas...

– E de repente aparece Sally Perryman, enchendo você de atenção.

– Não foi tão de repente assim, mas você tem razão. Comecei a trabalhar com Sally num caso importante. É uma mulher bonita, apaixonada pelo que faz, e me olhava do mesmo jeito que a Corinne olhava para mim antes. Sei que é uma bobagem da minha parte, mas foi isso que aconteceu.

– Não é bobagem – disse Johanna. – É muito comum.

Adam ficou se perguntando se a delegada realmente achava isso ou se queria apenas confortá-lo.

– Seja como for, acho que a Corinne ficou com medo, pensando que eu fosse deixá-la. Na época não percebi nada, ou talvez não tenha dado a devida importância. Mas ela já tinha até instalado o localizador no meu telefone.

– O mesmo que indicou que ela estava em Pittsburgh?

– Exatamente.

– E você não sabia disso?

– Não. Só fiquei sabendo quando o Thomas me mostrou.

– Uau! – exclamou Johanna, balançando a cabeça. – Quer dizer então que sua mulher andava espionando você?

– Não sei, pode ser que sim. Pelo menos é isso que eu acho que aconteceu. Várias vezes liguei pra ela dizendo que precisava trabalhar até mais tarde. Com o aplicativo, ela deve ter descoberto que eu estava frequentando a casa da Sally.

– Você não dizia onde estava?

– Não. Dizia apenas que estava trabalhando.

– Mas por quê?

– Isso é o mais irônico de tudo: porque eu não queria que ela se preocupasse. Sabia qual seria a reação dela. Ou talvez soubesse, ainda que inconscientemente, que aquilo estava errado. Eu e Sally podíamos muito bem continuar trabalhando no escritório, mas eu gostava de ir à casa dela.

– E Corinne descobriu.

– Sim.

– Mas não aconteceu nada entre você e essa Sally?

– Nada – repetiu Adam. E depois de uma rápida reflexão: – Mas faltou pouco para acontecer.

– Vocês chegaram a... a ter algum contato físico?

– Contato físico? Não, nenhum.

– Nem um beijo?

– Não.

– Então... por que a culpa?

– Porque eu queria ter beijado.

– Mas e daí? Eu adoraria dar um banho no Hugh Jackman! A gente não tem controle sobre o que deseja. Desejar é humano. Relaxe.

Adam não disse nada. Johanna prosseguiu:

– Então depois sua mulher procurou Sally para acertar as contas com ela?

– Isso. Ligou pra ela. Mas não sei se foi para acertar as contas.

– Corinne nunca lhe disse nada?

– Nunca.

– Quer dizer... ela perguntou para Sally o que estava acontecendo, mas não se deu o trabalho de fazer a mesma coisa com você...

– Acho que sim.

– E depois?
– Bem, depois ela ficou grávida – disse Adam.
– Ou melhor, fingiu que ficou grávida.
– É o que eu imagino.
– Uau! – repetiu Johanna, balançando a cabeça.
– Não é o que você está pensando.
– É *exatamente* o que estou pensando.
– A gravidez me deixou assustado. Mas de um jeito bom. Serviu para me trazer de volta. Para me lembrar do que realmente era importante. Outra grande ironia: a manobra de Corinne deu certo. Ela conseguiu o que queria.
– É o que você pensa.
– Ela conseguiu me trazer de volta.
– Não foi isso que ela fez. Corinne manipulou você. Você teria voltado de qualquer jeito. E se não voltasse... bem, então não era pra ser. Sinto muito, Adam, mas o que sua mulher fez é errado. Muito errado.
– Ela estava desesperada.
– Isso não justifica nada.
– Este é o mundo dela. A família, a casa... Um mundo que ela lutou muito pra construir e que de repente estava ameaçado...
– Não tente justificar o erro dela, Adam.
– A culpa também foi minha.
– Culpa não tem nada a ver com essa história. Você estava num período de dúvidas. Ficou com a cabeça virada, perguntando como seria sua vida se... Não é a primeira vez que isso acontece a alguém. Ou você supera a crise ou não supera. Mas, no fim das contas, Corinne não lhe deu essa chance. Preferiu enganar você e viver uma mentira. Não estou defendendo você nem condenando sua atitude. Cada casamento tem sua história. Mas você não viu a luz no fim do túnel; pelo contrário, foi ofuscado pela que jogaram nos seus olhos.
– Talvez estivesse precisando disso.
Mais uma vez Johanna balançou a cabeça.
– Não dessa maneira – disse ela. – O que Corinne fez está errado. Você precisa admitir isso.
Adam refletiu por um instante.
– Eu a amo. Acho que ela ter fingido a gravidez não mudou nada no amor que eu sinto por ela.
– Mas você nunca vai saber.

– Não é verdade – disse Adam. – Já pensei muito a esse respeito.

– E tem certeza de que teria permanecido casado se ela não tivesse mentido?

– Tenho.

– Pelos garotos?

– Em parte.

– O que mais?

Adam se inclinou para a frente e por alguns segundos apenas olhou para o tapete a seus pés, um persa em tons de azul e amarelo que Corinne havia comprado num antiquário em Warwick. Eles tinham ido ao vilarejo num fim de semana de outubro para colher maçãs; não haviam colhido maçã nenhuma, mas comprado as frutas, bebido muita cidra e passeado pelos antiquários locais.

– O negócio é o seguinte: sejam lá quais forem nossas desavenças, nossos ressentimentos, nossas decepções, no fim das contas não consigo imaginar minha vida sem Corinne. Não consigo me imaginar envelhecendo ao lado de outra pessoa que não seja ela. Não consigo me imaginar não fazendo parte do mundo dela.

Johanna coçou o queixo e disse:

– Entendo. Entendo mesmo. Ricky, meu marido, ronca que nem um helicóptero e mesmo assim não quero outra pessoa a meu lado na cama.

Ambos se calaram por alguns minutos, deixando que os sentimentos e ideias se sedimentassem. Lá pelas tantas, Johanna perguntou:

– Por que você acha que o estranho o procurou para contar da falsa gravidez?

– Não faço a menor ideia.

– Não tentou extorquir dinheiro?

– Não. Falou que estava fazendo aquilo por mim. Dava a impressão de que estava numa missão, numa espécie bizarra de cruzada pela verdade. E a sua amiga Heidi? Ela também fingiu estar grávida?

– Não.

– Então não estou entendendo mais nada. O que foi que o cara falou pra ela?

– Não sei – disse Johanna. – Mas seja o que for, foi isso que a matou.

– Você nem imagina o que pode ser?

– Não – respondeu Johanna –, mas acho que já sei quem pode me dar uma luz.

capítulo 45

ELE SABE.

Chris Taylor leu a mensagem e mais uma vez ficou se perguntando como a coisa havia desandado. O trabalho da família Price fora uma encomenda. Talvez estivesse aí o problema, embora os trabalhos por encomenda em geral fossem os mais seguros – ainda que mais raros. Os pagamentos vinham de uma terceira parte sem nenhum envolvimento emocional, geralmente alguma firma no ramo das investigações. E a cereja no bolo era o fato de que esses casos não envolviam chantagem. Isso mesmo: chantagem. Chris não tinha problemas em usar essa palavra.

O protocolo era bastante simples. Bastava descobrir na internet algum segredo terrível de uma pessoa qualquer e dar a ela duas opções: pagar e ter seu segredo mantido ou não pagar e ter seu segredo revelado. De um jeito ou de outro Chris ficava satisfeito. O resultado final ou era dinheiro no bolso (a pessoa pagava o dinheiro exigido) ou uma experiência catártica (a pessoa era desmascarada em público). De certa maneira, ambos os caminhos eram necessários ao sucesso do esquema. Enquanto o dinheiro era importante para bancar os custos operacionais, a revelação da verdade era imprescindível porque nela residia todo o propósito inicial da empreitada.

Segredos revelados eram segredos destruídos.

Havia sido Eduardo quem insistira em começar a aceitar encomendas, argumentando que eles teriam como clientes apenas um grupo seleto de empresas de segurança. A operação seria fácil, sem riscos e lucrativa. O *modus operandi* também era muito simples: o cliente fornecia o nome de uma pessoa, Eduardo pesquisava seus bancos de dados em busca de algum podre na vida dela (no caso da família Price ele havia encontrado as transações de Corinne no BarrigaFalsa.com), o cliente pagava determinada quantia e o tal podre enfim era revelado.

Isso significava, claro, que Corinne Price jamais teria a oportunidade de escolher. Chris tinha contado a verdade pessoalmente a Adam Price. Mas fizera isso só pelo dinheiro. À proprietária do segredo não era dada a opção de se redimir.

Isso não estava certo.

Chris usava a palavra "segredo" como uma espécie de termo curinga para todo tipo de coisa. Havia mentiras, havia trapaças, havia casos muito piores. Corinne Price mentira para o marido ao inventar uma gravidez. Kimberly Dann tinha mentido para os pais quanto à fonte de renda que lhe permitia pagar a universidade. Kenny Molino havia usado anabolizantes para trapacear. Marcus, o noivo de Michaela, fizera muito pior ao roubar a namorada do melhor amigo com uma suposta "vingança pornô" postada na internet.

Para Chris, segredos eram tumores: eles infeccionavam. Iam corroendo as pessoas por dentro até deixar apenas uma frágil carcaça. Chris conhecia de perto os estragos que um segredo podia causar. Estava com 16 anos quando seu adorado pai, o homem que o havia ensinado a andar de bicicleta, que o levava para a escola todos os dias, que fora técnico da liga mirim de beisebol, descobrira um segredo terrível.

Ele não era seu pai biológico.

Semanas antes do casamento, a mãe de Chris tivera um derradeiro encontro com certo ex-namorado e ficara grávida. Sempre suspeitara que o filho não fosse do marido, mas a verdade viera à tona apenas após um acidente de carro, quando Chris foi hospitalizado e constataram a incompatibilidade numa tentativa de doação de sangue por parte do pai.

"Minha vida inteira tem sido uma grande mentira", Chris ouvira do próprio pai na ocasião.

Ele, o pai, tentara fazer a coisa certa, dizendo que pai de verdade não era apenas um doador de esperma, mas aquele que criava o filho, que dava amor, segurança e educação. Mas, no fim das contas, o estrago havia sido indelével: fazia três anos que eles não se falavam.

Isso era o que os segredos podiam fazer com pessoas, famílias e vidas.

Após se formar na faculdade, Chris havia conseguido emprego numa empresa pontocom chamada Downing Place. Gostara do lugar. Pensara ter encontrado ali uma espécie de lar. No entanto, por mais inocentes que fossem os objetivos da companhia, na realidade ela não passava de uma grande facilitadora para os piores tipos de segredo. Chris acabara trabalhando para um site chamado BarrigaFalsa.com. O negócio mentia inclusive para si mesmo, alegando que as pessoas compravam barrigas de silicone apenas com o intuito de fazer uma brincadeira ou se fantasiar para uma festa. Mas todos sabiam da verdade. Era até possível que alguém recorresse ao site para uma pegadinha. Mas quem haveria de comprar exames falsos de ultrassom ou testes falsos de gravidez? A quem eles pensavam estar enganando?

Aquilo estava errado.

Chris percebera logo de início que seria inútil denunciar a empresa. Em primeiro lugar ele não se sentia capacitado para tanto, mas o principal motivo era que o site possuía concorrentes. Todos os sites da mesma natureza possuíam concorrentes. E se um deles quebrasse, os outros ficariam fortalecidos. Portanto, na ocasião ele se lembrara de uma lição que aprendera ainda na infância com o "pai": fazemos apenas aquilo que nos é possível fazer; salvamos o mundo, uma pessoa de cada vez.

Não fora difícil encontrar pessoas que pensavam da mesma forma, todas trabalhando em sites semelhantes, com o mesmo tipo de acesso a segredos alheios. Algumas haviam se mostrado mais interessadas no aspecto financeiro do projeto, enquanto outras tinham absoluta consciência de que aquilo que estavam fazendo era o justo e o certo. Chris não queria transformar sua iniciativa numa espécie de missão religiosa, mas não podia negar que havia nela um aspecto nitidamente moral.

No fim das contas o grupo se completara com cinco pessoas: Eduardo, Gabrielle, Merton, Ingrid e ele. A vontade de Eduardo era que tudo fosse feito on-line, tanto as ameaças quanto a revelação dos segredos. Bastaria usar algum tipo de e-mail não rastreável para garantir o anonimato. Mas Chris não havia concordado. Gostassem eles ou não, a iniciativa resultava na devastação da vida de uma pessoa. Num piscar de olhos eles mudavam a vida dessa pessoa para sempre. Portanto era preciso dar um toque mais humano à coisa, um toque de compaixão. Os sites que fomentavam segredos não tinham rostos, eram impessoais.

Eles seriam diferentes.

Chris leu novamente o cartão de visitas de Adam Price e a curta mensagem de Gabrielle: ELE SABE.

De certo modo ele agora estava tendo um gostinho do próprio remédio. Afinal, Chris também tinha o seu segredo, não tinha? Não. Seu segredo era diferente dos outros. Seu segredo não tinha como objetivo a mentira, mas a proteção da verdade. Ou será que isso era apenas o que ele dizia a si mesmo? Estaria ele apenas dando uma bela roupagem a um segredo não tão belo assim?

Chris tinha plena consciência dos perigos que os cercavam, dos inimigos que eles vinham fazendo. Sabia que muitos não seriam capazes de enxergar o bem que ele lhes estava fazendo e tentariam encontrar um jeito de retaliar. Outros seguiam vivendo na sua "bolha" de mentira.

E agora Ingrid estava morta.

ELE SABE.

Então a resposta era óbvia: *ele* precisava ser eliminado.

capítulo 46

O ALOJAMENTO UNIVERSITÁRIO EM QUE Kimberly Dann morava ficava em Greenwich Village, um dos bairros mais descolados de Manhattan. Beachwood não era nenhuma roça, que isso fique bem claro. Muitos dos que moravam ali tinham abandonado Nova York para se livrar do corre-corre de uma grande metrópole e buscar um pouco de conforto num lugar mais barato. Mas Beachwood também não era nenhuma Manhattan. Johanna já tinha viajado o suficiente (aquela era sua sexta vez em Nova York) para saber que não existia lugar nenhum no planeta como aquela ilha. Ao contrário do que diziam as canções, a cidade dormia, sim, mas os sentidos se mantinham alertas, as antenas ficavam sempre de pé, os olhos piscavam menos.

A porta se escancarou assim que Johanna bateu, como se Kimberly já esperasse com a mão na maçaneta.

– Ah, tia Johanna...

Kimberly se jogou imediatamente nos braços da policial e começou a chorar. Preferindo deixá-la desabafar, Johanna apenas acariciou os cabelos dela do mesmo modo que vira Heidi fazendo tantas vezes, como naquele dia em que a menina arranhara o joelho num tombo no zoológico, ou quando, anos mais tarde, fora dispensada pelo canalha do Frank Velle, que preferiu levar Nicola Shindler ao baile de formatura da escola.

Ao se ver abraçada à filha de sua grande amiga, morta daquele jeito tão brutal, Johanna sentiu todas as feridas se reabrirem no peito. "Shhh... shhh...", era só o que ela dizia, como se tivesse nos braços um bebê para acalentar. Preferiu deixar de lado todas aquelas frases prontas a que as pessoas geralmente recorriam em ocasiões semelhantes, do tipo "Vai ficar tudo bem", ou qualquer outra promessa que não podiam cumprir. Simplesmente abraçou a garota, deixando que ela chorasse quanto quisesse. E a certa altura se permitiu chorar também. Por que não? Por que fingir que não estava igualmente arrasada com os acontecimentos?

O que ela precisava fazer poderia esperar um pouco. Enquanto isso, as duas chorariam até as lágrimas secarem.

Depois de um tempo, Kimberly se afastou e disse:

– Minha mala já está pronta. A que horas é o nosso voo?

– Primeiro vamos sentar e conversar um pouquinho, pode ser?

Como se tratava de um quarto de alojamento, e não de uma sala de visitas, Johanna se acomodou na beirada da cama e Kimberly se jogou numa espécie de pufe numa versão mais chique. Além das perguntas que queria fazer, havia outro motivo para sua presença ali: ela havia prometido a Marty que buscaria a garota para o enterro da mãe. "Ela está um caco, não quero que viaje sozinha", dissera ele.

Johanna entendia perfeitamente.

– Preciso perguntar uma coisa – disse ela.

– Tudo bem – disse Kimberly, ainda secando o rosto.

– Na véspera da morte da sua mãe, vocês se falaram pelo telefone, não falaram?

Kimberly voltou a chorar.

– Querida?

– Sinto tanta saudade dela...

– Eu também, meu amor. Todos nós sentimos. Mas preciso que você se concentre um minutinho, está bem?

Kimberly assentiu com a cabeça.

– Sobre o que vocês conversaram naquela noite?

– Que diferença isso pode fazer agora?

– Estou tentando descobrir o responsável pela morte da sua mãe.

Mais soluços.

– Kimberly?

– Ela chegou em casa durante um assalto, não foi isso que aconteceu?

Essa era uma das hipóteses levantadas pela polícia do condado. Desesperados por dinheiro, homens drogados tinham invadido a casa à procura de objetos de valor, e Heidi chegara minutos depois, pagando com a própria vida pelo inconveniente.

– Não, meu anjo, não foi isso que aconteceu.

– Então o que foi?

– É isso que estou tentando descobrir. Kimberly, preste atenção: outra mulher foi assassinada pela mesma pessoa.

A garota piscou os olhos como se tivesse levado uma pancada na cabeça.

– Como...?

– Preciso que você me conte o que conversou com sua mãe pelo telefone.

Desviando o olhar, Kimberly disse:

– Nada em especial.

– Isso não é verdade.

As lágrimas brotaram novamente.

– Examinei seus registros telefônicos. Você e sua mãe trocavam muitas mensagens, mas se falaram por telefone apenas três vezes no último semestre. A primeira ligação durou seis minutos. A segunda, apenas quatro. Mas, na noite anterior à morte dela, vocês se falaram por mais de duas horas. Sobre o que conversaram?

– Por favor, tia. Isso não tem mais nenhuma importância.

– É o que você pensa – rebateu Johanna, agora um pouco mais firme. – Você precisa me dizer.

– Não posso...

Ouvindo isso, Johanna se abaixou diante de Kimberly e tomou o rosto dela entre as mãos.

– Olhe pra mim.

Demorou algum tempo, mas Kimberly finalmente aquiesceu.

– Seja lá o que aconteceu com sua mãe, a culpa não é sua, está me ouvindo? Sua mãe era louca por você, certamente ia querer que seguisse em frente e procurasse ter a melhor vida possível. Quanto a isso você pode contar sempre comigo. Porque é isso que sua mãe ia querer. *Está me ouvindo?*

Kimberly fez que sim com a cabeça.

– Então vamos lá – insistiu Johanna. – O que foi que vocês conversaram no último telefonema?

capítulo 47

ADAM OBSERVAVA GABRIELLE DUNBAR a uma distância suficientemente segura. Meia hora antes ele havia decidido observar um pouco mais a mulher antes de ir para o trabalho e, dobrando a esquina, deparara com ela na rua, jogando de maneira apressada algumas malas na traseira do carro. Seus dois filhos esperavam ao lado, cada um com sua própria malinha. Pelos cálculos de Adam, a menina devia ter 12 anos e o menino, 10.

Na noite anterior ele tentara falar com as outras três pessoas que Gribbel conseguira identificar e localizar a partir da fotografia extraída do Facebook de Gabrielle. Nenhuma delas revelara nada de útil sobre o estranho, o que já era de esperar. Por mais elaborado que tivesse sido o pretexto inventado, nada mais natural que elas ficassem com um pé atrás com aquele "estranho" (olha que ironia!) que queria identificar uma pessoa a partir de uma foto coletiva. Além disso, nenhuma delas morava perto o suficiente para que ele arriscasse um confronto pessoal como havia feito com Gabrielle.

Então ele apostou suas fichas nela.

A mulher estava escondendo alguma coisa. Isso tinha ficado mais do que óbvio na véspera. E agora lá estava ela, saindo de casa com uma mala em punho.

Coincidência?

Dificilmente. Adam continuou observando de dentro do carro. Gabrielle acomodou a última bolsa e precisou de algum esforço para fechar o porta-malas. Acomodou os dois filhos no banco de trás, atou os cintos de segurança e já estava indo para o volante quando parou um instante e olhou rua abaixo, exatamente na direção de Adam.

Merda.

Adam escorregou no banco, procurando se esconder. Ele esperava não ter sido visto. De qualquer forma, estava longe o bastante para não ser reconhecido. Refletindo um instante, se deu conta de uma coisa: e daí que tivesse sido reconhecido? Ele estava ali justamente para confrontar a mulher, não estava?

Aos poucos Adam se reergueu no banco, mas àquela altura Gabrielle já estava dentro do carro, descendo a rua. Caramba, que belo detetive ele era.

Hesitou durante alguns segundos sobre o que fazer em seguida, então decidiu seguir a mulher. Não sabia direito que distância manter: não queria ficar perto demais e correr o risco de ser visto, mas também não queria ficar muito longe e correr o risco de perdê-la de vista. Toda sua experiência nesse tipo de coisa fora construída assistindo a séries policiais na TV. Gabrielle dobrou para a direita e ele fez o mesmo. Os dois carros seguiram emparelhados pela Rota 208, depois tomaram a Interestadual 287. Adam conferiu o medidor de combustível. Por sorte tinha um tanque quase cheio. Até onde ele pretendia continuar seguindo a mulher? E quando estivesse frente a frente com ela, o que iria fazer?

Nesse instante, seu celular tocou. O identificador de chamadas dizia: JOHANNA.

Ele havia incluído o número dela na lista de contatos após a inesperada visita que recebera na véspera. Poderia confiar nela? Ele achava que sim. O objetivo da policial era apenas descobrir quem havia matado sua amiga. Desde que esse "quem" não fosse Corinne, ele pensou, Johanna Griffin poderia ser de grande ajuda, até mesmo uma aliada. De qualquer modo, se a assassina fosse mesmo Corinne, ele teria nas mãos um problema bem maior do que saber se podia ou não confiar numa policial de Ohio.

– Alô?

– Estou prestes a embarcar num avião – disse Johanna.

– Voltando pra casa?

– Já estou em casa.

– Em Ohio?

– No aeroporto de Cleveland. Precisei trazer a filha de Heidi, mas daqui a pouco estou voltando pra Nova Jersey. O que você está fazendo?

– Estou na cola de Gabrielle Dunbar.

– Na cola?

– Não é isso que vocês, policiais, dizem quando estão seguindo alguém? – explicou-se Adam e depois resumiu o que tinha feito até então.

– E agora, qual é o seu plano? – perguntou Johanna.

– Não sei. Mas não posso ficar de braços cruzados.

– Tem razão.

– Por que você ligou?

– Descobri uma coisa ontem à noite.

– Estou ouvindo.

– Seja lá o que esteja acontecendo, não está ligado a um único site.

– Como assim?

– O tal estranho. Ele faz mais do que sair por aí contando aos outros sobre mulheres que fingem estar grávidas. Tem acesso a outros sites também. Ou pelo menos a mais um.

– Como ficou sabendo disso?

– Conversei com a filha da Heidi.

– E qual era o segredo dela?

– Prometi que não contaria a ninguém. E você não precisa saber, pode confiar em mim. O importante é o seguinte: é bem possível que esse estranho esteja chantageando um monte de gente, pelos mais variados motivos.

– Então... o que você acha que está acontecendo? – perguntou Adam. – O cara e a tal Ingrid... O negócio deles é chantagear as pessoas depois de descobrir o que elas fazem na internet?

– Mais ou menos isso.

– Mas por que Corinne está desaparecida? Onde isso se encaixa?

– Não sei.

– Quem matou sua amiga? Quem matou a Ingrid?

– Também não sei, Adam. Talvez alguma coisa tenha dado errado na chantagem. Heidi era uma mulher forte, é possível que tenha resolvido enfrentar os caras. Ou talvez o estranho tenha se desentendido com a comparsa, Ingrid.

Mais adiante na autoestrada, Gabrielle dava seta para pegar a rampa que conduzia à Rota 23. Adam também deu seta e seguiu no encalço dela.

– Qual é a conexão entre sua amiga e minha mulher?

– Fora o estranho, não vejo nenhuma.

– Espera aí – disse Adam.

– O que foi?

– Gabrielle está saindo da rodovia.

– Para onde?

– Para Lockwood Avenue, em Pequannock.

– Isso ainda fica em Nova Jersey?

– Sim.

Adam cogitou se devia parar atrás de Gabrielle ou ultrapassá-la e parar mais adiante na rua. Acabou optando pela segunda alternativa, então passou direto pela casa de fachada amarela e janelas vermelhas onde ela estacionou. Um homem surgiu à porta e caminhou até o carro de Gabrielle. Adam não o reconheceu. A menina foi a primeira a descer, e foi recebida por um abraço desajeitado do homem.

– E aí, o que está acontecendo? – perguntou Johanna.

– Alarme falso, eu acho – disse Adam. – Parece que ela veio deixar os filhos na casa do ex-marido.

– Tudo bem. Estão chamando meu voo. Ligo de volta assim que pousar em Newark. Enquanto isso não faça nenhuma besteira, ok?

Johanna desligou.

Agora era o menino quem descia do carro. Outro abraço desajeitado. O homem acenou para Gabrielle. É possível que ela tenha acenado de volta, mas, de onde estava, Adam não podia ver. Uma mulher surgiu à porta da casa amarela. Uma mulher mais jovem. *Muito* mais jovem. A velha história, pensou Adam. Gabrielle permaneceu no carro enquanto o provável ex-marido retirava as malas. Na realidade, ele retirou apenas duas malas infantis, depois olhou para Gabrielle com uma interrogação no olhar. Antes que ele pudesse perguntar qualquer coisa, ela arrancou com o carro e voltou para a rua.

Com um monte de malas ainda no porta-malas.

Para onde estaria indo?

Diante disso, Adam não via nenhum motivo para não continuar seguindo a mulher.

capítulo 48

GABRIELLE PEGOU A ESTRADA conhecida como Skyline Drive e dali a pouco alcançou a área do parque estadual de Ringwood, próximo às montanhas Ramapo. O parque ficava a uns 45 minutos de Nova York, mas poderia muito bem pertencer a outro planeta. Várias lendas circulavam em torno das tribos que ainda habitavam a região. Algumas pessoas se referiam a elas como os índios das montanhas Ramapo, da Nação Lenape ou da Nação Lunaape Delaware. Outras os viam como nativos norte-americanos; e também como descendentes ou dos colonizadores holandeses ou dos escravos libertos que haviam se fixado nas florestas de Nova Jersey, ou dos soldados hessianos que haviam lutado junto aos ingleses na Revolução Americana de 1776.

Como geralmente acontece com povos assim, existiam histórias terríveis a seu respeito. Os adolescentes que se aventuravam pelo lugar gostavam de botar medo uns nos outros, contando casos de pessoas que haviam sido raptadas para o âmago da floresta ou falando de fantasmas clamando por vingança. Tudo não passava de folclore, claro, mas o folclore também tinha lá seu poder.

Por que diabo Gabrielle estaria indo naquela direção?

Eles agora adentravam a parte mais arborizada da estrada, e a altitude já começava a incomodar os ouvidos de Adam. A certa altura Gabrielle voltou para a Rota 23 e ficou nela por quase uma hora até ingressar no estado da Pensilvânia pela ponte estreita de Dingman's Ferry. Por ali o movimento de carros era bem menor. Adam se perguntou mais uma vez qual seria a distância segura para que sua presença não fosse percebida. Ignorando a cautela, concluiu que seria melhor se revelar para Gabrielle do que perdê-la de vista.

Ele conferiu o celular. Vendo que faltava pouco para a bateria acabar, plugou o aparelho no carregador que tinha no porta-luvas. Uns dois quilômetros mais adiante, Gabrielle virou à direita, numa área em que a floresta era ainda mais densa. Reduzindo a velocidade, ela entrou numa estradinha de terra. Uma placa de pedra já um tanto desbotada dizia: LAGO CHARMAINE – PROPRIEDADE PARTICULAR. Adam pegou a mesma estradinha e parou o carro junto de um pinheiro. Não poderia continuar seguindo por aquele caminho, que certamente terminaria numa casa.

Ele abriu o porta-luvas e conferiu o telefone mais uma vez. Ainda não tinha dado tempo de a bateria recarregar por completo, mas agora oscilava em torno dos dez por cento, o que talvez fosse suficiente. Adam guardou o aparelho no bolso e saiu do carro.

Olhou em volta, sem saber muito bem o que fazer, até que localizou uma trilha que cortava a floresta perpendicularmente à estradinha de terra. Restava-lhe descer por ela. O céu àquela hora resplandecia num belíssimo tom de turquesa. Galhos se projetavam das árvores, obstruindo a passagem e obrigando Adam a afastá-los. A certa altura ele parou e aguçou os ouvidos, atento a qualquer barulho. No entanto, quanto mais se embrenhava na floresta, maior era o silêncio à sua volta. Nem mesmo os carros da rodovia podiam ser ouvidos dali.

Chegando a uma clareira, Adam avistou um cervo mordiscando as folhas de uma árvore. O animal virou o rosto na sua direção e, vendo que não corria nenhum perigo, voltou tranquilamente à sua refeição. Adam seguiu adiante e dali a pouco avistou o tal lago Charmaine. Fossem outras as circunstâncias, ele adoraria estar ali. O lago era um espelho, refletindo o verde das árvores e o turquesa do céu. A paisagem não poderia ser mais bela, e Adam gostaria muito de poder sentar-se ali e admirá-la por alguns minutos. Corinne adorava lagos. Tinha um pouco de medo do mar. Para ela, as ondas eram violentas e imprevisíveis. Mas os lagos eram paraísos de placidez. Antes de os meninos nascerem, ele e Corinne costumavam alugar uma casa à beira de um lago no condado de Passaic. Eram dias de muita preguiça, consumidos quase inteiramente numa rede de casal: ele lendo as notícias do dia, ela devorando um livro qualquer. Adam ainda se lembrava dos olhinhos dela, ligeiramente vesgos enquanto passeavam pelas páginas. Aqui e ali Corinne erguia o rosto e sorria para ele. Ele sorria de volta, depois ambos desviavam os olhos para o lago.

Um lago muito parecido com aquele.

De repente Adam avistou uma casa à direita. Parecia abandonada, apesar do carro estacionado diante dela.

O carro de Gabrielle.

A casa tinha o aspecto de um centenário chalé de madeira, mas também poderia ser uma construção moderna, dessas pré-fabricadas em que basta juntar as peças numeradas. Adam foi descendo pelo caminho com cuidado, esgueirando-se por árvores e arbustos. Sentia-se meio bobo, como uma criança brincando de esconde-esconde ou polícia e ladrão. Procurando se lembrar da última vez que fizera algo semelhante, precisou voltar aos 8 anos de idade, aos acampamentos que frequentava nas férias de verão.

Ele ainda não sabia ao certo o que faria quando chegasse à casa, mas por uma fração de segundo lamentou o fato de não estar armado. Não possuía armas, o que talvez fosse um equívoco. Lá pelos 20 anos tivera algumas lições de tiro com seu tio Greg e se mostrara um bom atirador. Pensando melhor, o mais prudente teria sido mesmo ter arranjado uma arma. Estava lidando com pessoas perigosas, possivelmente assassinas. Levando a mão ao telefone, ele cogitou ligar para alguém. Mas para quem? E para dizer o quê? Johanna ainda estaria no voo para Nova Jersey. Ele poderia mandar uma mensagem para Andy Gribbel ou para o velho Rinsky, mas o que iria dizer a eles?

Bom, para início de conversa poderia dizer onde estava.

Ele já ia tirando o telefone do bolso quando parou no meio do caminho, assustado: Gabrielle Dunbar estava bem à sua frente na clareira, encarando--o a alguns metros de distância.

Num rompante de raiva, Adam correu na direção dela, esperando que Gabrielle fugisse ou algo parecido. Mas a mulher ficou onde estava, encarando-o como antes.

– Onde está minha mulher? – berrou Adam.

Gabrielle permaneceu muda e Adam se aproximou um pouco mais.

– Eu perguntei...

Foi aí que algo o acertou na nuca com tanta força que ele chegou a sentir o cérebro se despregar das amarras do crânio. Caiu de joelhos, desnorteado. Agindo por instinto, conseguiu virar o rosto para trás e para o alto. Vendo o taco de beisebol que descia na sua direção, cogitou desviar ou erguer o braço para se proteger. Mas não teve tempo para uma coisa nem outra.

O taco aterrissou com um baque surdo, feito uma machadada, e tudo escureceu à sua volta.

capítulo 49

Sempre fiel às normas e às regras, Johanna Griffin esperou o taxiamento completo da aeronave para tirar o celular do modo avião. As mensagens e os e-mails que recebera foram carregando aos poucos enquanto a comissária fazia os anúncios de praxe: "Bem-vindos ao aeroporto de Newark. A temperatura local é de..."

Nenhuma notícia de Adam Price.

As últimas 24 horas haviam sido um martírio. Interpelar Kimberly e fazê-la contar seu segredo fora um trabalho árduo e demorado, e depois disso ainda precisou lidar com o nervosismo dela. Johanna tentou se mostrar compreensiva, mas, por Deus, onde é que a garota estava com a cabeça para se envolver numa coisa daquelas? Pobre Heidi. Qual teria sido a reação dela ao saber das atividades da filha? Johanna ficou pensando nas imagens gravadas pela câmera de segurança no estacionamento do Red Lobster. Só agora a linguagem corporal da amiga fazia sentido. Ela estava sendo literalmente torturada pelas palavras e revelações daquele sujeito, o estranho maldito.

E ele? Teria consciência do estrago que estava fazendo?

Em seguida Heidi voltara para casa. Ligara para Kimberly e exigira que ela contasse toda a verdade. Procurara se manter calma e racional, por maior que fosse a dor que a consumia por dentro. Mas também era possível que tivesse reagido de outra forma. Heidi era a pessoa menos preconceituosa do mundo. Talvez tivesse ouvido a filha com tranquilidade, guardando suas forças para enfrentar os bandidos e contra-atacar. Quem poderia saber? Ela havia confrontado Kimberly. Depois tentara encontrar uma maneira de tirar a filha daquela terrível encrenca em que ela havia se metido.

E talvez tenha pagado com a própria vida.

Johanna ainda não sabia o que acontecera com Heidi, mas podia jurar que havia algum vínculo entre o assassinato da amiga e a revelação de que Kimberly tinha se tornado garota de programa (àquela altura não fazia mais sentido usar eufemismos) e prestado seus serviços a três homens diferentes. A investigação ainda estava num estágio muito inicial, e certamente se arrastaria por um bom tempo. Kimberly nem sequer sabia o nome verdadeiro dos seus clientes, o que também era um espanto, mas talvez fosse esse o procedimento de praxe nas atividades clandestinas. Johanna chegara a conversar com a proprietária do site, ouvira pacientemente todas as explicações e subterfúgios da mulher e, ao desligar o telefone, sentira uma súbita necessidade de tomar um banho. Pois é. Era um irônico aceno ao feminismo que o negócio fosse liderado por uma mulher. A fulana defendia com ardor os "acordos comerciais" que intermediava, bem como o "direito de privacidade" dos seus clientes, dizendo que não revelaria nada até que alguém lhe apresentasse uma ordem judicial.

Como a sede da empresa ficava em Massachusetts, uma ordem judicial levaria algum tempo para ser obtida.

Depois dessa conversa nada agradável, Johanna ainda fora obrigada a passar um relatório completo de suas atividades em Nova Jersey para a polícia do condado. Na verdade, ela nem se importava tanto com isso. A única coisa que queria era colocar atrás das grades o desgraçado que havia matado sua amiga. Ponto final. Portanto, contaria tudo para os caras, não só relatando seu encontro com Adam Price mas repetindo em detalhes tudo o que ouvira de Kimberly. Agora caberia a eles providenciar a tal ordem judicial e usar os recursos que tinham a seu dispor para descobrir quem era o tal estranho e qual era o vínculo dele com os assassinatos de Heidi Dann e Ingrid Prisby.

Tudo muito bom, mas isso não significava que ela iria se afastar do caso.

Seu celular tocou. Ela não reconheceu o número, mas o código de área era 216, o que significava que era alguém nas imediações de Beachwood, Ohio. Não custaria nada atender.

– Alô?

– Aqui é Darrow Fontera.

– Quem?

– Darrow Fontera. Chefe de segurança do Red Lobster. A senhora me pediu umas imagens da nossa câmera de segurança.

– Ah, claro. Em que posso ajudá-lo?

– Pedi que o DVD fosse devolvido quando vocês não precisassem mais dele, lembra?

– Ainda não encerramos a investigação – disse ela.

– Nesse caso... será que podem fazer uma cópia e devolver o original?

– Mas por que você precisa desse DVD agora?

– É o protocolo – disse o sujeito, burocraticamente. – Nós só temos uma cópia de cada DVD.

– Sim, e eu peguei essa cópia, certo?
– Eu sei, mas foi a segunda pessoa a pedir.
– A segunda? Como assim?
– O outro policial esteve aqui antes da senhora.
– Espera aí. Que outro policial?
– Escaneamos o documento dele. É um policial aposentado da Polícia de Nova York, mas ele disse que... Só um minuto... Pronto, aqui está. O nome dele é Kuntz. John Kuntz.

capítulo 50

A DOR FOI LANCINANTE. Era inútil perguntar onde estava ou o que havia acontecido. Era como se tivessem partido seu crânio em mil pedacinhos pontudos que agora rasgavam o cérebro, impedindo qualquer pensamento. Restava-lhe esperar que aquilo passasse.

A certa altura vieram as vozes:

"Quando é que ele vai acordar?" ... *"Você não precisava ter batido tão forte."* ... *"Eu não queria correr nenhum risco."* ... *"Mas você está armado, não está?"* ... *"Ele veio aqui pra matar a gente, esqueceu?"* ... *"Espere, acho que ele está se mexendo..."*

A consciência foi voltando aos poucos, lentamente abrindo caminho através da dor e da inércia. Adam jazia no chão com o rosto colado numa superfície fria e áspera, talvez feita de cimento. Tentou abrir os olhos, mas era como se aranhas tivessem fiado sua teia sobre suas pálpebras. E quando apertou os olhos, precisou conter um grito, tamanha foi a dor que sentiu.

Quando enfim conseguiu abri-los, viu um par de tênis Adidas. Procurou lembrar-se do que acontecera. Ah, sim: ele vinha seguindo Gabrielle Dunbar. E ainda estava frente a frente com ela, num lago, quando...

– Adam?

Ele reconheceu a voz imediatamente. Ouvira-a apenas uma vez antes, mas desde então não conseguira tirá-la da cabeça. Com o rosto ainda colado ao chão, ele tentou olhar para o alto.

O estranho.

– Por que você foi fazer uma coisa dessas? – perguntou o sujeito. – Por que você matou a Ingrid?

Thomas Price estava fazendo uma prova de inglês quando o interfone da sala tocou. O professor, o Sr. Ronkowitz, atendeu e em seguida disse:

– Thomas Price, por favor, compareça à sala do diretor.

Como era de esperar, o zum-zum se espalhou imediatamente entre os colegas, como se todos dissessem ao mesmo tempo: "O cara se ferrou." Thomas recolheu suas coisas, guardou-as na mochila e saiu. O corredor estava completamente vazio naquela hora, o que num colégio era sempre estranho. Nas escolas, corredores vazios eram como cidades abandonadas ou casas mal-assombradas. Thomas podia ouvir os próprios passos ecoando nas paredes enquanto caminhava para a sala da diretoria. Não imaginava o que significava aquilo, se devia se preocupar ou não, embora raramente alguém fosse convocado ao gabinete do diretor por uma bobagem qualquer. Mas quando a mãe desse alguém estava desaparecida e o pai andava batendo pino, boa coisa é que não podia ser.

Thomas ainda não sabia o que estava acontecendo com os pais, mas sabia que se tratava de algo grave. Muito grave. Sabia também que Adam não contara toda a verdade. Os pais sempre acham que o melhor é "proteger" os filhos, ainda que "proteger" signifique "mentir". Pensam que estão ajudando quando colocam os filhos numa redoma, mas, no fim das contas, isso é sempre pior. Como no caso de Papai Noel. Ao se dar conta de que o bom velhinho não passava de uma lenda, Thomas não havia pensado "Puxa, estou crescendo", ou "Isso é coisa de criancinha". Nada disso. Seu primeiro pensamento fora bem mais simples: "Meus pais mentiram pra mim. Durante anos, com a cara mais lavada do mundo, meus pais mentiram pra mim."

A longo prazo, que efeito isso teria sobre a confiança dos filhos em relação aos próprios pais?

Para ser sincero, Thomas sempre detestara aquela história de Papai Noel. Não via nela nenhum sentido. Por que dizer às crianças que durante todo o ano elas eram observadas por um velhote gorducho, estranho pra caramba, que morava no Polo Norte? Ele ainda se lembrava do dia em que, sentado no colo de um Papai Noel de shopping que fedia ligeiramente a xixi, ele havia se perguntado: "É *esse* o cara que traz os meus presentes todo ano?" Não seria melhor se as crianças soubessem que aqueles presentes vinham não de um velhote bizarro, mas dos próprios pais, que haviam trabalhado com tanto afinco para comprá-los?

Fosse lá o que estivesse acontecendo, a vontade de Thomas era que o pai abrisse o jogo dessa vez. Nada seria pior do que aquilo que ele e Ryan vinham imaginando. Nenhum dos dois era burro. Aliás, Thomas já havia percebido a tensão do pai mesmo antes do sumiço da mãe. Não sabia dizer por que, mas as coisas haviam desandado desde que ela voltara daquele congresso em Atlantic City.

Abrindo a porta do gabinete, Thomas deparou com Johanna, a policial que havia batido à porta deles no outro dia. Ao lado dela estava o diretor, o Sr. Gorman.

– Thomas, você conhece esta mulher? – perguntou o diretor.

– Conheço – respondeu Thomas. – É amiga do papai. E é da polícia.

– Sim, ela me mostrou o distintivo. Mesmo assim não posso deixá-lo sozinho com ela.

– Não precisa – disse Johanna. Virando-se para Thomas, ela foi direto ao ponto: – Por acaso você sabe onde seu pai está?

– Trabalhando, eu acho.

– Hoje ele não apareceu no escritório. Já liguei diversas vezes para o celular dele, mas só caiu na caixa postal.

Thomas sentiu na espinha o friozinho do pânico.

– Estranho. Isso só acontece se a pessoa está com o telefone desligado. E o papai nunca desliga o telefone.

Johanna Griffin se aproximou. Vendo a preocupação nos olhos dela, Thomas ficou ainda mais aflito. Por outro lado, não era isso que ele queria? A verdade em vez de proteção?

– Thomas, seu pai me falou do aplicativo de GPS que vocês têm no telefone.

– Se o aparelho está desligado, não funciona.

– Mas o aplicativo pode mostrar onde seu pai estava quando o telefone foi desligado?

A ficha logo caiu para Thomas.

– Pode – disse ele.

– Você precisa de um computador pra...?

– Não – ele foi logo respondendo, já levando a mão ao bolso. – Posso ver pelo meu celular. É rapidinho.

capítulo 51

– Por que você matou a Ingrid?

Adam tentou se sentar, mas bastou erguer o rosto do chão para que a dor voltasse com tudo. Onde ele estava, afinal? No chalé de madeira? Tentou levar as mãos ao crânio, mas não conseguiu. Confuso, tentou novamente, e só então ouviu o tilintar do metal.

Suas mãos estavam presas.

Olhando às suas costas, viu que uma corrente de bicicleta o amarrava a um cano que subia do chão ao teto. Procurou se orientar. Estava num porão. À sua frente, usando o mesmo boné de beisebol, estava o estranho. À direita dele, Gabrielle, e à esquerda, um garoto de cabeça raspada, tatuagens e piercings por toda parte, não muito mais velho do que Thomas. Ele empunhava uma arma.

Atrás dos três havia ainda um homem com seus 30 e poucos anos, cabelos compridos e barba rala.

– Quem são vocês? – perguntou Adam.

Foi o estranho que respondeu:

– Já lhe disse antes, não disse?

Mais uma vez, Adam tentou se sentar. As fisgadas de dor quase o paralisaram, mas ele aguentou firme. Não dava para ficar de pé. E, mesmo que conseguisse, ele não podia ir a lugar nenhum com as mãos presas e a cabeça explodindo daquele jeito. Por fim, conseguiu se acomodar com as costas viradas para o cano.

– Você é o cara do bar – disse.

– Sim.

– O que você quer de mim?

O garoto tatuado deu um passo adiante e apontou a arma para Adam, deitando-a de lado como os atores fazem nos filmes de gângster.

– Se você não abrir o bico, vou estourar seus miolos.

– Merton – censurou o estranho.

– A gente não tem tempo pra isso. Ele precisa começar a falar.

Adam ergueu os olhos para a arma, depois para Merton. Concluiu que o garoto era bem capaz de cumprir com o que estava dizendo. Não pensaria duas vezes antes de atirar.

Foi Gabrielle quem falou dessa vez:

– Guarde essa arma.

Merton não lhe deu ouvidos. Encarando Adam, ainda apontando a arma na direção dele, o garoto disse:

– Por que você matou a Ingrid? Ela era minha amiga.

– Eu não matei ninguém.

– Fale a verdade, porra!

A mão de Merton começou a tremer. Gabrielle mais uma vez interveio:

– Merton, não!

Com a arma ainda apontada, ele recuou alguns passos, tomou impulso e desferiu contra Adam um poderoso chute logo abaixo das costelas, num ponto especialmente sensível. Ele soltou um grunhido de dor e desabou no chão.

– Pare com isso! – disse o estranho.

– Ele precisa contar o que sabe.

– Ele vai contar. Calma.

– O que é que a gente vai fazer? – perguntou Gabrielle, com pânico na voz. – Era pra ser uma grana fácil, só isso!

– Ainda é. Está tudo bem. Procure se acalmar.

O sujeito de cabelos compridos disse:

– Não estou gostando disso. Não estou gostando *nada* disso.

– Não vamos perder a calma logo agora, ok? – berrou o estranho. Até ele começava a perder as estribeiras. – Precisamos descobrir o que aconteceu com a Ingrid.

Adam gemeu e disse:

– Não sei o que aconteceu com ela.

Todos se viraram para ele.

– Está mentindo – disse Merton.

– Vocês precisam ouvir o que...

Merton o interrompeu com mais um chute nas costelas e Adam caiu com o rosto no chão duro. Encolheu o corpo numa posição menos vulnerável e novamente tentou libertar as mãos para levá-las à cabeça que tanto doía.

– Chega, Merton!

– Eu não matei ninguém – Adam conseguiu dizer.

Receando um novo ataque, apertou os joelhos contra o peito, protegendo-se por antecipação.

– Ah, não matou? – indagou Merton. – Então também não deve ter sido você quem andou interrogando a Gabrielle sobre o Chris.

Chris. Então era esse o nome do estranho.

– Se manda, cara – disse o tal Chris para o tatuado nervosinho. E virando-se para Adam: – Você começou a investigar quem a gente era, a Ingrid e eu, certo?

Adam assentiu.

– E descobriu a Ingrid primeiro.

– Só o nome dela.

– O quê?

– Só descobri o nome dela, mais nada.

– Como?

– Onde está minha mulher?

– Hein? – disse Chris, franzindo a testa.

– Eu perguntei...

– Ouvi muito bem o que você perguntou – interrompeu o sujeito, olhando de relance para Gabrielle. – Por que a gente saberia onde está sua mulher?

– Foi você que começou tudo isso – disse Adam.

À custa de muita dor, ele conseguiu se levantar. Sabia que estava em maus lençóis, que sua vida corria perigo, mas também sabia que aquelas pessoas eram amadoras. Sentia no ar o cheiro do pavor delas. A corrente de bicicleta começava a bambear. Não seria impossível desvencilhar as mãos, o que viria a calhar caso ele conseguisse atrair Merton e sua arma para perto.

– Então é isso? Você estava querendo vingança?

– Não – respondeu Adam. – Mas agora sei o que vocês fazem.

– Sabe, é?

– Vocês descobrem um segredo de uma pessoa e depois a chantageiam.

– Está enganado – disse Chris.

– Você chantageou Suzanne Hope porque ela fingiu uma gravidez. Ela não pagou a grana, daí você foi lá e contou tudo para o marido dela, como fez comigo.

– Como você ficou sabendo de Suzanne?

Merton, que era o mais apavorado de todos – e portanto o mais perigoso –, berrou:

– Ele andou bisbilhotando todo mundo!

– Suzanne era amiga da minha mulher – explicou Adam.

– Ah, eu devia ter imaginado – disse Chris, meneando a cabeça. – Então foi a Suzanne que falou do site pra ela?

– Foi.

– Isso que Suzanne e sua mulher fizeram... Isso é muito feio, você não acha? O problema é que a internet facilita muito as coisas pra quem quer enganar os outros. Pra quem quer ficar anônimo e contar uma mentira para a própria família. É um absurdo. Então o que a gente faz... – disse ele, apontando para os demais à sua volta – é botar os pingos nos devidos is.

Adam quase sorriu.

– É isso que vocês dizem pra si mesmos?

– É a verdade. Veja, por exemplo, o caso da sua mulher. O BarrigaFalsa, como todos os outros sites, promete sigilo absoluto. Então sua mulher pensou: "Ótimo, ninguém nunca vai ficar sabendo." Mas é muita ingenuidade pensar que hoje em dia alguma coisa é cem por cento sigilosa. Não estou nem falando dessa parada sinistra do governo com a NSA. Estou falando de gente. De seres humanos. Quem é idiota o bastante para acreditar que num negócio on-line tudo é mecanizado, que não tem ninguém por trás para acessar todos os seus dados, sobretudo os do cartão de crédito?

Chris sorriu para Adam.

– Você realmente acredita que é possível guardar algum segredo?

– Chris? É esse o seu nome, não é?

– Sim.

– Estou cagando pra tudo isso – disse Adam. – Só quero saber onde está minha mulher.

– Sua mulher? Eu contei o segredo dela, não contei? Então acabou. Você devia ficar agradecido. Mas não. Em vez disso foi atrás da gente. E quando encontrou a Ingrid...

– Já disse que não encontrei ninguém. Procurei saber quem vocês eram, só isso.

– Por quê? Você investigou aquele link que eu passei?

– Sim.

– Depois olhou o extrato do seu cartão de crédito. Viu que eu estava falando a verdade, certo?

– Certo.

– Então...

– Ela está desaparecida.

– Ela quem? – perguntou Chris, surpreso. – Sua mulher?

– Sim.

– Espere aí. Se você diz que ela está desaparecida... Você chegou a falar que descobriu sobre a falsa gravidez?

Adam não disse nada.

– Depois disso... ela fugiu?

– Não é tão simples assim. Corinne não fugiu só porque...

Merton interveio:

– Não acreditem nesse cara. Ele só está tentando ganhar tempo.

Chris olhou para Merton e perguntou:

– Você escondeu o carro dele, não escondeu?

Merton fez que sim com a cabeça.

– E eu tirei a bateria do telefone – prosseguiu Chris. – Fique tranquilo, estamos com tempo. – Virando-se novamente para Adam: – Não está vendo? Sua mulher enganou você, Adam. Você tinha o direito de saber.

– Pode ser. Mas não pela sua boca – disse Adam, já sentindo o punho direito escorregar das correntes. – Sua amiga Ingrid morreu por *sua* causa.

– Não falei? Ele matou a Ingrid! – berrou Merton.

– Não. Outra pessoa matou a Ingrid. E não foi só ela.

– Do que está falando?

– A mesma pessoa que matou sua amiga também matou Heidi Dann.

Isso fez com que todos arregalassem os olhos.

– Meu Deus... – balbuciou Gabrielle.

Apertando as pálpebras, Chris disse:

– Como assim?

– Nenhum de vocês sabia, não é? A Ingrid não foi a única vítima. Heidi Dann também foi morta a tiros.

– Chris? – disse Gabrielle.

– Preciso pensar...

– Heidi foi a primeira a ser assassinada – prosseguiu Adam. – Depois foi a Ingrid. E agora minha mulher está desaparecida. É isso que vocês conseguiram com essa história de brincar com os segredos dos outros.

– Cala a boca, cara! – berrou Chris. – Precisamos dar um jeito de desatar esse nó.

– Acho que ele está falando a verdade – disse o de cabelos compridos.

– Porra nenhuma – gritou Merton, erguendo a arma e apontando-a novamente para Adam. – E, mesmo que estivesse, ele agora é uma ameaça pra gente. Andou fazendo perguntas, sabe quem a gente é.

Com o máximo de firmeza que conseguiu imprimir na voz, Adam disse:

– Eu só queria encontrar minha mulher.

– Não sabemos onde ela está – rebateu Gabrielle.

– Então... o que aconteceu?

Chris ainda não havia se recuperado do susto.

– Heidi Dann está morta? – perguntou, atônito.

– Está. E é bem provável que minha mulher seja a próxima da fila. Vocês precisam me dizer o que fizeram com ela.

– Não fizemos nada – disse Chris.

Faltava pouco para que Adam conseguisse libertar o punho das correntes.

– Certo. Vamos começar do começo. Quando Corinne foi chantageada, como foi que ela reagiu? Ela se recusou a pagar?

Chris olhou para o sujeito de cabelos compridos, depois se virou para Adam e se ajoelhou ao lado dele. Adam ainda tentava se desvencilhar. Estava quase lá. E, claro, a questão mais urgente era: o que fazer depois? Merton havia se afastado, mas teria tempo de sobra para atirar caso ele tentasse alguma coisa com Chris.

– Adam?

– Sim.

– Em nenhum momento chantageamos sua mulher. Nem sequer falamos com ela.

Adam ficou confuso.

– Mas chantagearam a Suzanne.

– Sim.

– E a Heidi também.

– Também. Mas no seu caso foi diferente.

– Diferente como?

– Fomos contratados pra fazer o serviço.

Por um instante, as dores que Adam sentia na cabeça cessaram e deram lugar à pura perplexidade.

– Alguém pagou você para me dizer aquilo?

– Fomos contratados para descobrir algum segredo da sua mulher e revelar depois.

– Por quem?

– Não sei o nome do cliente – disse Chris –, mas fomos procurados por uma empresa de investigações chamada CBW.

Adam sentiu algo despencar no interior do próprio corpo.

– O que foi? – perguntou Chris.

– Por favor, me solte,

Merton se adiantou, dizendo:

– De jeito nenhum. Você não vai...

Foi então que um disparo interrompeu a conversa, e a cabeça do garoto tatuado se desmanchou numa nuvem de sangue.

capítulo 52

KUNTZ HAVIA ARRANCADO DE Ingrid o endereço da garagem de Eduardo.

Depois disso, bastara cruzar os braços e esperar. E a espera não fora longa. Eduardo pegara o carro para subir as montanhas e cruzar a ponte Dingman's Ferry para o estado da Pensilvânia, e Kuntz o seguira. Quando Eduardo chegou, o skinhead mirim, provavelmente o tal de Merton Sules, já estava lá. Depois chegou a mulher, que só podia ser Gabrielle Dunbar.

Faltava apenas mais um.

Kuntz permaneceu escondido, até que avistou outro homem se esgueirando por entre as árvores. Não fazia ideia de quem poderia ser. Seria possível que Ingrid tivesse esquecido de mencioná-lo? Dificilmente. No fim, ela havia contado tudo. E depois implorado pela própria morte.

Então quem seria o sujeito?

Procurando fazer o mínimo de barulho possível, Kuntz ficou onde estava e logo viu a arapuca que eles armavam. Merton se escondeu atrás de uma árvore com um taco de beisebol entre as mãos enquanto Gabrielle saía para a clareira, certamente para servir de isca e atrair o sujeito. Quando Merton se aproximou às costas dele com o taco em riste, Kuntz precisou se conter para não alertá-lo. Isso seria uma imprudência. Ele tinha que se certificar de que estavam todos ali.

De mãos atadas, ele podia apenas observar enquanto Merton cravava o taco na nuca do homem, que cambaleou e caiu. Sem nenhuma necessidade, o garoto desferiu um segundo golpe. Por um instante pensou que a intenção dele era matar. O que seria ao mesmo tempo estranho e interessante: Ingrid dissera que o grupo era totalmente contra a violência.

Se isso fosse verdade, só havia uma explicação: aquele homem representava algum tipo de ameaça para eles.

Talvez até... estivessem pensando que quem estava ali era o próprio Kuntz!

Ele ruminou mais um pouco. Haveria alguma chance de que o grupo imaginasse que estava em perigo? Àquela altura era certo que já soubessem da morte de Ingrid. Aliás, ele havia contado com isso para acuá-los num mesmo lugar, e o plano funcionara. Também havia suposto – corretamente – que eles eram um bando de amadores, fanáticos que queriam salvar o mundo mediante a revelação dos segredos alheios ou qualquer outra maluquice dessa natureza.

Mas, claro, com a morte de Ingrid eles perceberiam que estavam correndo perigo.

Que diabo estaria acontecendo ali então?

Na verdade isso pouco importava. A palavra final daquele jogo seria a sua. Bastava ter paciência. Então ele continuou esperando. Viu quando arrastaram o homem para dentro do chalé. Esperou mais um pouco. Dali a uns cinco minutos, outro carro chegou.

Era Chris Taylor. O líder.

Finalmente estavam todos presentes. Kuntz cogitou eliminar Chris Taylor ali mesmo, mas isso alertaria os demais. Ele não podia se precipitar. Precisava ver se não apareceria mais ninguém. Precisava descobrir por que haviam espancado aquele outro homem e o que pretendiam fazer com ele.

Pé ante pé, Kuntz circundou a casa e espiou pelas janelas. Nada. Aquilo era estranho. Pelo menos cinco pessoas haviam entrado. Teriam ido para outro lugar ou...?

Ele conferiu a janelinha do porão, nos fundos do chalé.

Bingo.

O homem espancado ainda estava inconsciente, caído no chão. Alguém havia amarrado um dos pulsos dele com uma corrente e passado a corrente por trás de um cano para amarrar a outra mão. Eduardo, Gabrielle, Merton e Chris andavam de um lado a outro feito animais aprisionados à espera do abate. Em certo sentido eram isso mesmo.

Uma hora se passou. Depois duas.

O espancado permanecia imóvel. Kuntz já começava a desconfiar que o homem estivesse morto quando finalmente viu que ele se mexia. Então conferiu sua Sig Sauer P239. Estava usando munição de 9 milímetros, portanto havia oito balas no pente. Não precisaria de mais do que isso. De qualquer modo, tinha mais no bolso.

Voltando à entrada do chalé, olhou em volta e testou a maçaneta. Porta destrancada. Perfeito. Sorrateiramente entrou e procurou a escada que levava ao porão. Encontrando-a, parou no alto, agachou e aguçou os ouvidos.

Gostou de quase tudo que conseguiu entreouvir. Em resumo, Chris Taylor e seus comparsas não faziam a menor ideia de quem havia matado Ingrid Prisby. O único problema era que o espancado sabia que havia uma ligação entre as mortes de Ingrid e Heidi Dann. Mas isso era inevitável. Cedo ou tarde alguém acabaria ligando uma coisa à outra. Pena que havia sido tão cedo.

Paciência. Todos teriam que ser eliminados, inclusive o espancado.

Para não esmorecer, Kuntz pensou no filho hospitalizado. No fim das contas, Robby era a única coisa que realmente importava. Que escolha ele tinha? Deixar que aquele grupo continuasse chantageando pessoas e destruindo vidas? Ou cumprir com sua obrigação de pai e fazer o que fosse preciso para atenuar o sofrimento da família? Na verdade, ele não tinha muita escolha.

Kuntz ainda estava agachado no alto da escada, perdido por um instante nas lembranças da mulher e do filho, quando se deu conta de que Eduardo o tinha visto.

Não pensou duas vezes.

Primeiro atirou em Merton, que tinha uma arma na mão, depois mirou no cabeludo Eduardo, que ergueu os braços como se com isso pudesse evitar seu destino. Não podia.

Dois a menos.

Gabrielle começou a gritar, histérica, e Kuntz disparou uma terceira vez.

Três a menos. Faltavam dois.

Kuntz disparou escada abaixo para terminar o serviço.

Por meio do aplicativo de GPS, Thomas descobriu que o pai estava nas imediações do lago Charmaine, em Dingman, quando o telefone dele foi desligado. Johanna insistiu para que o menino voltasse à sala de aula e não se preocupasse. O diretor a apoiou. De qualquer modo, ele não permitiria que a policial levasse Thomas consigo.

Após alguns telefonemas, Johanna conseguiu falar com o plantonista do Distrito Policial do município de Sholola, em cuja jurisdição ficava Dingman. Passou as coordenadas informadas pelo aplicativo, depois tentou explicar a situação. O plantonista não entendeu direito o porquê de tanta urgência.

– O que está pegando?

– Por favor, mande alguém imediatamente.

– Tudo bem. O delegado Lowell disse que vai dar uma passada por lá.

Johanna correu de volta para o carro alugado e pisou fundo no acelerador. Tinha seu distintivo policial de prontidão, caso fosse parada pela polícia rodoviária. Dali a meia hora recebeu uma ligação do plantonista, avisando que o carro de Adam não tinha sido encontrado. O aplicativo não era preciso o suficiente para localizar uma casa em particular, e à beira do lago havia muitas; portanto, o que exatamente ela queria que eles fizessem?

– Batam de porta em porta.

– Desculpe, mas com que autoridade vamos fazer uma coisa dessas?

– Com a minha. Com a de vocês. Com a de qualquer um. Duas mulheres já foram mortas. A mulher de Adam Price está desaparecida e ele está tentando encontrá-la.

– Positivo. Vamos ver o que podemos fazer.

capítulo 53

Era impressionante o número de coisas que podiam acontecer ao mesmo tempo.

Após o primeiro disparo, o corpo e a mente de Adam irromperam nas mais diversas direções. Ele já havia libertado a mão direita da corrente, e era só disso que precisava. Com a corrente pendurada apenas à mão esquerda, podia se mover como quisesse. Portanto, assim que ouviu o tiro, esqueceu-se das dores e rolou para o lado, procurando algum tipo de proteção.

Sentiu algo molhado em seu rosto, e demorou um instante para se dar conta de que se tratava dos destroços do cérebro de Merton.

Ao mesmo tempo, sua cabeça tecia um sem-número de hipóteses sobre o que estava acontecendo. A primeira talvez fosse a melhor de todas: o atirador era um policial enviado para socorrê-lo.

Essa possibilidade tornou-se menos provável quando o sujeito de cabelos compridos desabou no chão feito uma pedra. E foi abandonada de vez segundos depois, quando Gabrielle desabou da mesma forma.

Tratava-se de uma chacina, e ele precisava fugir dali. Mas como? Ele estava num porão! O número de esconderijos não era lá muito grande.

Arrastando-se no chão como um soldado, ele se deslocou para a direita. Pelo canto do olho viu Chris Taylor tentando fugir pela janela. O atirador desceu mais alguns degraus e atirou. Com impressionante agilidade, Chris se espremeu janela afora e conseguiu escapar. Mas não sem antes dar um grito. Provavelmente a bala o havia acertado, pensou Adam. Mas era difícil dizer.

O atirador correu escada abaixo.

Vendo-se acuado, Adam cogitou desistir. Havia a possibilidade de que, em certo sentido, ele e o homem estivessem do mesmo lado. Nada impedia que o sujeito fosse mais uma vítima daquela gente. Mas nem por isso estaria disposto a poupar uma testemunha ocular de tudo que havia feito. O mais provável era que ele também fosse o responsável pela morte de Ingrid e Heidi. Agora havia matado Merton e o sujeito de cabelos compridos. Gabrielle, ao que parecia, ainda estava viva, gemendo no chão.

Antes que o atirador pisasse no porão, Adam mais uma vez rolou para a direita e se escondeu sob a escada que ele acabara de descer. O homem foi caminhando na direção da janela – provavelmente para verificar o que havia acontecido a Chris –, mas parou no meio do caminho quando ouviu Gabrielle gemer.

– Por favor... – suplicou ela, erguendo a mão ensanguentada.

Quase sem perder o passo, o homem atirou em Gabrielle e seguiu para a janela por onde Chris fugira.

Foi então que Adam avistou a arma que Merton deixara cair do outro lado do porão, não muito longe da janela. O atirador estava de costas, o que deixava a Adam duas opções. A primeira era tentar fugir pela escada. Mas era arriscado demais. O homem teria tempo de sobra para se virar e atirar. Portanto restava a segunda opção, que era tentar pegar a arma de Merton. Nesse caso seria preciso agir rapidamente e aproveitar a distração do sujeito.

Pensando melhor, talvez houvesse ainda uma terceira opção: permanecer onde estava, escondido sob a escada. Sim. Talvez fosse o melhor a fazer. Talvez o homem não tivesse percebido sua presença naquele porão.

Bobagem.

O atirador havia matado Merton, que estava bem na frente de Adam. Era impossível que não o tivesse visto. E ele não deixaria ninguém sair vivo dali.

Adam não tinha escolha: precisava alcançar aquela arma.

Todos esses pensamentos não haviam consumido nem um segundo; era como se o mundo tivesse parado de girar apenas para que ele pudesse organizar as ideias.

A arma. Pegar a arma. Essa era a única saída.

Portanto, com o homem ainda de costas, Adam respirou fundo e saiu do esconderijo. Pé ante pé, curvando o tronco, aproximou-se da arma, saltou na direção dela e ainda estava no ar quando um sapato preto surgiu do nada para afastá-la com um chute. Adam desabou no piso de cimento com um baque seco e viu a pistola rodopiar para debaixo de uma cômoda que havia por perto.

O atirador baixou os olhos, exatamente como fizera com Gabrielle, e mirou para atirar.

Fim de jogo.

Vendo-se naquele apuro, Adam novamente avaliou as possibilidades: rolar para o lado, agarrar o homem pela perna, improvisar um ataque... Mas tinha plena consciência de que não teria tempo para nada disso. Então fechou os olhos e se preparou para morrer.

Foi nesse instante que um pé atravessou a janela e chutou o atirador no rosto.

O pé de Chris Taylor.

O atirador cambaleou para o lado, mas rapidamente recuperou o equilíbrio, virou-se para a janela e atirou duas vezes. Sem saber no que havia acertado, voltou sua atenção para Adam.

Mas Adam já estava preparado. De pé, ainda com a corrente amarrada ao pulso esquerdo, viu que poderia fazer dela uma excelente arma: juntou todas as forças de que ainda dispunha e usou a corrente para golpear o rosto do homem como se fosse um chicote. O sujeito deu um grito de dor.

Sirenes. Sirenes da polícia.

Adam não arrefeceu. Puxou de volta a corrente ao mesmo tempo que cerrou a mão direita e desferiu um murro certeiro no atirador, tirando sangue do nariz dele. O homem tentou se afastar para se livrar de mais ataques.

Mas Adam se jogou em cima dele na esperança de imobilizá-lo. O impulso foi tanto que ambos caíram embolados no chão. Aproveitando a oportunidade, o atirador desferiu uma cotovelada na cabeça de Adam, que novamente viu estrelas. A dor que sentiu foi quase paralisante.

Quase.

O atirador tentou se desvencilhar e abrir espaço entre eles para que pudesse liberar a mão com a arma.

"A arma", pensou Adam. Ele precisava se concentrar na arma.

As sirenes uivavam mais próximas.

Se conseguisse impedir o outro de atirar, talvez Adam tivesse alguma chance de sair vivo dali. Para isso teria que abstrair as dores, que não eram poucas, e concentrar o pensamento numa única missão: continuar imobilizando o pulso do homem.

O atirador tentou se desvencilhar com um chute, mas eles ainda estavam embolados demais para que um chute pudesse ter algum efeito. Redobrando as forças, ele chutou de novo e dessa vez conseguiu enfraquecer ligeiramente a imobilização do braço. Faltava pouco para que conseguisse se libertar por completo. Ele agora estava de bruços no chão, ainda tentando se desvencilhar.

"Força, Adam."

No entanto, em vez de insistir em segurar o punho do homem, Adam subitamente o soltou e deixou que ele, pensando que estava livre, se arrastasse para longe. Era exatamente isso que Adam queria. Então saltou sobre o sujeito e mais uma vez imobilizou o braço que empunhava a arma. Vendo Adam vulnerável naquela posição, o homem desferiu contra ele um doloroso murro no rim.

Adam foi perdendo o ar dos pulmões enquanto a dor percorria cada nervo. Mas não esmoreceu. Recebeu outro soco, mais forte que o primeiro. Procurou aguentar firme, mas sabia que não resistiria por muito tempo. Um terceiro golpe bastaria para fazê-lo soltar a mão do homem.

Agora não havia escolha. Ele teria de tomar alguma providência.

Como um cão raivoso, Adam aproximou a boca do braço imobilizado e cravou os dentes no pulso do sujeito, que uivou de dor. Adam foi balançando a cabeça e intensificando a mordida até furar a pele fina do homem.

Tão logo viu que a arma havia caído no chão, se jogou feito um náufrago se joga sobre um bote salva-vidas. Já apertava os dedos em torno da arma quando recebeu outro soco nas costas.

Tarde demais. A arma já era sua.

O homem saltou sobre as costas dele, e Adam girou o tronco para encará-lo, desenhando no ar um grande arco com a pistola antes de cravar uma coronhada no nariz já quebrado do sujeito. Apontando a arma para o homem que agonizava a seus pés, disse:

– O que você fez com a minha mulher?

capítulo 54

Trinta segundos depois chegaram os policiais do distrito local. Não demorou para que Johanna chegasse também. Havia sido ela quem acionara a polícia da jurisdição após conseguir as coordenadas do lugar com Thomas. Adam ficou orgulhoso do filho. Assim que possível, ligaria para ele e explicaria o que estava acontecendo.

Mas agora não.

Agora ele precisava se explicar com a polícia, o que levaria algum tempo. Ótimo. Assim ele poderia se planejar enquanto conversava com os caras. Falava com serenidade. Respondia a todas as perguntas. Usava sua melhor entonação de advogado. Obedecia ao conselho que ele próprio dava a seus clientes: dizer apenas o que era perguntado, nem mais, nem menos.

Mais tarde, Johanna contou a ele que o atirador era John Kuntz, um ex-policial que fora aposentado à força. Ela ainda estava juntando as peças daquele quebra-cabeça, mas sabia que Kuntz agora era responsável pela segurança de um empreendimento de internet que estava prestes a ser lançado. Aparentemente, sua motivação era de ordem financeira e envolvia um filho doente.

Adam ouviu toda a história com atenção. Em seguida aceitou os curativos de um socorrista, mas se recusou a ir para o hospital. O socorrista não gostou muito, mas não havia nada que ele pudesse fazer. Preocupada, Johanna pousou a mão no ombro de Adam e disse:

– Você precisa consultar um médico.

– Estou bem, fique tranquila.

– A polícia ainda quer fazer mais algumas perguntas amanhã.

– É, eu sei.

– Vai ter um monte de repórteres por lá, pode apostar. São três mortes.

– Imagino que sim – disse Adam, conferindo as horas no relógio. – Agora preciso ir. Já falei com os meninos, mas eles vão ficar preocupados enquanto não me virem em casa.

– Posso oferecer uma carona?

– Não precisa, meu carro está aqui.

– Não vão deixar que você leve seu carro. Faz parte das evidências do crime.

Adam não havia pensado nisso.

– Venha comigo – insistiu Johanna. – Eu dirijo.

Nos primeiros momentos da viagem de volta para Nova Jersey, eles pouco se falaram. Adam se ocupou com o celular durante um tempo, digitando um e-mail. Depois se recostou no banco. O socorrista lhe dera um medicamento para aliviar a dor, e agora ele se sentia meio grogue. Fechou os olhos.

– Procure dormir um pouco – disse Johanna.

Descansar, tudo bem, mas dormir... Adam sabia que o sono ainda demoraria muito para chegar.

– E aí, quando é que você volta pra Ohio? – perguntou ele.

– Não sei – respondeu Johanna. – Talvez ainda fique mais uns dias.

– Pra quê? – Adam abriu os olhos e se virou para ela. – Você já encontrou o cara que matou sua amiga, não encontrou?

– Sim.

– E isso não basta?

– Talvez, mas... Essa história ainda não acabou, não é?

– Acho que acabou, não?

– Ainda temos muitas pontas soltas.

– Como você mesma disse, o caso agora ganhou outra dimensão. Vão acabar pegando aquele cara, o tal de Chris Taylor.

– Não é dele que estou falando.

Adam já sabia disso.

– É com a Corinne que você está preocupada, não é?

– Você não está?

– Bem menos agora – disse ele.

– Pode me dizer por quê?

Adam respondeu com calma, medindo cada palavra:

– Como você disse antes, a imprensa vai fazer um circo. Todo mundo vai procurar pela Corinne e ela provavelmente vai acabar voltando pra casa. Quanto mais penso no assunto, mais fico convencido de que a resposta estava bem debaixo do meu nariz, desde o início.

Johanna arqueou uma das sobrancelhas.

– Sou toda ouvidos.

– Num primeiro momento foi difícil aceitar a parcela de culpa que eu mesmo tinha nisso tudo. Fiquei achando que devia ter alguma explicação a mais para o sumiço da Corinne, algum grande golpe envolvendo o grupo de Chris Taylor ou algo assim.

– E agora não acha mais isso?

– Não.

– Então acha o quê?

– O tal sujeito revelou o segredo mais profundo e mais doloroso da minha mulher. A gente sabe o que isso pode fazer com uma pessoa, não sabe?

– Claro, não deve ser fácil.

– Pois é. Quando um segredo desse calibre é revelado, a pessoa fica nua diante dos outros. Fica exposta, acuada. Tudo muda na vida dela. – Adam fechou os olhos novamente. – Depois de um terremoto desses, a pessoa precisa de um tempo para se reerguer. Para pensar no que vai fazer da própria vida.

– Então você acha que ela...?

– Acho que é o mesmo princípio da navalha de Occam – disse Adam. – A resposta mais simples geralmente é a correta. Corinne me mandou uma mensagem pedindo um tempo. Isso só faz alguns dias. Ela vai voltar quando sentir que está pronta.

– Você parece muito seguro disso.

Adam não disse nada.

Johanna deu seta para a direita, mas seguiu dirigindo.

– Quer parar ali no posto pra se limpar um pouco? Ainda está todo sujo de sangue.

– Não precisa.

– Vai assustar os meninos.

– Que nada – falou Adam. – Aqueles dois são mais fortes do que você imagina.

Minutos depois, Johanna deixou-o na porta de casa. Adam se despediu com um aceno e esperou que ela se afastasse, mas não entrou. Sabia que os filhos não estariam lá. Ainda no chalé, num raro momento de isolamento, ele havia telefonado para Kristin Hoy perguntando se ela podia buscar os garotos na escola e ficar com eles até a manhã seguinte.

– Claro que posso – dissera Kristin. – Tudo bem com você, Adam?

– Tudo. Não se preocupe. Fico agradecido pelo favor.

A minivan de Corinne, a que ela havia deixado no estacionamento do hotel, agora estava parada na rua. Adam entrou nela e assim que se acomodou ao volante sentiu o delicioso perfume da mulher. O efeito do analgésico começava a passar e as dores já ameaçavam voltar. Tudo bem, que viessem as dores. Ele agora não podia perder o foco. Tinha recuperado o telefone, que a polícia lhe havia permitido tirar da cena do crime. Adam dissera que pensava ter visto Chris Taylor jogar o aparelho debaixo da cômoda do porão e obtivera permissão para procurá-lo. Mas não havia telefone nenhum ali, é claro.

O que havia era uma arma.

Outro policial gritara do alto da escada, dizendo que havia encontrado o telefone no andar de cima. A bateria fora retirada. Adam colocara a bateria de volta e agradecera ao homem, dizendo que devia ter se enganado. Ele agora levava a arma de Merton escondida na cintura. Não fora revistado novamente pela polícia. Afinal, que motivo poderia haver para uma segunda revista?

A arma o incomodou a viagem inteira, mas ele não ousou tocar nela.

Precisava dela.

O e-mail que ele havia redigido no carro de Johanna era endereçado a Andy Gribbel, e no campo "Assunto" estava escrito:

ABRA SÓ AMANHÃ DE MANHÃ.

Na eventualidade de que algo desse errado, o que era muito provável, Gribbel leria o e-mail pela manhã e o encaminharia tanto para Johanna Griffin quanto para o velho Rinsky. Ele havia pensado em conversar com os dois antes de agir, mas sabia que ambos tentariam convencê-lo a não seguir adiante. Avisariam a polícia, e os suspeitos acabariam recorrendo aos meios legais para se safar: contratariam advogados e a verdade jamais viria à tona.

Não, ele precisava cuidar daquilo com as próprias mãos.

Então se dirigiu para a igreja Beth Lutheran, estacionou próximo à saída do ginásio e ficou esperando. Pensava ter compreendido tudo o que havia acontecido até então, mas algo ainda o incomodava. Algo simplesmente não estava batendo.

Adam pegou o celular e mais uma vez leu a mensagem enviada por Corinne naquele fatídico dia:

ACHO QUE A GENTE PRECISA DAR UM TEMPO. CUIDE DAS CRIANÇAS. NÃO TENTE ENTRAR EM CONTATO COMIGO. ESTÁ TUDO BEM.

Estava prestes a lê-la pela terceira vez quando viu Bob "Gaston" Baime sair gingando porta afora e se despedir dos companheiros de basquete com tapinhas no alto e soquinhos punho contra punho. O sujeito estava usando um short curto demais para sua idade, uma toalha displicentemente jogada sobre os ombros. Adam esperou até que ele se aproximasse mais. Só então desceu da minivan de Corinne:

– Olá, Bob.

Bob ergueu a cabeça, dizendo:

– Oi, Adam. Você me assustou, cara. Que diabo está...

Adam deu-lhe um soco na boca, forte o bastante para fazê-lo cair no banco dianteiro do carro com os olhos arregalados. Em seguida se aproximou e sacou a arma.

– Não se mexa – disse Adam, empurrando-o para o outro lado do banco.

Usando a mão para estancar o sangue que corria da boca, Bob disse:

– Que porra é essa, Adam?

– Quero saber onde está minha mulher.

– O quê?

Adam encostou o cano da pistola no pescoço do homem, dizendo:

– Só preciso de um motivo pra puxar este gatilho.

– Não sei onde está sua mulher.

– Mas sabe o que a CBW ltda. tem a ver com ela?

Silêncio.

– Você contratou os serviços dessa empresa, não foi?

– Não sei do que...

Adam interrompeu-o com uma coronhada na parte mais ossuda do ombro.

– *Ai!*

– Pode ir abrindo o bico.

– Porra, Adam, isso dói, cara!

– A CBW é a empresa de investigações do seu primo Daz, e você o contratou para descobrir algum podre da Corinne. Foi isso, não foi?

Bob fechou os olhos e gemeu de dor.

– Foi isso que você fez, não foi? – insistiu Adam, desferindo uma segunda coronhada no mesmo lugar. – Fale a verdade, ou... eu juro que aperto esse gatilho.

Bob baixou a cabeça.

– Sinto muito, Adam.

– Vamos, me diga o que você fez.

– Não era a minha intenção. Só que... eu precisava encontrar alguma coisa, entende?

Adam apertou o cano da arma contra o pescoço dele.
– Como assim?
– Eu precisava encontrar alguma coisa contra a Corinne.
– Por quê?
O grandalhão emudeceu.
– Por que precisava de alguma coisa contra a minha mulher?
– Vá em frente, Adam.
– Hein?
– Pode atirar, se quiser. Aliás, quem quer sou eu. Não tenho mais nada a perder. Não consigo arranjar emprego. A hipoteca da minha casa foi executada. Melanie vai me deixar... Vai, puxe esse gatilho. É um favor que você me faz. Cal me ajudou a fazer uma boa apólice de seguros; os meninos vão ficar amparados.
Foi então que a pulga atrás da orelha de Adam voltou a coçar.
Os meninos...
Ele pensou na mensagem de Corinne.
Os meninos...
– Ande, Adam. Acabe logo com isso.
Adam fez que não com a cabeça.
– Por que você estava querendo prejudicar minha mulher?
– Porque *ela* estava querendo me prejudicar.
– Do que você está falando?
– Do dinheiro roubado, Adam.
– O que tem o dinheiro roubado?
– Corinne ia botar a culpa em mim. E se isso acontecesse, que chances eu teria contra ela? Porra, Corinne é professora, todo mundo adora ela. E eu... eu sou o desempregado que perdeu a casa pro banco. Quem iria acreditar em mim?
– Daí você pensou: vou atacar pra me defender.
– Eu precisava fazer alguma coisa. Então falei com o Daz, pedi que ele tentasse descobrir algo errado a respeito dela. Mas ele não descobriu nada, claro. Afinal, Corinne é a perfeição em forma de gente. Depois o Daz falou que podia acionar as suas "fontes heterodoxas". – Ele desenhou as aspas com as mãos. – Um pessoal estranho aí que ele conhece. Eles acabaram descobrindo uma coisa, mas impuseram uma condição, dizendo que tinham suas próprias regras e que eles mesmos iriam revelar o segredo.
– Foi você que roubou aquele dinheiro, Bob?

– Não. Mas quem acreditaria em mim? Foi o Tripp quem veio me procurar pra contar que Corinne estava tentando colocar a culpa do desfalque em mim.

Então a pulga subitamente parou de coçar.

Os meninos...

A garganta de Adam ficou seca.

– Tripp foi procurar você?

– Sim.

– E disse que Corinne estava tentando culpar você pelo roubo?

– Isso. Falou que a gente precisava descobrir alguma coisa sobre ela.

Tripp Evans. Que tinha cinco filhos. Três meninos e duas meninas.

As crianças...

Os meninos...

Mais uma vez ele pensou na mensagem.

ACHO QUE A GENTE PRECISA DAR UM TEMPO. CUIDE DAS CRIANÇAS.

Corinne nunca se referia a Thomas e Ryan como "as crianças". Sempre dizia "os meninos".

capítulo 55

As DORES DE ADAM haviam adquirido proporções monstruosas. A cada passo parecia que um raio caía em sua cabeça. O socorrista deixara com ele alguns comprimidos adicionais para que tomasse mais tarde, mas Adam cogitava tomá-los naquele momento, mesmo à custa de sua lucidez.

Porém era preciso seguir em frente.

Do mesmo modo que havia feito dois dias antes, ele passou pelo MetLife Stadium e estacionou diante do prédio comercial. Assim que desceu do carro, foi envolvido pelo fedor pantanoso do lugar. Os sapatos grudavam no piso emborrachado sob seus pés. Ele bateu à mesma porta.

E de novo, ao surgir à porta, Tripp disse:

– Adam?

E de novo Adam perguntou:

– Por que minha mulher telefonou pra você naquele dia?

– *Como é que é?* Caramba, você está horrível. O que aconteceu?

– Por que Corinne ligou para você?

– Já disse – respondeu Tripp, dando um passo atrás. – Entra, senta aí. O que é isso na sua camisa? Sangue?

Adam entrou no escritório. Da outra vez não havia entrado, pois Tripp não deixara. Agora entendia que era por um bom motivo: o lugar era uma espelunca. Um único ambiente. Carpete puído. Papel de parede descascando. Computador obsoleto.

Viver numa cidade como Cedarfield custava caro. Como ele não tinha enxergado a verdade antes?

– Já sei de tudo, Tripp.

– Tudo o quê? – indagou o outro, examinando o rosto de Adam e jogando-se numa cadeira. – Você precisa ir a um médico.

– Foi você que roubou a grana do lacrosse.

– Cara, você está todo ensanguentado.

– Tudo que você disse aconteceu ao contrário. Não foi a Corinne que pediu um tempo: foi *você* que pediu um tempo pra ela. E usou esse tempo para montar uma armadilha pra minha mulher. Não sei exatamente o que fez. Deve ter adulterado a contabilidade, escamoteado o dinheiro roubado.

Depois fez a cabeça de todo mundo no conselho, colocando um a um contra ela. Chegou ao ponto de dizer ao Bob que ela estava tentando jogar a culpa nele.

– Vá com calma, Adam. Sente-se. Vamos conversar.

– Fiquei pensando na reação da Corinne quando fui falar com ela sobre a falsa gravidez. Ela nem se deu o trabalho de negar. Só queria saber de uma coisa: como eu havia ficado sabendo de tudo. Deduziu que você estava por trás da história, como se aquilo fosse um alerta. Foi por isso que ela ligou para você naquele dia. Pra dizer que não ia mais dar tempo nenhum. E o que foi que você disse de volta, Tripp? É isso que eu quero saber.

Tripp permaneceu mudo, então Adam prosseguiu:

– Implorou por mais uma chance? Pediu pra se explicar pessoalmente?

– Você tem uma imaginação e tanto, Adam.

Adam balançou a cabeça, procurando manter a calma.

– Toda aquela filosofia que você despejou pro meu lado outro dia. A velhinha que começa a roubar aos pouquinhos pra ter um troco a mais. O conselheiro que começa a fazer a mesma coisa pra pagar a gasolina do carro, o cafezinho, depois perde o controle e não consegue mais parar. – Adam deu um passo adiante. – Foi isso que aconteceu com você?

– Não faço a menor ideia do que você está falando.

Adam engoliu em seco e de repente sentiu os olhos se encherem de lágrimas.

– Ela está morta, não está?

Silêncio.

– Você matou minha mulher.

– Você não pode estar falando sério.

A consciência da verdade agora fazia com que Adam tremesse da cabeça aos pés.

– A gente tem a vida que todo mundo pediu a Deus. Uma vida dos sonhos. Não é isso que você sempre diz, Tripp? Que sorte a nossa. A gente tem mais é que ficar agradecido. Você se casou com a Becky, sua namoradinha de escola. Teve cinco filhos maravilhosos com ela. E faria qualquer coisa pra protegê-los, não faria? O que aconteceria com essa vida dos sonhos se viesse à tona que você não passa de um ladrão?

Tripp Evans se empertigou na cadeira, apontou para a porta e disse:

– Saia do meu escritório.

– Você estava nas mãos da Corinne e tinha que escolher: ou ela ou eu. Destruir a família dela ou destruir a minha? Era assim que você enxergava as coisas, não era? E, para alguém como você, nem havia muito o que pensar.

– Saia daqui – repetiu Tripp, agora mais incisivo.

– Aquela mensagem que você mandou como se fosse ela... Eu devia ter percebido no início.

– Do que você está falando?

– Você matou Corinne. Depois, pra ganhar tempo, mandou aquela mensagem. Queria que eu acreditasse que ela precisava espairecer. E, mesmo que eu procurasse a polícia, achando que alguma coisa tivesse acontecido, eles não iam me dar ouvidos. Veriam a mensagem, descobririam que a gente tinha tido uma briga feia. Nem se dariam o trabalho de registrar uma queixa. Você já tinha premeditado tudo.

– Você está enganado.

– Quem dera.

– Não pode provar nada disso.

– Provar? Talvez não possa mesmo. Mas sei de tudo. – Adam ergueu seu celular e disse: – "Cuide das crianças."

– Hein?

– Foi isso que você escreveu na mensagem. "Cuide das crianças."

– E daí?

– Acontece que a Corinne nunca se refere a Thomas e Ryan como "as crianças". – Adam abriu um sorriso, apesar de todo o peso no coração. – Ela sempre dizia "os meninos". Era isso que Thomas e Ryan eram pra ela: os seus meninos. Não foi Corinne que escreveu essa mensagem. Foi você. Você a matou e depois mandou essa mensagem para que ninguém fosse procurá-la.

– Essa é a sua prova? – Tripp quase riu. – Você acha realmente que alguém vai acreditar nessa história maluca?

– Duvido muito.

Adam sacou a arma da cintura e a apontou para Tripp.

– Opa, opa – disse o outro, arregalando os olhos. – Calma aí, companheiro. A gente precisa conversar...

– Não quero mais ouvir nenhuma das suas mentiras, Tripp.

– É que... a Becky está vindo pra cá daqui a pouco e...

– Ótimo. – Adam deu mais um passo com a arma em punho. – E agora? Que filosofia você vai tirar da manga para descrever o que vai acontecer aqui? Olho por olho, talvez?

Nessa altura a máscara de Tripp Evans caiu e pela primeira vez Adam pôde ver o ser sombrio que existia do outro lado.

– Você não faria isso com a Becky.

Adam simplesmente continuou encarando Tripp, que o encarava de volta. Por um segundo nenhum dos dois se mexeu. Mas depois algo mudou em Tripp. Adam logo percebeu. Ele começou a menear a cabeça como se tivesse chegado a uma conclusão qualquer. Em seguida pegou as chaves do carro e disse:

– Ok. Vamos lá.

– Lá onde?

– Não quero que você esteja aqui quando a Becky chegar.

– Pra onde vai me levar?

– Você quer saber a verdade, não quer?

– Se isso for alguma gracinha...

– Não é. Você vai ver a verdade com os próprios olhos, Adam. Depois pode fazer o que quiser. Esse é o nosso trato. Mas precisamos ir agora mesmo. Não quero envolver a Becky nessa história.

Eles saíram para o estacionamento, Adam alguns passos atrás, ainda com a arma em punho. Segundos depois, no entanto, receando que alguém os visse, ele guardou a arma no bolso da jaqueta, mas sem deixar de apontá-la, como num daqueles filmes em que o sujeito usa os dedos para fingir que está armado.

Não tinham ido longe quando o Dogde Durango de Becky entrou no estacionamento. Ambos pararam onde estavam, e Tripp sussurrou para Adam:

– Se você encostar num fio de cabelo da minha mulher...

– Dê um jeito de se livrar dela – disse Adam.

Becky Evans vinha com um radiante sorriso estampado no rosto. Acenando com excessivo entusiasmo, parou ao lado deles e disse:

– Adam! Que surpresa!

Aquela alegria toda chegava a irritar.

– Oi, Becky.

– O que você está fazendo por aqui?

Adam olhou para Tripp, que disse:

– Um probleminha com o jogo dos garotos do sexto ano.

– Pensei que o jogo fosse amanhã à noite...

– Pois é, esse é o problema. É possível que a gente seja desclassificado do torneio por causa de um erro bobo no nosso registro. Adam e eu vamos ter que dar um pulo lá pra ver o que podemos fazer.

– Puxa, que pena... A gente tinha combinado de jantar.

– O jantar ainda está de pé, meu amor. Vamos pro Baumgart's quando que eu chegar em casa, ok? Só eu e você, como combinado.

Becky assentiu, mas pela primeira vez o sorriso titubeou.

– Claro, tudo bem – disse ela. E para Adam. – Então tchau.

– Tchau.

– Mande um beijo pra Corinne. A gente bem que podia sair juntos qualquer dia desses, nós quatro.

– Isso seria ótimo – Adam conseguiu dizer.

Com mais um aceno exagerado, Becky foi embora. Com olhos marejados, Tripp esperou o Dodge se afastar e retomou seu caminho com Adam na esteira. Foi para o próprio carro, destravou as portas e se sentou ao volante enquanto Adam entrava pelo outro lado. Uma vez dentro, Adam tirou a arma do bolso e voltou a apontá-la para Tripp, que agora parecia mais calmo. Eles saíram para a rua e dali a pouco estavam numa rodovia, a Rota 3.

– Pra onde estamos indo? – perguntou Adam.

– Para o parque da Mahlon Dickerson Reservation.

– Perto do lago Hopatcong?

– Isso.

– A família da Corinne tinha uma casa lá quando ela era menina – disse Adam.

– Eu sei. Becky foi com ela uma vez, quando elas estavam no final do ensino médio. Foi por isso que escolhi o lugar.

A adrenalina de Adam começava a diminuir ao mesmo tempo que as dores de cabeça voltavam com renovada energia. A tontura e a exaustão ameaçavam derrubá-lo a qualquer instante. Tripp saiu por uma rampa e tomou a Interestadual 80. Adam apertou ainda mais os dedos sobre a coronha da pistola. Conhecia aquela estrada, imaginava que a reserva ficasse a meia hora dali. O sol já começava a se pôr, mas decerto ainda restava pelo menos uma hora de luz diurna.

Seu celular tocou. Vendo o nome de Johanna Griffin no identificador de chamadas, ele decidiu não atender. Seguiram-se mais alguns quilômetros de silêncio. Faltava pouco para que eles alcançassem a saída para a Rota 15 quando Tripp disse:

– Adam?

– Hum.

– Nunca mais faça isso.

– Isso o quê?

– Nunca mais ameace a minha família.

– Vindo de você – disse Adam –, isso é uma grande ironia.

Tripp virou o rosto e, cravando os olhos nele, repetiu:

– Nunca mais ameace a minha família.

O tom de voz provocou em Adam um frio na espinha.

Tripp voltou a atenção para a estrada, as duas mãos plantadas no volante. A certa altura saiu para a Weldon Road e mais adiante tomou uma estradinha de terra que cortava a vegetação densa de uma floresta. Parou o carro entre as árvores, tirou a chave da ignição. Adam se mantinha pronto para atirar.

– Venha comigo – disse Tripp, abrindo a porta do carro. – Vamos acabar logo com isso.

Tripp desceu e Adam fez o mesmo, mas sem descuidar da arma. Se Tripp pretendia fazer alguma coisa, essa seria a sua melhor oportunidade, uma vez que estavam sozinhos naquele fim de mundo. Mas o outro não hesitou nem fez nenhum movimento suspeito. Seguiu se embrenhando na mata. Não havia trilha, mas o caminho era relativamente tranquilo. Tripp ia marchando com determinação, avançando com rapidez. Adam tentava acompanhá-lo, mas no estado em que se encontrava, não era fácil. Chegou a desconfiar que fosse essa a intenção de Tripp: afastar-se o máximo possível para depois fugir em disparada e pegá-lo de surpresa quando escurecesse.

– Mais devagar! – disse Adam.

– Você quer a verdade, não quer? – devolveu Tripp. – Então aperte o passo.

– Aquele seu escritório... – disse Adam.

– O que tem meu escritório? Já sei. Uma espelunca. Não é isso que você está pensando?

– Achava que você tivesse se dado bem naquela agência de Nova York.

– Devo ter ficado uns cinco minutos por lá até ser mandado embora. Sempre achei que ia morrer naquela loja que meu pai me deixou. Coloquei todos os meus ovos numa cesta só. Mas todos os ovos quebraram e eu fiquei sem nada. Tentei abrir meu próprio negócio, mas... você viu no que deu.

– Você faliu.

– Sim.

– E tinha todo aquele dinheiro sobrando nos cofres do lacrosse...

– Muito mais do que você imagina. Por acaso você já ouviu falar de Sydney Gallonde? Um milionário que estudou na Cedarfield High? Pois é. Era um perna de pau. Nunca saiu do banco. Mas fez uma doação de 100 mil dólares só porque eu pedi. Eu e mais ninguém. Também consegui outros doadores. Quando cheguei naquele conselho, a gente mal tinha dinheiro pra comprar uma trave. Agora temos um campo decente, temos uniformes... – Tripp se calou por um segundo, depois disse: – Você deve estar achando que estou filosofando de novo, não é?

– E está.

– Pode ser, Adam. Mas você não pode ser ingênuo a ponto de achar que tudo é preto ou branco.

– Não sou.

– Então deve saber que na vida é a gente contra o resto do mundo. É por isso que travamos nossas guerras: pra proteger as pessoas que amamos, mesmo que pra isso tenhamos que prejudicar os outros. Você compra uma chuteira nova pro seu filho, por exemplo. Com esse dinheiro você poderia salvar uma criancinha na África. Mas não. Você compra a chuteira e deixa a criancinha morrer de fome. Como eu disse, é a gente contra o resto do mundo. Todo mundo faz isso.

– Tripp, sinceramente...

– O que foi?

– Não é hora pra esse papo.

– É, tem razão.

Tripp parou de repente, se ajoelhou e começou a apalpar o mato à sua volta, afastando os arbustos e as folhas. Adam deu dois passos atrás, redobrou sua atenção com a arma.

– Não vou atacar você, Adam.

– O que está fazendo?

– Procurando uma coisa... Ah, aqui está.

Tripp ficou de pé. E Adam por pouco não perdeu a força das pernas quando viu a pá que o homem havia desterrado e agora erguia numa das mãos.

– Você não... – balbuciou Adam.

– Você tinha razão. No fim das contas, era a minha família ou a sua. Apenas uma podia sobreviver. Antes que você diga qualquer coisa, me responda: o que você teria feito no meu lugar?

Adam simplesmente balançou a cabeça, dizendo:

– Eu não...

– Você acertou quase tudo. Realmente peguei o dinheiro, mas tinha a intenção de devolver. Não vou me justificar de novo. Corinne descobriu. Implorei para que ela não dissesse nada, pois isso arruinaria minha vida. Estava tentando ganhar tempo. Mas, para ser sincero, não tinha a menor condição de repor uma quantia tão grande num prazo tão curto. Então foi isso que eu fiz. Tenho alguma experiência com contabilidade; por muitos anos fui eu quem cuidou dos livros da loja do meu pai. Então comecei a maquiar os números para que a coisa apontasse mais pro lado dela. Corinne não sabia de nada, claro. Ouvia as minhas súplicas e não falava nada. Nem com você, não é?

– Nem comigo – disse Adam.

– Então procurei o Bob e o Cal... Depois procurei o Len também, como se estivesse fazendo aquilo muito a contragosto. Falei que Corinne tinha desfalcado os fundos do lacrosse. Por incrível que pareça, Bob foi o único dos três que não acreditou de início. Então falei pra ele que, quando confrontei Corinne, ela colocou a culpa nele.

– E aí o Bob recorreu ao primo.

– Eu não podia imaginar que ele faria isso.

– Onde está a Corinne afinal?

– Foi exatamente aqui que enterrei o corpo. Você está pisando nele.

Assim. Sem mais nem menos.

Adam se forçou a olhar para baixo. Foi tomado por uma súbita vertigem, mas nem se deu o trabalho de firmar as pernas. Percebeu na mesma hora que a terra sob seus pés havia sido remexida recentemente. Então caiu para o lado e se apoiou em uma árvore, ofegando freneticamente.

– Você está bem, Adam?

Ele engoliu em seco e ergueu a arma. "Não perca a cabeça, não perca a cabeça...", pensou. E falou para Tripp:

– Comece a cavar.

– De que isso vai adiantar? – disse Tripp. – Você já sabe onde ela está.

Ainda zonzo, Adam avançou a passos trôpegos, fincou a arma no rosto do outro e repetiu:

– Comece a cavar. Agora.

Tripp deu de ombros e passou por ele carregando a pá. Adam permaneceu com a arma apontada, esforçando-se para se manter firme. Tripp fincou a pá no solo à sua frente, pegou um pouco de terra e jogou para o lado.

– Quero saber a história toda – exigiu Adam. – Até o fim.

– O resto você já sabe, eu suponho. Depois que você a confrontou sobre a falsa gravidez, Corinne ficou furiosa. Já estava no limite da paciência comigo. Ia contar tudo que eu tinha feito. Então falei pra ela: "Tudo bem, muito justo, vou me entregar." Mas pedi que a gente se encontrasse antes pra acertar algumas coisas. De início ela não quis, mas... sou um cara persuasivo, você sabe.

Mais pazadas. Mais terra jogada para o lado.

– Onde vocês se encontraram? – quis saber Adam.

– Na sua casa – respondeu Tripp, mas sem interromper o trabalho. – Entrei pela garagem. Corinne saiu e me encontrou lá. Não queria que eu entrasse... Como se a casa fosse um santuário só para a família ou algo assim.

– E o que foi que você fez?

– O que você acha que eu fiz?

Tripp baixou os olhos e sorriu para o chão. Depois recuou um passo para que Adam pudesse ver.

– Saquei minha arma e atirei.

Reunindo as poucas forças que lhe restavam, Adam olhou para baixo. E precisou reunir outras tantas quando viu Corinne morta, estendida na terra.

– Não, não, não... – murmurou.

Perdendo a sustentação das pernas, Adam se deixou cair de joelhos e começou a limpar o rosto da mulher. Corinne estava de olhos fechados. Não era menos bela porque estava morta.

– Não, não, não... Corinne... Isso não pode estar acontecendo...

Adam não se conteve: baixou o rosto, colou-o na face inerte da mulher e chorou copiosamente, um choro inconformado. A certa altura, no entanto, uma voz lá no fundo da consciência o lembrou de que Tripp estava às suas costas com uma pá na mão, talvez pronto para atacar. Então ergueu o rosto e voltou a apontar a arma.

Mas Tripp vinha esperando placidamente no mesmo lugar, um ligeiro sorriso escondido entre os lábios.

– Podemos ir agora? – disse ele.

– O quê?

– Podemos voltar pro carro e ir embora?

– *Ir embora?*

– É que estão me esperando no escritório. Você já sabe a verdade. Pronto, acabou. Precisamos enterrar o corpo de novo.

Mais zonzo do que nunca, Adam rebateu:

– *Ficou maluco?*

– Não, meu amigo. Se tem algum maluco aqui é você.

– De que diabo você está falando?

– Sinto muito por ter matado sua mulher. Sinto muito mesmo. Mas não tinha outro jeito. Sério. Como eu disse, fazemos qualquer coisa pra proteger os nossos, certo? Sua mulher estava ameaçando minha família. O que você teria feito no meu lugar?

– Pra início de conversa eu não teria roubado aquele dinheiro.

– Acabou, Adam – disse Tripp, com rispidez. – Agora nós dois precisamos seguir em frente.

– Você ficou totalmente louco.

– Você ainda não ligou os pontos, não é? – perguntou Tripp, voltando a esboçar um sorriso. – A contabilidade do lacrosse está uma bagunça. Ninguém jamais vai conseguir consertar aquilo lá. Então... como é que a polícia vai saber o que aconteceu? Você descobriu que Corinne mentiu sobre uma gravidez. Vocês dois tiveram uma briga feia por causa disso. No dia seguinte ela levou um tiro na garagem de casa. Até limpei um pouco do sangue, mas não tem problema. A polícia sempre acaba encontrando algum vestígio. Usei o detergente que fica embaixo da sua pia. Joguei os panos ensanguentados na sua lata de lixo. Então. Será que a ficha já está caindo agora?

Adam voltou os olhos para o rosto bonito da mulher.

– Joguei o corpo no porta-malas do carro dela – prosseguiu Tripp. – E esta pá aqui... você não está reconhecendo? Pois deveria. Peguei na sua garagem.

Adam não conseguia dizer nada, apenas olhava para Corinne.

– Além disso, as câmeras de segurança do meu escritório vão mostrar você me levando para o carro com uma arma na mão. Se por azar encontrarem no cadáver alguma amostra do meu DNA, posso dizer que você me obrigou a desenterrá-lo. Você matou sua mulher, enterrou ela aqui e abandonou o carro não no aeroporto, mas perto, porque todo mundo sabe que no aeroporto tem um monte de câmeras de segurança. Depois tentou ganhar tempo usando o telefone de Corinne pra mandar uma mensagem pra si mesmo. Depois, para confundir ainda mais as coisas, você provavelmente... sei lá, jogou o celular dela na carroceria de um caminhão qualquer. Quem tentasse localizar o aparelho ia pensar que ela estava viajando para algum lugar, pelo menos enquanto durasse a bateria.

– A polícia nunca vai acreditar numa história dessas.

– Claro que vai. E se não acreditar, sejamos honestos: você é o marido. É muito mais suspeito do que eu.

Adam mais uma vez olhou para a mulher. Os lábios dela estavam roxos. Corinne não parecia em paz. Pelo contrário: parecia perdida, amedrontada, solitária. Ele acariciou o rosto dela. De certo modo, Tripp tinha razão. Aquela estrada havia chegado ao fim, não importava o que acontecesse em seguida. Corinne estava morta. Nada a traria de volta. Ryan e Thomas nunca mais seriam os mesmos. Os meninos... *os meninos dela...* jamais voltariam a ter o amor incondicional e a compreensão que só uma mãe é capaz de oferecer.

– O que está feito está feito, Adam. Agora precisamos de uma trégua. Não vá piorar o que já não está bom.

Só então Adam percebeu um detalhe que partiu ainda mais seu coração.

Corinne estava sem os brincos.

Ele se lembrou do restaurante chinês, do garçom trazendo os brincos sob a cloche, do sorriso radiante no rosto dela, do cuidado que ela tinha todas as noites para tirá-los da orelha e deixá-los na mesinha antes de dormir.

Tripp não só havia matado Corinne como também roubado seus brincos de diamante.

– Só mais uma coisa – disse Tripp.

Adam olhou para ele.

– Se você chegar perto da minha família ou ameaçar alguém... Bem, você já sabe do que sou capaz.

– Sim, eu sei.

Foi então que Adam ergueu a arma, apontou-a para o peito de Tripp e puxou o gatilho três vezes.

capítulo 56

SEIS MESES DEPOIS

O JOGO ACONTECIA NO SUPERDOME, que de "super" não tinha nada: tratava-se apenas de uma bolha inflável que fazia as vezes de ginásio coberto. A equipe de Thomas era uma das que compunham a liga do torneio de inverno. Ryan também estava presente, ora acompanhando o jogo, ora brincando com os amigos num canto. Volta e meia ele buscava o olhar do pai, um hábito adquirido recentemente, como se a qualquer instante ele pudesse evaporar no ar. Adam, claro, percebia muito bem o que estava acontecendo. Tentava tranquilizar o menino, mas o que poderia dizer?

Não queria mentir para os filhos, mas queria que eles se sentissem seguros e fossem felizes.

Todo pai carrega esse dilema e, pelo menos nesse aspecto, nada havia mudado com a morte de Corinne. Se baseada na mentira, a felicidade costuma ser passageira.

Adam viu quando Johanna Griffin atravessou a porta que ficava atrás do gol e veio caminhando em sua direção. Parando a seu lado junto do campo, ela perguntou:

– Thomas é o número onze, não é?

– É – disse Adam.

– E aí, como ele está jogando?

– Muito bem. O técnico do Bowdoin College já o procurou, querendo o passe dele.

– Uau. Bowdoin é uma ótima escola. Ele vai aceitar?

Adam deu de ombros.

– O campus fica a umas seis horas daqui. Antes dessa tragédia toda, acho que ele aceitaria, sim. Mas agora...

– Ele quer ficar perto de casa, o que é mais do que natural.

– Pois é. De repente poderíamos nos mudar pra lá, todos nós. Afinal, nada mais nos prende a esta cidade.

– Então por que ainda estão aqui?

– Não sei. Os meninos já perderam tantas coisas. Cresceram aqui. Têm a escola, os amigos.

No campo, Thomas pescou uma bola perdida e partiu para o ataque.

– A mãe deles também está aqui. Naquela casa. Nesta cidade.

Johanna assentiu sem dizer nada. Adam se virou para ela e disse:

– Que bom que você veio.

– Pra mim também é bom estar aqui.

– Quando foi que chegou?

– Algumas horas atrás – respondeu Johanna. – Amanhã é o julgamento de Kuntz.

– Ele vai pegar pena máxima. Você sabe disso, não sabe?

– É, eu sei. Mas quero estar lá pra ver. Também queria ter certeza de que você foi oficialmente inocentado.

– Fui. Fiquei sabendo na semana passada.

– Eu sei, mas queria ver com meus próprios olhos – disse Johanna. Em seguida, olhando para a arquibancada onde estavam Bob Baime e os outros pais, perguntou: – Você sempre acompanha os jogos assim, sozinho na beira do campo?

– Agora, sim – respondeu Adam. – Mas não culpo ninguém. Lembra daquilo que eu disse antes? Sobre viver uma vida dos sonhos?

– Lembro.

– Sou a prova viva de que esse sonho é uma grande ilusão. Todo mundo aqui sabe disso, mas ninguém quer ser lembrado a toda hora por alguém como eu.

Eles voltaram a atenção para o jogo e assim ficaram por um tempo. Lá pelas tantas, Johanna falou:

– Ainda não temos nenhuma novidade sobre Chris Taylor. O cara continua foragido. Mas, no fundo, ele não é exatamente o Inimigo Público Número Um. Não fez mais do que chantagear algumas pessoas que, aliás, não registraram queixa porque não quiseram que seus segredos viessem à tona. Duvido muito que tivesse pegado mais do que liberdade condicional se tivesse sido detido. Como você se sente em relação a isso?

– Sei lá – disse Adam. – Quando paro pra pensar nessas coisas, ficou dando voltas sem chegar a nenhuma conclusão.

– Como assim?

– Se Chris Taylor não tivesse aparecido e Corinne mantivesse seu segredo, é possível que nada disso tivesse acontecido. Daí eu fico me perguntando: de quem é a culpa pela morte dela? Do Chris? Da própria Corinne, por ter fingido a gravidez? Ou minha, por não ter dado atenção aos sentimentos da minha mulher? Essas conjeturas podem deixar uma pessoa maluca, sabia? Dá pra ficar roendo esse osso pro resto da vida. Mas, no fim das contas, a pessoa responsável por isso tudo é uma só. E essa pessoa está morta. Eu me certifiquei disso.

Thomas fez um passe e correu para a área atrás do gol que o jargão do lacrosse chama de X.

Segundo o relatório dos médicos legistas, a primeira bala havia sido suficiente. Atravessara o coração de Tripp Evans, matando-o instantaneamente. Adam ainda podia sentir a arma entre os dedos. Podia sentir o coice ao puxar o gatilho. Podia ver o corpo de Tripp desabando no chão enquanto o tiro ressoava no silêncio da floresta.

Por alguns segundos após o disparo, Adam não fizera absolutamente nada. Permanecera ali, atordoado. Não queria pensar nas consequências do que acabara de fazer. Queria apenas ficar com a mulher. Então baixara o rosto para um último beijo no rosto dela e se permitira chorar.

Até que, minutos depois, Johanna surgira às suas costas, dizendo:

– Adam, precisamos agir rápido.

Ela o havia seguido. Lentamente tirara a arma da mão dele para colocar na de Tripp. Usara a mão do morto para apertar o gatilho e disparar mais três tiros de modo que os peritos encontrassem resíduos de pólvora. Em seguira usara a outra mão de Tripp para arranhar Adam, deixando resíduos do DNA dele sob suas unhas. Adam simplesmente obedecera às ordens dela feito um zumbi. Eles haviam fabricado uma história de legítima defesa. Uma história longe de ser perfeita, cheia de furos, e que muitos haviam recebido com ceticismo. No entanto, as evidências físicas, junto com o testemunho da própria Johanna, afirmando que Tripp Evans tinha confessado seus crimes antes de morrer, haviam eliminado por completo a possibilidade de um indiciamento.

Adam estava livre.

Ainda assim, era impossível apagar o que acontecera. Adam matara um homem, e a lembrança disso o assombrava todas as noites, tirando-lhe o sono. Mas ele sabia que não havia outra escolha. Sua família nunca estaria em segurança enquanto Tripp Evans permanecesse vivo. Mas não era só isso que o perturbava. Em algum recanto primitivo da sua consciência, ele se parabenizava pelo que tinha feito, encontrava consolo em ter vingado a mulher e protegido os filhos.

– Posso perguntar uma coisa? – disse ele.

– Claro.

– Você tem conseguido dormir com facilidade?

Johanna sorriu.

– Pra ser sincera, não. Mas dormiria ainda menos se você estivesse apodrecendo numa cadeia. Fiz uma escolha quando vi você naquela floresta. Acho que fiz a escolha que hoje me permite dormir melhor.

– Obrigado – disse Adam.

– Não precisa agradecer.

Havia outra coisa que ainda incomodava Adam, mas sobre a qual ele nunca falava. O que teria passado pela cabeça de Tripp Evans naquele dia? Que simplesmente poderia ir embora daquela floresta como se nada tivesse acontecido? Que poderia ameaçar a família de um homem que estava com uma arma na mão, ajoelhado ao lado da mulher morta? Será que ele achava que esse homem o deixaria sair vivo dali?

Após o incidente, a família de Tripp recebera uma enorme indenização do seguro deixado por ele. Recebera também o apoio de toda a cidade. Mesmo aqueles que viam Tripp como um assassino não deixaram de consolar Becky e seus cinco filhos.

Seria possível que Tripp tivesse planejado tudo isso?

Seria possível que, no fim das contas, ele tivesse induzido a própria morte?

O jogo estava empatado, a um minuto do final.

– Engraçado – disse Johanna.

– O quê?

– Tudo começou por causa dos segredos. Foi por causa deles que Chris Taylor fundou aquele grupo maluco. Eles queriam livrar o mundo de todos os segredos. E agora nós dois somos obrigados a manter o maior segredo de todos.

Ambos se levantaram para ver a contagem regressiva. Com trinta segundos para o término do jogo, Thomas marcou um gol e quebrou o empate. A multidão veio abaixo. Adam não chegou a pular de alegria, mas abriu um sorriso. Virando-se para Ryan, viu que ele sorria também. E podia apostar que, sob o capacete, Thomas fazia a mesma coisa.

– Talvez tenha sido para isso que vim até aqui – disse Johanna.

– Para quê?

– Para ver vocês sorrindo.

Adam meneou a cabeça e não disse nada.

– Adam... por acaso você é um homem religioso? – perguntou Johanna.

– Não muito.

– Tanto faz. Você não precisa acreditar que Corinne está vendo os meninos dela sorrindo. – Johanna beijou o rosto de Adam e foi se afastando enquanto dizia: – Basta acreditar que é isso que ela gostaria de estar vendo.

Agradecimentos

O autor gostaria de agradecer às seguintes pessoas, mas em nenhuma ordem em especial já que não se lembra exatamente de quem ajudou com o quê: Anthony Dellapelle, Tom Gorman, Kristi Szudlo, Joe e Nancy Scanlon, Bem Sevier, Brian Tart, Christine Ball, Jamie Knapp, Diane Discepolo, Lisa Erbach Vance e Rita Wilson. Como sempre, qualquer erro é culpa deles. São os especialistas, não são? Por que caberia a mim pagar o pato sozinho?

Meus agradecimentos também a John Bonner, Freddie Friednash, Leonard Gilman, Andy Gribbel, Johanna Griffin, Rick Gusherowski, Heather e Charles Howell III, Kristin Hoy, John Kunt, Norbert Pendergast, Sally Perryman e Paul Williams Jr. Essas pessoas, ou seus responsáveis, fizeram generosas contribuições a entidades filantrópicas de minha escolha para que seus nomes batizassem os personagens dessa história. Caso você queira mais detalhes para também participar no futuro, acesse HarlanCoben.com ou envie um e-mail para giving@harlancoben.com.

CONHEÇA OS LIVROS DE HARLAN COBEN

Até o fim
A grande ilusão
Não fale com estranhos
Que falta você me faz
O inocente
Fique comigo
Desaparecido para sempre
Cilada
Confie em mim
Seis anos depois
Não conte a ninguém
Apenas um olhar

COLEÇÃO MYRON BOLITAR

Quebra de confiança
Jogada mortal
Sem deixar rastros
O preço da vitória
Um passo em falso
Detalhe final
O medo mais profundo
A promessa
Quando ela se foi
Alta tensão
Volta para casa